Trop de bonheur

Du même auteur

Les Lunes de Jupiter
Albin Michel, 1989
Rivages poche n° 147

Amie de ma jeunesse
Albin Michel, 1992
Rivages Poche n° 198

Secrets de polichinelle
Rivages, 1995
Points n° 2874

L'Amour d'une honnête femme
Rivages, 2001
Points n° 2873

La Danse des ombres heureuses
Rivages, 2002
Rivages poche n° 483, 2004

Un peu, beaucoup, pas du tout
Rivages, 2004
Rivages poche n° 555

Loin d'elle
Rivages poche n° 571

Fugitives
Éditions de l'Olivier, 2008
Points n° 2205

Du côté de Castle Rock
Éditions de l'Olivier, 2009
Points n° 2441

ALICE MUNRO

Trop de bonheur

Traduit de l'anglais (Canada)
par Jacqueline Huet et Jean-Pierre Carasso

ÉDITIONS DE L'OLIVIER

L'édition originale de cet ouvrage
a paru chez Alfred A. Knopf en 2009,
sous le titre : *Too Much Happiness.*

ISBN 978.2.87929.729.3

© Alice Munro, 2009.
© Éditions de l'Olivier
pour l'édition en langue française, 2013.

À David Connelly

Dimensions

Doree dut prendre deux autocars – l'un jusqu'à Kincardine, où elle attendit celui qui allait à London, où elle attendit cette fois le bus urbain qui conduisait à l'institution. Elle entreprit cette expédition un dimanche à neuf heures du matin. À cause de l'attente à chaque changement, elle mit six heures environ à parcourir les cent cinquante et quelques kilomètres. Tout ce temps qu'elle passa assise dans les différents véhicules et dans les stations ne dut pas lui être désagréable. Dans son travail quotidien, elle n'avait guère l'occasion de s'asseoir.

Femme de chambre à l'hôtel Blue Spruce, elle récurait les salles de bains, défaisait et faisait les lits, passait l'aspirateur sur les tapis et nettoyait les miroirs. Elle aimait son travail – il occupait ses pensées jusqu'à un certain point et lui causait une telle fatigue qu'elle parvenait à dormir la nuit. Il lui arrivait rarement d'affronter des tâches trop répugnantes, bien que ses collègues de travail eussent évoqué des expériences à vous dresser les cheveux sur la tête. C'étaient des femmes plus âgées qu'elle qui estimaient toutes qu'elle aurait dû s'efforcer d'améliorer sa situation. Elles lui conseillaient de suivre une formation pour un emploi derrière le comptoir pendant qu'elle était encore jeune et présentable. Mais ce qu'elle faisait suffisait à la contenter. Elle ne voulait pas avoir à parler avec des gens.

Aucun de ceux avec lesquels elle travaillait ne savait ce qui était arrivé. Du moins, s'ils le savaient, ils n'en laissaient rien paraître. Elle avait eu sa photo dans les journaux – celle qu'il avait prise d'elle et des trois enfants, le nourrisson, Dimitri, dans ses bras, et Barbara Ann et Sasha de part et d'autre, regard tourné vers l'objectif. Sa chevelure était longue et ondulée alors, brune, boucles et couleur naturelles, ainsi qu'il les aimait, et son visage doux et réservé – reflet moins de sa façon d'être à elle que de la façon dont il voulait la voir.

Depuis lors, elle avait coupé ses cheveux très court, les avait décolorés et défrisés, et elle avait perdu beaucoup de poids. Elle se faisait appeler par son second prénom désormais : Fleur. Sans compter que l'emploi qu'on lui avait trouvé était dans une ville assez éloignée de l'endroit où elle avait vécu avant.

C'était la troisième fois qu'elle faisait le voyage. Les deux premières il avait refusé de la voir. S'il recommençait cette fois-ci, elle renoncerait, tout simplement. Et même s'il la voyait, peut-être ne reviendrait-elle pas pendant un certain temps. Il fallait rester raisonnable. À vrai dire, elle ne savait pas ce qu'elle ferait.

Pendant le premier trajet en car, elle ne s'était pas inquiétée. S'abandonnant au mouvement et regardant le paysage. Elle avait grandi sur la côte, où il y avait un printemps digne de ce nom, mais ici on sautait presque directement de l'hiver dans l'été. Un mois plus tôt il y avait de la neige, et à présent il faisait assez chaud pour aller bras nus. D'éblouissantes étendues d'eau miroitaient çà et là dans les champs et la lumière du soleil pleuvait à travers les branches sans feuilles.

Dans le deuxième car, elle commença à se sentir tendue et ne put s'empêcher d'essayer de deviner quelles femmes parmi celles qui l'entouraient devaient se rendre au même endroit qu'elle. C'étaient des femmes seules, d'ordinaire vêtues avec soin, de manière peut-être à faire croire qu'elles se rendaient à l'église. Les plus âgées semblaient appartenir à des paroisses rigoristes, à l'ancienne, où il fallait porter jupe, bas et un semblant de couvre-chef, tandis que les plus jeunes auraient pu être les fidèles d'un culte moins compassé, acceptant les tailleurs-pantalons, les écharpes de couleur vive, les boucles d'oreilles et les coiffures gonflantes.

Doree n'entrait dans aucune de ces deux catégories. Depuis un an et demi qu'elle travaillait, elle ne s'était pas acheté un seul vêtement nouveau. Elle portait son uniforme au travail et un jean partout ailleurs. Elle avait cessé de se maquiller parce qu'il ne l'y autorisait pas et, à présent qu'elle aurait pu le faire de nouveau, s'en abstenait. Ses courtes mèches raides de cheveux blonds comme les blés étaient mal assorties à son visage osseux et sans fard, mais quelle importance?

Dans l'autobus, elle s'assit près d'une fenêtre et tenta de garder son calme en déchiffrant les panneaux publicitaires ou indicateurs. Il existait un truc pour s'occuper l'esprit dont elle avait appris à se servir. Avec les lettres des mots qui se présentaient à sa vue, elle cherchait à assembler le plus grand nombre possible de mots nouveaux. «Stop», par exemple, dont on pouvait tirer «pot» et «sot», et «marché», qui vous donnait «charme», «mare», «rame», et même – voyons voir – «harem». Ce n'étaient pas les mots qui manquaient vers la sortie de la ville, à mesure qu'on passait devant de grands panneaux d'affichage, des magasins gigantesques, des concessions automobiles, voire des ballons captifs amarrés à des toits annonçant des ventes promotionnelles.

Doree n'avait rien dit à Mrs. Sands de ses deux dernières tentatives, et ne lui dirait probablement rien de celle-ci. Mrs. Sands, qu'elle voyait tous les lundis après-midi, parlait de passer à autre chose, bien qu'elle ajoutât toujours que cela prendrait du temps, et qu'il ne fallait rien précipiter. Elle dit à Doree qu'elle était en bonne voie, qu'elle était en train de découvrir peu à peu sa propre force.

« Je sais que c'est une formule rebattue, devenue un cliché usé à mort, dit-elle. N'empêche qu'elle est toujours vraie. »

Elle avait rougi en s'entendant prononcer le mot « mort » mais s'était gardée d'aggraver les choses en s'excusant.

À l'âge de seize ans – il y avait donc sept ans de cela – Doree allait voir sa mère à l'hôpital tous les jours après l'école. Sa mère se remettait d'une opération de la colonne vertébrale qu'on avait présentée comme grave mais sans danger. Lloyd était aide-soignant. Lui et la mère de Doree avaient en commun d'être tous deux de vieux hippies – bien qu'il fût en fait plus jeune de quelques années – et, chaque fois qu'il en avait le temps, il venait bavarder avec elle des concerts auxquels ils avaient assisté et des manifs auxquelles ils avaient participé l'un et l'autre, des gens aux mœurs scandaleuses qu'ils avaient connus, des trips, de la défonce, ce genre de choses.

Lloyd était apprécié des patients pour ses plaisanteries et la sûreté de ses mains vigoureuses. Il était trapu et large d'épaules, avec suffisamment d'autorité pour être parfois pris pour un médecin. (Il s'en serait passé, d'ailleurs – une bonne part de la médecine n'étant dans son opinion qu'une escroquerie et beaucoup de médecins des imbéciles.) Il avait la peau sensible et un peu rouge, les cheveux clairs, un regard plein d'assurance.

Il embrassa Doree dans l'ascenseur et lui dit qu'elle était une fleur dans le désert. Puis, avec un rire d'autodérision, ajouta : « Quelle originalité ! – Vous êtes poète sans le savoir », répondit-elle par gentillesse.

Une nuit, la mère de Doree mourut subitement, d'une embolie. Elle avait un tas d'amies qui auraient volontiers hébergé Doree – laquelle vécut de fait chez l'une d'entre elles un moment – mais ce fut le dernier ami en date, Lloyd, qui eut sa préférence. Un an ne s'était pas écoulé qu'elle était enceinte, puis mariée. Lloyd ne l'avait encore jamais été, bien qu'il eût au moins deux enfants dont il ne savait pas trop où ils vivaient. De toute façon, ils devaient déjà être adultes. Sa philosophie de l'existence avait évolué avec l'âge – il croyait à présent au mariage, à la fidélité, était opposé à toute contraception. Et il trouvait que la péninsule de Sechelt, où Doree et lui vivaient, était devenue trop peuplée – vieux amis, vieux modes de vie, vieilles maîtresses. Ils ne tardèrent pas à traverser le pays jusqu'à une ville qu'ils avaient choisie pour son nom sur la carte : Mildmay. Ils ne s'installèrent pas dans le bourg mais louèrent une maison à la campagne. Lloyd trouva un emploi dans une fabrique de crème glacée. Ils plantèrent un jardin. Lloyd savait des tas de choses sur le jardinage, comme sur la charpenterie, l'usage des poêles à bois et l'entretien d'une vieille voiture.

Sasha naquit.

« C'est tout naturel », dit Mrs. Sands.

Et Doree : « Ah bon ? »

Doree s'asseyait toujours sur une chaise à dossier droit devant le bureau, pas sur le divan, qui avait un motif floral et des coussins. Mrs. Sands déplaçait son propre siège sur le côté du bureau afin qu'elles puissent converser sans aucune barrière entre elles.

«Je m'y attendais plus ou moins, dit-elle. Je crois que c'est ce que j'aurais fait à votre place.»

Mrs. Sands ne l'aurait pas formulé ainsi, au début. Ne fût-ce qu'un an plus tôt elle aurait été sur ses gardes, sachant combien Doree se serait révoltée à l'idée que quiconque, un seul être au monde, pût se mettre à sa place. Elle savait qu'à présent Doree le prendrait comme une façon, non dépourvue d'humilité, d'essayer de comprendre.

Mrs. Sands n'était pas comme certaines. Pas enjouée, ni mince, ni jolie. Ni trop vieille non plus. Elle avait à peu près l'âge qu'aurait eu la mère de Doree, n'ayant toutefois pas l'air d'avoir jamais été hippie. Ses cheveux gris étaient coupés court et elle avait un gros grain de beauté sur la pommette. Elle portait des souliers à talons plats, des pantalons flottants et des hauts à fleurs. Même quand ils étaient framboise ou turquoise, ces hauts ne donnaient jamais l'impression qu'elle attachait de l'importance à sa façon de s'habiller – on aurait plutôt dit que, quelqu'un lui ayant conseillé un peu plus d'élégance, elle était docilement allée acheter ce qui lui semblait répondre à ce besoin. La grande sobriété impersonnelle de ses manières pleines de bonté ôtait à ces vêtements toute gaieté agressive, tout ce qu'ils auraient pu avoir d'insultant.

«N'empêche que les deux premières fois, je ne l'ai même pas vu, dit Doree. Il a refusé de venir.

– Alors que cette fois il a bien voulu? Il est venu?

– Oui, oui. Mais c'est tout juste si je l'ai reconnu.

– Il a vieilli?

– C'est possible, oui. Je crois qu'il a maigri. Et puis ces habits. L'uniforme. Je ne l'avais jamais vu dans une tenue de ce genre.

– Il avait l'air d'être quelqu'un d'autre à vos yeux?

– Non.» Doree tira sur sa lèvre supérieure, réfléchissant à ce qu'il avait de changé. Il était tellement immobile. Elle ne l'avait jamais vu aussi immobile. Il ne semblait même pas savoir qu'il était censé s'asseoir en face d'elle. C'était la première chose qu'elle lui avait dite. «Tu ne t'assieds pas?» et il avait répondu: «Je peux?»

«C'était plutôt qu'il semblait un peu vide, dit-elle. Je me suis demandé si on lui donnait des médicaments.

– Peut-être quelque chose pour le stabiliser. Remarquez, je n'en sais rien. Vous avez eu une conversation ? »

Doree se demanda si c'était le mot juste. Elle lui avait posé quelques questions idiotes, ordinaires. Comment il se sentait. (Ça va.) Avait-il assez à manger ? (Oui, croyait-il.) Y avait-il un endroit où il pouvait se promener s'il en avait envie ? (Sous surveillance, oui. On pouvait appeler ça un endroit. On pouvait appeler ça se promener.)

Elle avait dit : « Tu as besoin de prendre l'air. »

Il avait répondu : « C'est vrai. »

Elle avait failli lui demander s'il s'était fait des amis. Comme on le demande à son enfant en parlant de l'école. Comme on le demanderait à ses enfants, s'ils allaient à l'école.

« Oui, oui », disait Mrs. Sands, poussant vers elle la boîte de Kleenex toujours disponible sur le bureau. Doree n'en avait pas besoin, ses yeux étaient secs. C'était au creux de l'estomac que ça n'allait pas. Que ça remuait.

Mrs. Sands se contenta d'attendre, en sachant assez pour ne pas intervenir.

Ensuite, comme s'il avait détecté ce qu'elle s'apprêtait à dire, Lloyd avait raconté qu'un psychiatre venait s'entretenir avec lui de temps à autre.

« Je lui dis qu'il perd son temps, ajouta-t-il. J'en sais autant que lui. »

C'était la seule occasion à laquelle Doree l'avait trouvé à peu près semblable à lui-même.

D'un bout à l'autre de la visite, elle avait senti son cœur cogner. Craint de défaillir ou de mourir. Il lui en coûte un tel effort de le regarder, de faire coïncider avec lui la vision qu'elle a de cet homme mince et gris, mal assuré et pourtant froid, aux gestes machinaux et pourtant désordonnés.

Elle n'avait rien confié de tout cela à Mrs. Sands. Elle aurait risqué de lui demander – non sans tact – de quoi elle avait peur. D'elle-même ou de lui ?

Mais il ne s'agissait pas de peur, elle n'avait pas peur.

Quand Sasha eut un an et demi, Barbara Ann naquit, et deux ans plus tard ce fut Dimitri. Ils avaient choisi ensemble le prénom de Sasha et avaient ensuite conclu un pacte selon lequel il choisirait le prénom des garçons et elle celui des filles.

Dimitri fut le premier qui était sujet aux coliques. Doree songea qu'il ne tétait peut-être pas assez de lait, ou que son lait n'était pas assez riche. Ou trop riche ? En tout cas, pas comme il fallait. Lloyd avait fait venir une dame de la Leche League pour s'entretenir avec elle. Quoi que vous fassiez, avait dit la dame, il ne faut pas lui donner de biberons de complément. Si vous mettez le doigt dans cet engrenage, il ne tardera pas à refuser le sein.

Comment eût-elle su que Doree avait déjà commencé à lui donner un biberon de complément ? Et c'était effectivement ce qu'il semblait préférer – il acceptait de plus en plus difficilement le sein. Au bout de trois mois, il n'était plus nourri qu'au biberon et il devint impossible de le cacher à Lloyd. Elle lui dit que son lait s'était tari et qu'elle avait dû recourir au biberon. Lloyd pressa un sein après l'autre avec une détermination frénétique et réussit à en tirer une ou deux misérables gouttes de lait. Il la traita de menteuse. Ils se disputèrent. Il dit qu'elle n'était qu'une putain comme sa mère.

Toutes ces hippies n'étaient que des putains, déclara-t-il.

Ils ne tardèrent pas à se réconcilier. Mais chaque fois que Dimitri s'agitait, chaque fois qu'il s'enrhumait, s'effrayait du lapin apprivoisé de Sasha ou s'accrochait encore aux chaises à l'âge où son frère et sa sœur marchaient déjà sans soutien, le fiasco de la tétée était évoqué.

La première fois que Doree était allée au cabinet de Mrs. Sands, une des autres femmes qui étaient là lui avait donné un dépliant. Sur la couverture, il y avait une croix d'or et des mots écrits en caractères dorés et violets. « Quand Ton Chagrin Semble Insupportable... » À l'intérieur il y avait un portrait de Jésus aux couleurs pastel et un texte en petits caractères que Doree ne lut pas.

Assise devant le bureau, les doigts encore crispés sur le dépliant, elle s'était mise à trembler. Mrs. Sands avait dû lui faire desserrer les doigts pour le lui prendre de la main.

« Quelqu'un vous a donné ça ? » demanda-t-elle.

Et Doree : « Elle, là », indiquant de la tête la porte fermée.

« Vous n'en voulez pas ?

– C'est quand ça ne va pas fort que ces gens-là essaient de vous mettre le grappin dessus », dit Doree avant de se rendre compte que c'était là une remarque de sa mère quand des dames porteuses d'un message similaire étaient venues la visiter à l'hôpital. « Elles croient qu'on va tomber à genoux et que ça s'arrangera. »

Mrs. Sands poussa un soupir.

« Bah, dit-elle, ça n'est certainement pas si simple.

– Ni même possible, dit Doree.

– Peut-être. »

Elles ne parlaient jamais de Lloyd au début. Doree ne pensait jamais à lui si elle pouvait l'éviter et, dans le cas contraire, en le considérant seulement comme un terrible accident de la nature.

« Même si je croyais à ces machins », dit-elle, c'est-à-dire à ce qu'il y avait dans le dépliant, « ce serait uniquement pour... » Elle avait eu l'intention de dire que ce genre de croyances serait commode parce qu'elle lui permettrait d'imaginer Lloyd brûlant en enfer, ou quelque chose du même goût, mais elle fut incapable de poursuivre tant c'était idiot d'en parler. Et à cause aussi d'une difficulté familiale, cette espèce de marteau qui cognait dans son ventre.

Lloyd estimait que leurs enfants ne devaient pas aller à l'école. Ce n'était pas pour des raisons religieuses – refus des dinosaures, de l'homme des cavernes, des singes et tout et tout – mais parce qu'il voulait qu'ils soient proches de leurs parents et qu'on leur fasse faire connaissance avec le monde prudemment et progressivement plutôt que de les y jeter d'un seul coup. « Il se trouve que je les considère comme mes enfants, disait-il. Enfin, comme nos enfants, pas comme les enfants de l'Éducation nationale. »

Doree n'était pas sûre d'être à la hauteur dans ce domaine, mais il s'avéra que l'Éducation nationale éditait des directives et des programmes qu'on pouvait se procurer à l'école la plus proche. Sasha était intelligent et apprit à lire pour ainsi dire tout seul, et les deux autres étaient encore trop petits pour apprendre grand-chose. Le soir et pendant les week-ends, Lloyd enseignait à Sasha des éléments de géographie et du système solaire, l'hibernation des animaux, le fonctionnement des automobiles, traitant chaque sujet à mesure des questions que posait l'enfant. Ce dernier ne tarda pas à prendre de l'avance sur les programmes mais Doree continua quand même d'aller les chercher à l'école pour lui faire faire les exercices en temps voulu afin d'être en accord avec la loi.

Il y avait une autre maman dans le district qui faisait la classe chez elle. Elle s'appelait Maggie et possédait un minibus. Lloyd avait besoin de sa voiture pour aller au travail et Doree n'avait pas appris à conduire. De sorte qu'elle fut contente quand Maggie lui proposa de l'emmener à l'école une fois par semaine remettre les exercices terminés et prendre les nouveaux. Elles emmenaient évidemment les enfants. Maggie avait deux garçons. L'aîné souffrait de tant d'allergies qu'elle devait surveiller de près tout ce qu'il mangeait – c'était pourquoi elle lui faisait la classe à domicile. Du coup elle estimait plus simple de s'occuper aussi du cadet. Ce dernier avait envie de rester avec son frère et était asthmatique, alors…

Quel bonheur pour Doree quand elle comparait avec la bonne santé des trois siens. C'était, disait Lloyd, parce qu'elle avait eu tous ses enfants quand elle était encore jeune, alors que Maggie avait attendu d'être au bord de la ménopause. Il exagérait son âge mais il est vrai qu'elle avait attendu. Elle était opticienne optométriste. Elle et son mari étaient associés et n'avaient pas entrepris de fonder une famille avant qu'elle puisse cesser de pratiquer et qu'ils achètent une maison à la campagne.

Elle avait les cheveux poivre et sel, coupés très court. Elle était grande, la poitrine plate, enjouée et opiniâtre. Lloyd l'appelait la goudou, seulement derrière son dos, ça va de soi. Il plaisantait avec elle au téléphone mais sa bouche formait à l'intention de Doree les mots « c'est la goudou ». Doree ne s'en formalisait pas vraiment – il traitait beaucoup de femmes de « goudous ». Ce qu'elle craignait plutôt, c'était que sa façon de plaisanter paraisse trop amicale à Maggie, comme une forme d'intrusion, ou à tout le moins une perte de temps.

« Tu veux parler à bobonne ? Oui. Elle est juste devant moi. Elle bosse sur la planche à laver. Oui, je suis l'esclavagiste type. Elle te l'a pas dit ? »

Doree et Maggie prirent l'habitude de faire les commissions ensemble après être allées chercher les sujets de devoirs à l'école. Cela fait, elles achetaient parfois au Tim Hortons des cafés à emporter et emmenaient les enfants à Riverside Park. Là, elles s'asseyaient sur un banc pendant que Sasha et les fils de Maggie gambadaient ou se suspendaient aux filets d'escalade de l'aire de jeux, que Barbara Ann faisait de la balançoire et que Dimitri jouait au bac à sable. À moins qu'on reste dans le minibus, quand il faisait froid. Elles parlaient surtout des enfants et de cuisine, mais cela n'empêcha pas Doree d'apprendre que Maggie avait parcouru l'Europe sac au dos avant ses études d'optométrie, ni Maggie de découvrir que Doree s'était mariée si jeune. Et aussi la facilité avec laquelle elle était tombée enceinte au début, que cela n'était plus le cas désormais, d'où les soupçons de Lloyd, qui fouillait les tiroirs de sa commode à la recherche des pilules – qu'elle devait prendre en douce, pensait-il.

« C'est ce que tu fais ? » s'enquit Maggie.

Doree s'indigna. Dit que jamais elle ne s'y serait risquée.

« Parce que, tout de même, je trouve que ce serait horrible, de le faire sans le lui dire. C'est un peu à la blague, qu'il les cherche.

– Ah bon », dit Maggie.

Et un jour, Maggie demanda : « Est-ce que tout va bien pour toi ? Dans ton ménage, je veux dire ? Tu es heureuse ? »

Doree répondit oui, sans hésitation. Après quoi elle fit plus attention à ce qu'elle disait. Elle vit qu'il y avait des choses auxquelles elle était habituée qu'une autre personne pouvait ne pas comprendre. Lloyd avait une façon de voir qui lui était propre : il était comme ça, voilà tout. Déjà quand elle avait fait sa connaissance à l'hôpital, il était comme ça. L'infirmière-chef était quelqu'un d'assez guindé, il l'appelait donc Mrs. Vieille-Chieuse alors que son nom était Mrs. Fletcher. Il le prononçait si vite qu'on ne pouvait s'en apercevoir. Il la soupçonnait d'avoir des chouchous et pensait qu'il n'en faisait pas partie. À présent il y avait quelqu'un qu'il détestait à la fabrique de crème glacée, quelqu'un qu'il appelait Louie La Sucette. Doree ignorait le vrai nom du bonhomme. Du moins cela prouvait-il que ce n'était pas seulement à des femmes qu'il en voulait.

Elle était à peu près sûre que ces gens n'avaient pas autant de torts que Lloyd leur en prêtait, mais il ne servait à rien de le contredire. Peut-être les hommes avaient-ils besoin d'ennemis, de même qu'ils avaient besoin de plaisanter. Il arrivait d'ailleurs que Lloyd plaisante de ses ennemis. À croire qu'il riait de lui-même. Il la laissait alors rire avec lui, du moment que ce n'était pas elle qui s'était mise à rire la première.

Elle espérait qu'il ne se mettrait pas à considérer Maggie de cette façon. Par moments, elle avait bien peur d'en entrevoir la possibilité. S'il l'empêchait d'aller à l'école et à l'épicerie avec Maggie, cela lui compliquerait beaucoup la vie. Mais le pire, ce serait la honte. Il lui faudrait inventer un mensonge idiot pour expliquer la chose. Mais Maggie comprendrait – comprendrait en tout cas qu'elle mentait et en conclurait probablement que la situation de Doree était pire qu'elle l'était en réalité. Car Maggie avait elle aussi une façon bien tranchée de voir les choses.

Puis Doree se mit à se demander pourquoi elle se préoccupait de ce que Maggie risquait de penser. Elle ne leur était rien, Doree ne se sentait même pas très à l'aise avec elle. C'était Lloyd qui l'avait dit, et il avait raison. La vérité entre eux, ce qui les liait, n'était compréhensible à personne d'autre qu'eux et ne regardait d'ailleurs personne. Que Doree veille à sa propre fidélité et tout irait bien.

Cela empira, peu à peu. Pas d'interdiction directe, mais un surcroît de critiques. Lloyd finissant par décréter que Maggie elle-même était peut-être la cause de l'allergie et de l'asthme de ses fils. La responsable est souvent la mère, dit-il. Il avait vu ça à l'hôpital bien des fois. La mère désireuse de tout maîtriser, d'ordinaire une femme ayant fait des études.

«Il y a des enfants chez qui c'est de naissance, tout simplement, dit Doree, mal avisée. Tu ne peux pas dire que c'est la mère à tous les coups.

– Ah, parce que je ne peux pas. Et pourquoi ?

– Je ne voulais pas dire toi personnellement. Je n'ai pas voulu dire que tu ne pouvais pas. Ce que je veux dire c'est qu'ils sont peut-être nés comme ça. Non ?

– Depuis quand tu t'y connais en médecine, toi ?

– J'ai pas dit ça.

– Non. Et tu n'y connais rien. »

De mal en pis. Il exigea de savoir de quoi elles parlaient, toutes les deux, avec Maggie.

« Je sais pas. De rien, en fait.

– C'est bizarre. Deux femmes dans une voiture. C'est la première fois que je vois ça. Deux femmes qui ne parlent de rien. Elle a décidé de casser notre couple.

– Qui ? Maggie ?

– Je connais ce genre de bonnes femmes.

– Quel genre ?

– Son genre.

– Sois pas bête.

– Attention. Me dis pas que je suis bête.

– Pourquoi elle voudrait faire ça ?

– Comment veux-tu que je le sache ? Elle veut le faire, c'est tout. Attends. Tu verras. Elle t'amènera à pleurnicher dans son giron que je suis un salaud. Un de ces quatre. »

Et telle fut bien la tournure que cela prit. Du moins et sans aucun doute à ses yeux à lui, Lloyd. Elle se retrouva un soir vers dix heures dans la cuisine de Maggie, ravalant ses larmes et buvant une tisane. Le mari de Maggie avait dit : « Qui ça peut bien être, bon sang ? » quand elle avait frappé – elle l'avait entendu à travers la porte. Il ne l'avait pas reconnue. Elle avait balbutié : « Je suis vraiment désolée de vous déranger comme ça... » pendant qu'il la dévisageait, les sourcils levés et les lèvres pincées. Et puis Maggie était venue.

Doree avait fait tout le trajet à pied, dans le noir, d'abord sur le chemin de gravier en bordure duquel elle habitait avec Lloyd, et puis sur la route. Elle se réfugiait dans le fossé chaque fois qu'une voiture arrivait, ce qui l'avait considérablement ralentie. Elle regardait d'ailleurs chacune de celles qui passaient, pensant qu'il pouvait s'agir de Lloyd. Elle ne voulait pas qu'il la retrouve, pas tout de suite, pas avant que la peur l'eût arraché à sa folie. À d'autres occasions, elle était parvenue à l'y arracher elle-même, en l'effrayant de ses sanglots et de ses gémissements, allant jusqu'à se cogner la tête sur le plancher en psalmodiant : « C'est pas vrai, c'est pas vrai, c'est pas vrai », sans jamais s'arrêter. Il finissait par céder. Il disait : « Bon, bon, d'accord. Je te crois. Tais-toi, chérie. Pense aux enfants. Je te crois, je t'assure. Arrête, quoi. »

Mais ce soir-là, elle s'était maîtrisée juste avant de commencer ce numéro. Elle avait mis son manteau et était sortie pendant qu'il lançait dans son dos : « Fais pas ça. Je te préviens ! »

Le mari de Maggie était allé se coucher, l'air toujours aussi contrarié, pendant que Doree ne cessait de répéter : « Pardon, pardon vraiment de débarquer chez vous à une heure pareille.

– Oh, arrête ça, dit Maggie, pleine d'une bonté raisonnable. Tu veux un verre de vin ?

– Je ne bois pas.

– Alors, ce n'est pas le moment de commencer. Je vais te faire de la tisane. C'est très apaisant. Framboise-camomille. Ce ne sont pas les enfants, hein ?

– Non. »

Maggie lui prit son manteau et lui tendit des Kleenex pour ses yeux et son nez. « Ne me dis rien pour l'instant. On aura vite fait de te calmer. »

Même quand elle eut en partie recouvré son calme, Doree ne voulut pas déballer la vérité tout à trac et faire savoir à Maggie qu'elle était elle-même au cœur du problème. Outre cela, elle ne voulait pas avoir à expliquer Lloyd. Aussi usante pour les nerfs que pût être la vie avec lui, il restait la personne au monde qu'elle sentait le plus proche d'elle et elle avait l'impression que tout s'effondrerait si elle en venait à le décrire à quelqu'un tel qu'il était, se montrant ainsi totalement déloyale.

Elle dit qu'elle et Lloyd avaient repris une vieille dispute dont elle avait tellement marre qu'elle avait préféré s'en aller. Mais ça s'arrangerait, elle y arriverait. Ils y arriveraient.

« Ça se produit un jour ou l'autre dans tous les couples », dit Maggie.

Le téléphone sonna, et Maggie répondit.

« Oui. Elle va bien. Elle avait besoin de marcher un peu pour se calmer, c'est tout. Parfait. C'est d'accord, je la raccompagnerai demain matin. Ça ne me dérange pas. D'accord. Bonne nuit. »

« C'était lui, dit-elle. Je pense que tu as entendu.

– Comment t'a paru sa voix ? Il t'a paru normal ? »

Maggie se mit à rire.

« Comment suis-je censée connaître la voix qu'il a quand il est normal ? Il n'avait pas l'air soûl.

– Il ne boit pas lui non plus. On ne boit même pas de café à la maison.

– Tu veux du pain grillé ? »

Tôt le lendemain matin, Maggie la ramena chez elle en voiture. Son mari, qui n'était pas encore parti au travail, resta avec les garçons pendant ce temps-là.

Maggie était pressée d'y retourner et se contenta donc de dire : « Au revoir. Téléphone-moi si tu as envie de parler », tout en faisant demi-tour avec le minibus dans la cour.

Il faisait froid en ce début de printemps, la neige couvrait encore le sol. Mais Lloyd était là, assis sur les marches en bras de chemise.

« Bonjour », lança-t-il d'une voix forte empreinte d'une politesse sarcastique. Et elle répondit bonjour, d'un ton qui faisait semblant de n'avoir pas remarqué le sien.

Il ne fit pas mine de s'écarter pour la laisser monter les marches.

« Tu ne peux pas entrer », dit-il.

Elle décida de le prendre avec légèreté.

« Même si j'ajoute s'il te plaît ? S'il te plaît ? »

Il la dévisagea sans répondre. Il sourit en gardant les lèvres serrées.

« Lloyd ? dit-elle. Lloyd ?

– Vaut mieux que tu n'entres pas.

– Je ne lui ai rien dit, tu sais. Pardon d'être partie. J'ai eu besoin d'espace, j'étouffais un peu, je crois.

– Vaut mieux que tu n'entres pas.

– Qu'est-ce qui te prend ? Où sont les enfants ? »

Il secoua la tête comme il faisait quand elle disait quelque chose qui ne lui plaisait pas. Quelque chose d'un peu grossier, comme « merde, alors ».

« Lloyd. Où sont les enfants, Lloyd ? »

Il s'effaça à peine, juste assez pour qu'elle puisse passer si elle voulait. Dimitri, encore dans son berceau, gisant de travers. Barbara Ann par terre à côté de son lit, comme si elle en était sortie ou que quelqu'un l'en avait tirée. Sasha près de la porte de la cuisine – il avait essayé de s'échapper. Il était le seul à porter des marques sur le cou. L'oreiller avait suffi pour les autres.

« Quand j'ai téléphoné, hier soir, hein ? dit Lloyd. Quand j'ai téléphoné, ça s'était déjà fait. Tu ne peux t'en prendre qu'à toi-même », dit-il.

Le verdict fut qu'il était fou et qu'on ne pouvait pas faire son procès. C'était un fou criminel – il fallait l'interner dans un établissement spécialisé.

Doree était ressortie en courant de la maison et tournait en titubant autour de la cour, les bras serrés sur le ventre comme s'il avait été fendu et qu'elle essayait de retenir ses entrailles. Ce fut la scène que Maggie découvrit quand elle revint. Prise d'un pressentiment, elle avait rebroussé chemin. Elle crut d'abord que Doree avait reçu de son mari un coup de poing ou de pied dans le ventre. Elle ne comprit rien aux borborygmes de Doree. Mais Lloyd, qui était encore assis sur les marches, s'écarta courtoisement pour la laisser passer, sans un mot, et elle entra dans la maison où elle découvrit ce qu'elle s'attendait à présent à découvrir. Elle téléphona à la police.

Pendant quelque temps, Doree ne cessa de s'enfoncer dans la bouche tout ce qui lui tombait sous la main. Après la terre et l'herbe, ce furent des draps ou des serviettes ou encore ses vêtements. Comme si elle tentait d'étouffer non seulement les hurlements qui montaient en elle mais la scène qu'elle avait dans la tête. On lui faisait une piqûre, à intervalles réguliers, pour la calmer. Et cela produisit son effet. De fait, elle devint très silencieuse. Mais pas catatonique. On dit qu'elle était stabilisée. Quand elle sortit de l'hôpital et que l'assistante sociale l'eut emmenée dans cette nouvelle ville, Mrs. Sands prit le relais, lui trouva un logement, un travail, et décida qu'elle la verrait une fois par semaine. Maggie lui aurait rendu visite mais c'était la personne entre toutes dont Doree ne pouvait supporter la vue. Sentiment bien naturel, dit Mrs. Sands – à cause de l'association. Elle dit que Maggie comprendrait.

Mrs. Sands dit qu'il appartenait à Doree de décider si elle continuerait ou pas d'aller voir Lloyd. « Je ne suis pas ici pour approuver ou désapprouver, vous savez. Ça vous a fait du bien de le voir, ou du mal ?

– Je ne sais pas. »

Doree ne put expliquer qu'elle n'avait pas eu vraiment l'impression de le voir lui. C'était presque comme voir un fantôme. Si pâle. Pâles, les vêtements dans lesquels il flottait, avec des chaussures qui ne faisaient pas le moindre bruit – probablement des pantoufles – à ses pieds. Elle avait l'impression qu'il avait perdu des cheveux. Une partie de sa chevelure épaisse et ondulée, couleur de miel. Et ses épaules semblaient n'avoir plus de largeur, ni ce creux de la clavicule, où elle posait la tête autrefois.

Voici ce qu'il avait dit, par la suite, à la police – et que les journaux avaient cité : « Je l'ai fait pour leur épargner le malheur. »

Quel malheur ?

« Le malheur de savoir que leur mère les avait abandonnés », avait-il dit.

Ces mots étaient gravés au fer rouge dans le cerveau de Doree. Et peut-être avait-elle décidé de se risquer à lui rendre visite dans l'idée de les lui faire retirer. De le contraindre à voir et à reconnaître comment les choses s'étaient vraiment passées.

« Tu m'as dit d'arrêter de te contredire ou de sortir. Alors je suis sortie. »

« Je suis allée passer la nuit chez Maggie, voilà tout. J'avais la ferme intention de revenir. Il n'était pas question d'abandonner qui que ce soit. »

Elle se rappelait parfaitement comment la dispute avait commencé. Elle avait acheté une boîte de spaghettis en sauce un peu cabossée. À cause de ce défaut, elle l'avait payée moins cher, toute contente de se montrer une ménagère avisée. Elle avait cru faire quelque chose de malin. Mais elle ne le lui avait pas dit quand il s'était mis à la questionner à ce propos. Pour une raison quelconque, elle avait jugé préférable de prétendre ne s'être aperçue de rien.

Tout le monde s'en serait aperçu, avait-il dit. Nous aurions pu être intoxiqués. À quoi donc pensait-elle? À moins qu'elle n'en ait justement eu l'intention. Intention d'empoisonner les enfants, ou lui.

Elle lui avait dit d'arrêter, que c'était de la folie.

Il avait répondu que ce n'était pas lui qui était fou. Que seule une folle achèterait du poison pour sa famille.

Les enfants les regardaient depuis le seuil du salon. C'était la dernière fois qu'elle les avait vus vivants.

Était-ce donc cela qu'elle avait cru – qu'elle pourrait lui faire voir, en définitive, qui était fou?

Quand elle s'était rendu compte de ce qu'elle avait en tête, elle aurait dû descendre de l'autobus. Elle aurait même pu en descendre devant l'entrée, avec les quelques autres femmes qui s'engageaient en pressant le pas dans l'allée de l'établissement. Elle aurait pu traverser la chaussée pour attendre l'autobus qui retournait en ville. Il y avait probablement des gens qui le faisaient, qui venaient pour une visite et puis se ravisaient. Ça devait arriver tout le temps.

Mais peut-être valait-il mieux qu'ayant persévéré, elle le voie si méconnaissable et décati. Une personne qui ne valait plus qu'on lui adresse le moindre reproche. Plus une personne. Plutôt un personnage dans un rêve.

Elle en faisait, des rêves. Dans l'un, elle sortait de la maison en courant après les y avoir trouvés et Lloyd se mettait à rire, du rire insouciant qu'il avait autrefois, et puis elle entendait rire Sasha derrière elle, et la lumière se faisait en elle, merveilleusement, c'était une blague, un tour qu'ils lui jouaient tous.

«Vous m'avez demandé si ça me faisait du bien ou du mal de le voir? La dernière fois, vous me l'avez demandé?

– Oui, c'est vrai, dit Mrs. Sands.

– Il a fallu que j'y réfléchisse.

– Oui.

– J'ai conclu que ça me faisait du mal. Alors je n'y suis pas retournée. »

Difficile à dire avec elle, mais l'inclinaison de tête de Mrs. Sands sembla un signe de satisfaction ou d'approbation.

Du coup, quand elle finit par décider d'y retourner malgré tout, Doree jugea préférable de ne pas en parler. Et comme il était difficile de ne pas parler de ce qui lui arrivait – tant il lui arrivait peu de choses, le plus souvent –, elle téléphona pour annuler son rendez-vous, prétextant un départ en vacances. On était en été, les départs en vacances n'avaient rien d'extraordinaire. Avec une amie, dit-elle.

«Ce n'est pas la même veste que la semaine dernière.

– Ce n'était pas la semaine dernière.

– Ah bon?

– Ça fait trois semaines. Il fait chaud, maintenant. Celle-ci est plus légère mais je n'en ai pas vraiment besoin. On n'a plus besoin de veste du tout. »

Il l'interrogea sur son voyage, les cars qu'elle avait dû prendre pour venir de Mildmay.

Elle lui dit qu'elle n'y vivait plus. Elle lui dit où elle habitait et lui parla des deux cars et de l'autobus.

«Ça te fait une trotte. Tu te plais mieux dans un patelin plus important?

– C'est plus facile d'y trouver du travail.

– Alors tu travailles?»

Elle lui avait parlé la fois précédente de son déménagement, des cars, de son travail.

«Je fais le ménage dans un motel, dit-elle. Je te l'ai dit.

– Oui, oui. J'avais oublié. Pardon. Tu ne penses jamais à retourner à l'école? Aux cours du soir?»

Elle dit qu'elle y pensait en effet mais jamais assez sérieusement pour entreprendre quoi que ce soit. Elle dit qu'elle n'était pas mécontente du travail qu'elle faisait. Puis ce fut comme s'ils ne trouvaient plus rien à dire.

Il soupira. Il dit : « Pardon. Pardon. Faut croire que j'ai perdu l'habitude de la conversation.

– Alors qu'est-ce que tu fais toute la journée ?

– Je dois lire pas mal. Et je médite. Comme ça, un peu en amateur.

– Ah.

– Je suis content que tu viennes. Ça compte beaucoup pour moi. Mais il ne faut pas que tu te croies obligée. Je veux dire seulement quand tu en éprouves le besoin. Si quelque chose se présente, ou que tu en as envie – ce que j'essaie de dire, c'est que le simple fait que tu sois venue, et même une seule fois, c'est du bonus pour moi. Tu comprends ce que je te dis ? »

Elle dit oui, qu'elle croyait.

Il dit qu'il ne voulait pas lui compliquer la vie.

« Tu ne me la compliques pas, dit-elle.

– C'est ça que tu allais dire ? J'ai cru que tu allais dire autre chose. »

De fait, elle avait failli dire : « Quelle vie ? »

Non, dit-elle, pas vraiment, rien d'autre.

« Tant mieux. »

Trois semaines plus tard elle reçut un coup de téléphone. C'était Mrs. Sands en personne au bout du fil, pas une des dames du bureau.

« Ah, Doree. Je me disais que vous n'étiez peut-être pas rentrée de vos vacances. Alors, vous êtes rentrée ?

– Oui, dit Doree, cherchant où elle allait pouvoir dire qu'elle était allée.

– Mais vous n'aviez pas encore repris de rendez-vous.

– Non. Pas encore.

– C'est sans importance. Je voulais seulement m'en assurer. Vous allez bien ?

– Je vais bien.

– Parfait. Parfait. Vous savez où me trouver si vous avez besoin de moi. Ou seulement envie de bavarder.

– Oui.

– Bon, portez-vous bien. »

Elle n'avait fait aucune allusion à Lloyd, n'avait pas demandé si les visites s'étaient poursuivies. Mais non, bien sûr, Doree avait dit qu'elles ne se poursuivraient pas. Mais Mrs. Sands était assez forte d'ordinaire pour deviner ce qui se passait. Assez forte pour se retenir, aussi, quand elle comprenait qu'une question ne la mènerait nulle part. Doree ne savait pas ce qu'elle aurait répondu si elle avait posé la question – aurait-elle reculé et raconté un mensonge ou simplement dit la vérité ? Elle y était retournée, à vrai dire, le dimanche suivant, après qu'il lui avait plus ou moins expliqué que ça n'avait pas d'importance qu'elle vienne ou pas.

Il avait un rhume. Ne savait pas comment c'était arrivé.

Peut-être le couvait-il déjà, expliqua-t-il, la dernière fois qu'il l'avait vue et c'était pourquoi il s'était montré si morose.

« Morose. » Elle avait rarement affaire, à présent, à des gens qui usaient d'un tel vocabulaire et le mot résonna bizarrement à son oreille. Mais il avait toujours parlé de cette façon, et bien sûr ces mots ne la frappaient pas naguère comme ils le faisaient aujourd'hui.

« Je te fais l'impression d'être quelqu'un de différent ? demanda-t-il.

– Ben, tu as l'air différent, dit-elle avec prudence. Et moi ?

– Tu es belle », dit-il tristement.

Elle se sentit mollir. Mais lutta pour s'en empêcher.

« Tu te sens différente ? demanda-t-il. As-tu l'impression d'être une personne différente ? »

Elle dit qu'elle ne savait pas. « Et toi ? »

Il dit : « Totalement. »

Plus avant dans la semaine, on lui remit une grande enveloppe au travail. Elle lui avait été adressée aux bons soins du motel. Elle renfermait plusieurs feuillets écrits recto verso. Elle ne songea pas d'abord qu'elle pût venir de lui – elle avait vaguement l'impression qu'on n'autorisait pas les détenus à rédiger des lettres en prison. Mais ce n'était pas un détenu comme un autre, bien sûr. Pas un criminel ; seulement un fou qui avait commis un crime.

Il n'y avait pas de date sur le document et pas même un «Chère Doree». Elle y était interpellée tout à trac de sorte qu'elle se crut en présence d'une quelconque invitation religieuse :

Les gens cherchent la solution de tous les côtés. Ils ont l'esprit meurtri (par toutes ces recherches). Tant de choses se bousculent autour d'eux et les blessent. On voit sur leur visage toutes leurs ecchymoses, toute leur douleur. Ils sont bouleversés. Ils courent en tous sens. Il leur faut faire les courses, aller à la laverie automatique, se faire couper les cheveux et gagner leur pitance ou passer retirer leurs allocations. Ce sont les pauvres qui doivent le faire et les riches doivent s'acharner à chercher la meilleure façon de dépenser leur argent. C'est du travail ça aussi. Ils doivent faire bâtir les plus belles maisons équipées de robinets en or pour leur eau chaude et leur eau froide. Et leurs Audi, leurs brosses à dents magiques et tous les appareils imaginables. Et puis des alarmes pour se protéger contre les cambrioleurs et les assassins. Et les (vois) les voilà tous les riches et les pauvres privés de la paix de l'âme. J'allais écrire les «voisins» au lieu de les «voilà», pourquoi donc? Des voisins je n'en ai aucun ici. Ici au moins les gens sont au-delà d'une bonne part de la confusion. Ils savent ce qu'ils possèdent et posséderont toujours et n'ont même pas à acheter ou à préparer leur nourriture. Ni à la choisir. Les choix sont éliminés.

Tout ce que nous qui sommes ici pouvons acquérir nous ne pouvons le tirer que de notre esprit.

Au début tout dans ma tête n'était que pairturbation (orthographe?). Elle était en proie à une tempête sans fin et je me cognais la tête contre le ciment dans l'espoir de m'en débarrasser. De mettre un terme à ma souffrance et à ma vie. De sorte que des châtiments me furent infligés. Douches au jet à haute pression, contention, introduction de drogues dans mon système sanguin. Je ne m'en plains pas d'ailleurs, parce qu'il fallait que j'apprenne qu'il n'y a aucun bénéfice à en attendre. Et que cela ne diffère en rien du prétendu monde réel, dans lequel les gens boivent, s'agitent, et commettent des crimes pour éliminer celles de leurs pensées qui sont douloureuses. Et souvent, ils se font arrêter et incarcérer mais cela ne dure pas assez longtemps pour qu'ils en ressortent de l'autre côté. Et qu'est-ce donc que cet autre côté? C'est soit la folie complète, soit la paix.

La paix. Je suis parvenu à la paix sans perdre la raison. J'imagine qu'en lisant cela tu penseras que je m'apprête à dire quelque chose sur le Seigneur Jésus ou en tout cas sur Bouddha comme si j'étais parvenu à une conversion religieuse. Non. Je ne ferme pas les yeux pour me faire aspirer vers le haut par un quelconque Pouvoir Supérieur. Je ne sais d'ailleurs pas vraiment ce que ces choses-là signifient. Ce que je fais, c'est me Connaître Moi-Même. Connais-Toi Toi-Même est une espèce de Commandement tiré de quelque part, probablement de la Bible, de sorte qu'en cela au moins j'ai suivi le Christianisme. Et aussi, Sois Toi-Même – j'ai tenté cela qui est dans la Bible aussi. Cela ne dit pas quelle part – le mal ou le bien – est censée être nous-même. Cela n'est donc pas conçu comme un guide moral. De même, Connais-Toi Toi-Même ne se rapporte pas non plus à la morale telle que nous la connaissons dans le Comportement. Mais le Comportement n'est pas vraiment ce dont je me soucie parce qu'on a jugé à juste titre que je suis quelqu'un à qui on ne peut faire confiance pour juger comment il devrait se comporter et c'est la cause de ma présence ici.

Revenons à la partie Connaître de Connais-Toi Toi-Même. Je peux dire en toute tranquillité que je me connais et que je connais le pire dont je suis capable, sachant que je l'ai fait. Le Monde me juge comme un Monstre et je n'ai rien à y redire, sinon, en passant, que des gens qui font pleuvoir les bombes, incendient des villes ou affament et font mourir des centaines de milliers de gens ne sont pas considérés en général comme des Monstres mais couverts de médailles et d'honneurs, les actes contre de petits nombres de gens étant seuls considérés comme choquants et condamnables. Il ne s'agit pas d'une excuse mais seulement d'une observation.

Ce que je Connais en Moi-Même c'est ma part de Mal. Tel est le secret de ma consolation. C'est-à-dire que je connais ce qu'il y a de pire en moi. C'est peut-être pire que ce qu'il y a de pire chez d'autres gens, mais en fait je n'ai pas à y penser ou à m'en préoccuper. Pas *d'excuses. Je suis en paix. Suis-je un Monstre? Le Monde le dit et si cela est dit, alors j'en conviens. Mais ensuite je dis que le Monde n'a aucune signification réelle pour moi. Je suis Moi, et n'ai aucune chance de devenir n'importe quel Autre. Je pourrais prétendre que j'étais fou à ce moment-là mais qu'est-ce que cela signifie? Fou. Sain d'esprit. Je suis Moi. Je ne pouvais pas changer mon Moi à l'époque et ne puis le changer à présent.*

Doree, si tu es encore en train de lire, il y a quelque chose de particulier dont je veux te parler mais que je ne puis écrire. Si jamais tu t'avisais de revenir ici, alors peut-être pourrais-je te le dire. Ne pense pas que je n'ai pas de cœur. Ce n'est pas que je ne changerais pas les choses si je le pouvais, mais je ne peux pas.

J'adresse cette lettre à ton lieu de travail, que je me rappelle, comme le nom de la ville, mon cerveau fonctionne donc bien à certains égards.

Elle pensa qu'il leur faudrait discuter de cette lettre à leur prochaine rencontre et la relut donc plusieurs fois, mais ne put rien trouver à en dire. Ce dont elle souhaitait parler en réalité c'était de cette chose quelle qu'elle fût qu'il avait déclarée impossible à coucher par écrit. Mais quand elle le revit il se comporta comme s'il ne lui avait jamais écrit. S'efforçant de trouver un sujet de conversation elle lui parla d'un chanteur folk naguère célèbre qui était descendu au motel cette semaine-là. À sa surprise, il en savait plus qu'elle sur la carrière du chanteur. Il se révéla qu'il avait un téléviseur, ou du moins accès à la télévision et regardait quelques émissions et, bien sûr, les nouvelles, régulièrement. Cela leur permit de parler encore un peu jusqu'à ce qu'elle n'y tînt plus.

« Qu'est-ce que c'était que cette chose dont tu ne pouvais me parler que de vive voix ? »

Il eût, dit-il, préféré qu'elle ne posât pas la question. Il ne savait pas s'ils étaient prêts pour en discuter.

Du coup elle se mit à craindre qu'il s'agît d'une chose à quoi elle ne pourrait faire face, une chose insupportable, comme par exemple qu'il l'aimait encore. « Aimer », « amour » étaient des mots qu'elle ne pouvait entendre.

« Bon, dit-elle. Nous ne le sommes peut-être pas. »

Puis elle ajouta : « N'empêche, tu devrais me le dire. Si en sortant d'ici j'étais renversée par une voiture, je ne le saurais jamais, et jamais plus tu n'aurais l'occasion de me le dire.

– C'est vrai, dit-il.

– Alors qu'est-ce que c'est ?

– La prochaine fois. La prochaine fois. Par moments, je ne peux plus parler. Je voudrais parler mais ça se tarit, la parole. »

Je n'ai pas arrêté de penser à toi, Doree, depuis que tu es partie et je regrette de t'avoir déçue. Quand tu es en face de moi je tends à me laisser aller à mes émotions plus peut-être que je ne le montre. Ce n'est pas mon droit de donner libre cours à mes émotions devant toi dans la mesure où tu en as certainement plus le droit que moi et que tu te maîtrises toujours à la perfection. Je vais donc renverser ce que j'avais dit à ce sujet parce que je suis parvenu à la conclusion que j'arriverai mieux en définitive à t'écrire qu'à te parler.

Voyons par où commencer. Le Paradis existe.

C'est une façon mais elle n'est pas juste, parce que je n'ai jamais cru au Paradis et à l'Enfer, etc. J'ai toujours considéré quant à moi que ça n'était qu'un tas de fadaises. Ça doit donc sembler plutôt bizarre de ma part d'aborder le sujet à présent.

Je me contenterai donc de dire : j'ai vu les enfants.

Je les ai vus et je leur ai parlé.

Voilà. Qu'est-ce que tu penses, sur le coup ? Tu penses, et voilà, cette fois, il est vraiment passé de l'autre côté. Ou, c'est un rêve et il n'est pas capable de le discerner, il ne connaît pas la différence entre le rêve et la veille. Mais je tiens à te dire que je connais cette différence et que tout ce que je sais, c'est qu'ils existent. Je dis qu'ils existent, pas qu'ils sont vivants, parce que vivants signifie dans notre Dimension particulière, et que je ne dis pas que c'est là qu'ils sont. En fait je crois qu'ils n'y sont pas. Mais ils existent bel et bien et il doit donc y avoir une autre Dimension ou peut-être des Dimensions innombrables et ce que je sais c'est que j'ai pu accéder à la Dimension quelle qu'elle soit dans laquelle ils sont. Peut-être m'en suis-je aperçu parce que je passe tant de temps tout seul à ne faire que penser et repenser et dans la seule compagnie de ce à quoi je dois penser. Et donc après tant de souffrance et de solitude il est une Grâce qui a trouvé moyen de me donner cette récompense. À moi, celui-là même qui la mérite le moins selon la façon de penser du monde.

Ma foi, si tu as poursuivi ta lecture jusqu'ici sans déchirer la présente en morceaux tu désires sans doute en savoir plus. Par exemple comment vont-ils.

Ils vont très bien. Ils sont réellement heureux et intelligents. Ils ne semblent avoir gardé aucun mauvais souvenir. Ils sont peut-être un peu plus âgés qu'ils ne l'étaient mais c'est difficile à dire. Ils semblent posséder différents niveaux de compréhension. Oui. On remarque que Dimitri a appris à parler, ce qu'il ne savait pas encore faire. Ils sont dans une pièce que je reconnais en partie. Comme chez nous mais en plus spacieux, en mieux. Je leur ai demandé comment on prenait soin d'eux et ils se sont contentés de me rire au nez en me disant plus ou moins qu'ils étaient capables de s'occuper d'eux-mêmes. Je crois que c'est Sasha qui a dit cela. Parfois ils parlent séparément ou si je ne puis séparer leurs voix, leurs identités sont claires et distinctes et, je dois dire, joyeuses.

S'il te plaît n'en conclus pas que je suis fou. C'est cette crainte qui m'empêchait de t'en parler. J'ai été fou à un moment donné mais crois-moi j'ai dépouillé toute ma folie d'avant comme l'ours dépouille son pelage ou peut-être devrais-je dire comme le serpent qui mue. Si je ne l'avais pas fait, je sais que jamais je ne me serais vu donner cette possibilité de reprendre contact avec Sasha, Barbara Ann et Dimitri. À présent, je souhaite que tu puisses te voir accorder cette chance toi aussi parce que si c'est une question de mérite, alors tu me distances amplement. C'est peut-être plus difficile à faire pour toi parce que tu vis tellement plus que moi dans le monde mais je peux au moins te passer cette information – la Vérité – et en te racontant que je les ai vus, j'espère rendre un peu de légèreté à ton cœur.

Doree se demanda ce que Mrs. Sands dirait, ou penserait, si elle lisait cette lettre. Elle serait prudente, bien sûr. Elle aurait la prudence de ne pas prononcer tout de go un verdict de folie, mais prudemment, avec bienveillance, orienterait Doree dans cette direction.

Non, on pourrait dire qu'elle ne l'orienterait pas – elle se contenterait de dissiper la confusion de sorte que Doree fût contrainte d'affronter ce qui semblerait avoir été d'un bout à l'autre ses propres conclusions. Contrainte de se sortir de l'esprit – c'étaient les paroles de Mrs. Sands – l'ensemble de ces dangereuses inepties.

Ce fut pourquoi Doree n'eût garde de l'approcher.

Doree pensait bien qu'il était fou. Et que dans ce qu'il avait écrit subsistaient apparemment quelques traces de ses vieilles rodomontades. Elle ne répondit pas à sa lettre. Des jours passèrent. Des semaines. Elle ne changea pas d'opinion mais continua de s'accrocher à ce qu'il avait écrit, comme à un secret. Et de temps à autre, tandis qu'elle vaporisait le miroir d'une salle de bains ou bordait un drap, un sentiment l'envahissait. Depuis près de deux ans, elle n'avait plus jamais remarqué les choses qui rendent d'ordinaire les gens heureux, le beau temps, les fleurs épanouies, l'odeur de pain frais d'une boulangerie. Elle n'avait toujours pas ce sens spontané du bonheur, pas exactement, mais comme un rappel de ce à quoi il ressemblait. Cela n'avait rien à voir avec le temps qu'il faisait ou les fleurs. C'était l'idée que les enfants étaient dans ce qu'il avait appelé leur Dimension qui venait ainsi à pas de loup la surprendre et pour la première fois lui apportait un peu de légèreté, et non de douleur.

Pendant tout le temps écoulé depuis que c'était arrivé, il lui avait fallu se débarrasser de la pensée des enfants, l'arracher aussitôt comme un couteau dans sa gorge. Elle ne pouvait former leurs noms en pensée, et si elle entendait un prénom qui ressemblait à celui d'un d'entre eux, cela aussi, il lui fallait l'arracher. Même les voix d'enfants, leurs cris stridents et le claquement de leurs pieds nus quand ils couraient vers la piscine du motel ou en sortaient, devaient être bannis par une espèce de lourde porte qui se refermait dans ses oreilles. Ce qui avait changé à présent, c'était qu'elle avait un lieu où se réfugier sitôt que de tels dangers surgissaient autour d'elle.

Et qui le lui avait donné? Pas Mrs. Sands – c'était certain. Au long de tant d'heures assise près du bureau avec les Kleenex discrètement à portée de la main.

Lloyd le lui avait donné. Lloyd, cette personne épouvantable, cette personne isolée et démente.

Démente, si on voulait. Mais n'était-il pas possible que ce qu'il disait fût vrai – qu'il avait eu accès à l'autre côté? Et qui pouvait affirmer que les visions d'une personne qui avait accompli cela et fait un tel voyage pouvaient ne rien signifier?

Cette idée se fraya peu à peu un chemin dans sa tête et y demeura.

En même temps que la pensée que c'était avec Lloyd, aussi effarant que cela parût, qu'il convenait qu'elle fût désormais. À quoi d'autre pouvait-elle servir en ce monde – elle semblait le dire à quelqu'un, probablement à Mrs. Sands –, pourquoi était-elle là, si ce n'était pas au moins pour l'écouter, lui?

Je n'ai pas dit «pardonner», disait-elle à Mrs. Sands dans sa tête. Jamais je ne dirais cela. Jamais je ne le ferais.

Mais réfléchissez. Ne suis-je pas aussi coupée du monde que lui par ce qui a eu lieu? Aucun de ceux qui sont au courant ne pourrait souhaiter ma présence. Je ne suis bonne qu'à rappeler aux gens ce que nul ne peut supporter qu'on lui rappelle.

Se déguiser n'était pas possible, pas vraiment. Sa couronne de courts cheveux blonds était pitoyable.

Elle se retrouva donc dans l'autocar, sur la route. Elle se rappelait les soirs, sitôt après la mort de sa mère, où elle allait furtivement retrouver Lloyd après avoir raconté à l'amie de sa mère, la femme qui l'hébergeait, un mensonge sur l'endroit où elle se rendait. Elle se rappelait le nom de cette amie, le nom de cette amie de sa mère. Laurie.

Qui d'autre que Lloyd se rappellerait les prénoms des enfants désormais, ou la couleur de leurs yeux. Mrs. Sands, lorsqu'elle devait en parler, ne disait même pas les enfants mais «votre famille», faisant d'eux un groupe indistinct.

Quand elle partait retrouver Lloyd, à l'époque, en mentant à Laurie, elle n'éprouvait aucune culpabilité, seulement le sentiment d'un destin, d'une soumission. Elle avait l'impression d'être sur Terre pour nulle autre raison que de rester avec lui et tenter de le comprendre.

Certes, ce n'était plus ainsi à présent. Ce n'était plus pareil.

Elle était assise à l'avant, à la droite du conducteur. Elle voyait bien la route, devant le pare-brise. Et pour cette raison elle fut l'unique passagère du car, la seule personne en dehors du chauffeur, à voir une camionnette surgir d'une petite route adjacente sans même ralentir, à la voir foncer en travers de la route déserte en ce dimanche matin juste devant eux, pour plonger dans le fossé. Et, spectacle encore plus étrange : le conducteur de la camionnette voler à travers les airs d'une manière qui sembla à la fois rapide et lente, absurde et gracieuse. Il atterrit sur le gravier au bord de la chaussée.

Les autres passagers ne savaient pas pourquoi le chauffeur avait pilé, leur infligeant cet arrêt soudain et inconfortable. Et au début, Doree pensa seulement, Comment est-il sorti ? Le jeune homme ou le gamin, qui devait s'être endormi au volant. Comment s'était-il envolé de la camionnette pour se lancer si élégamment à travers les airs ?

« Un type, juste devant nous », dit le chauffeur aux passagers. Il s'efforçait de parler d'une voix forte et calme mais elle trahissait un tremblement effaré, quelque chose comme de l'épouvante. « Il a traversé la route à toute vitesse et s'est jeté dans le fossé. Nous allons repartir aussi vite que possible, et d'ici là, veuillez ne pas descendre du car, s'il vous plaît. »

Comme si elle n'avait pas entendu, ou jouissait du droit personnel de se rendre utile, Doree descendit derrière lui. Il ne la réprimanda pas.

« Quel petit connard », dit-il quand ils traversèrent la chaussée, et sa voix ne trahissait plus à présent que la colère et l'exaspération. « Quel petit con, ce gamin, c'est pas croyable, hein ? »

Le gamin gisait sur le dos, bras et jambes écartés, comme on joue à le faire pour imprimer la silhouette d'un ange dans la neige. Seulement il était entouré de gravier, pas de neige. Il était très jeune, gamin grandi trop vite avant même d'avoir besoin de se raser. Si ça se trouvait, il n'avait pas le permis.

Le chauffeur parlait au téléphone.

« À un kilomètre ou deux au sud de Bayfield, sur la 21, du côté droit de la route. »

Un ruisselet rose sortit de sous la tête du gamin, près de l'oreille. Cela ne ressemblait pas du tout à du sang. Plutôt à l'écume qu'on retire des fraises quand on en fait de la confiture.

Doree s'accroupit à côté de lui. Elle posa la main sur sa poitrine. Elle était immobile. Elle approcha son oreille. On avait repassé sa chemise récemment – elle avait cette odeur-là.

Pas de respiration.

Mais posant les doigts sur son cou sans rides, elle le sentit battre.

Elle se rappela quelque chose qu'on lui avait dit. C'était Lloyd qui le lui avait dit, au cas où l'un des enfants aurait un accident en son absence à lui. La langue. La langue peut bloquer la respiration, si elle tombe au fond de la gorge. Elle posa les doigts d'une main sur le front du gamin et deux doigts de l'autre sous son menton. Presser sur le front, et sous le menton vers le haut, pour dégager le passage de l'air. D'un coup léger mais ferme.

S'il ne respirait toujours pas, il faudrait lui faire du bouche-à-bouche.

Elle lui pince les narines, prend une profonde inspiration, lui recouvre la bouche de ses lèvres et respire. Souffler deux fois et attendre. Deux fois et attendre.

Une autre voix d'homme, pas celle du chauffeur. Un automobiliste qui doit s'être arrêté. « Vous voulez cette couverture pour lui mettre sous la tête ? » Elle secoue légèrement la sienne. Elle s'était rappelé autre chose, ne pas bouger la victime, pour ne pas risquer de blesser la moelle épinière. Elle lui recouvrait la bouche. Elle pressait sa peau tiède et fraîche. Respirait puis attendait. Respirait puis attendait de nouveau. Il lui sembla qu'une impalpable humidité lui montait au visage.

Le chauffeur dit quelque chose mais elle ne pouvait relever la tête. Et puis elle en fut sûre. Une haleine sortait de la bouche du gamin. Elle étala la main sur la peau de sa poitrine et, au début, ne la sentit pas se soulever parce qu'elle-même tremblait.

Oui. Oui.

C'était une vraie respiration. Les voies aériennes étaient ouvertes. Il respirait tout seul. Il respirait.

« Vous n'avez qu'à l'étaler sur lui, dit-elle à l'homme à la couverture. Pour lui tenir chaud.

– Il est vivant ? » s'enquit le chauffeur, courbé sur elle.

Elle fit oui de la tête. Sous ses doigts elle sentit de nouveau la pulsation. L'horrible écume rose n'avait pas continué de couler. Peut-être n'était-ce rien de grave. Ça ne venait pas du cerveau.

« Je ne peux pas retenir le car pour vous, dit le chauffeur. Nous sommes déjà en retard sur l'horaire. »

L'automobiliste dit : « Ça ne fait rien. Je peux prendre le relais. »

Taisez-vous, taisez-vous, avait-elle envie de leur dire. Il lui semblait que le silence était nécessaire, que tout dans le monde extérieur au corps du gamin devait se concentrer, l'aider à ne pas perdre de vue son devoir de respirer.

Des bouffées timides mais régulières désormais. Une douce docilité dans la poitrine. Continue, continue.

« Vous entendez ? Ce mec dit qu'il peut rester veiller sur lui, dit le chauffeur. L'ambulance arrive aussi vite que possible.

– Allez-y, dit Doree. Je me ferai déposer en ville par les ambulanciers. Et je vous retrouverai ce soir, pour le retour. »

Il devait se pencher pour l'entendre. Elle parlait presque à contrecœur, sans lever la tête, comme si c'était son souffle à elle qu'il fallait épargner.

« Vous êtes sûre ? » demanda-t-il.

Sûre.

« Vous ne devez pas aller à London ? »

Non.

Fiction

I

Son moment préféré en hiver était celui du retour en voiture, à la fin de sa journée de prof de musique à l'école de Rough River. L'obscurité était déjà tombée et il neigeait parfois dans les rues hautes, alors que c'était la pluie qui fouettait la voiture sur la route côtière. Joyce traversait toute la ville pour pénétrer dans la forêt, une vraie forêt de grands pins Douglas et de cèdres, mais où des gens vivaient tous les trois ou quatre cents mètres environ. Il y avait des maraîchers, quelques éleveurs de moutons ou de chevaux pour l'équitation et il y avait des artisans comme Jon – il restaurait et fabriquait du mobilier. Sans compter les services, proposés par des pancartes en bord de route et plus spécifiques à cette région du monde – voyance, tarots, massages et soins par les plantes, retour d'affection. Certains de ces gens vivaient dans des caravanes ; d'autres avaient bâti leurs maisons, avec toits de chaume et murs doublés de rondins, et d'autres encore, comme Jon et Joyce, avaient entrepris de rénover de vieilles fermes.

Il y avait une chose en particulier que Joyce adorait voir pendant ce retour chez elle, quand elle s'engageait sur le chemin de leur domaine. À l'époque, beaucoup de gens, même certains des propriétaires de chaumines, installaient des portes-fenêtres à deux vantaux qu'on appelait portes patio – même si, comme Jon et Joyce, on n'avait pas de patio. On n'y mettait d'ordinaire pas de rideaux et le double rectangle de lumière semblait un signe ou une promesse de confort, de sécurité, et de plénitude retrouvée. Pourquoi les portes vitrées faisaient naître ce sentiment plus que les fenêtres ordinaires, Joyce n'aurait su le dire.

Peut-être parce que la plupart n'étaient pas seulement faites pour regarder vers l'extérieur, mais pour ouvrir directement sur l'obscurité de la forêt, et montrer sans détour le havre du foyer. Visions de gens en pied devant le fourneau ou la télé – scènes qui l'enchantaient même si elle savait qu'elles n'auraient rien d'extraordinaire vécues de l'intérieur.

Ce qu'elle voyait en s'engageant dans l'allée de terre semée de flaques qui menait chez eux était le double vantail de ces portes installées par Jon, découpant les entrailles illuminées de leur maison. L'escabeau, les étagères inachevées de la cuisine, l'escalier sans contremarches, la chaude teinte du bois éclairé par l'ampoule que Jon plaçait là où il en avait besoin, là où il était en train de travailler. Il travaillait toute la journée dans son atelier et, quand l'obscurité commençait à tomber, renvoyait son apprentie chez elle et se mettait au travail dans la maison. En entendant la voiture, il tournait la tête dans la direction de Joyce, rien qu'un instant, pour saluer son arrivée. D'ordinaire, il avait les mains prises et ne pouvait lui faire signe. Dans la voiture, ayant éteint les phares, rassemblant les provisions ou le courrier qu'elle rapportait à la maison, Joyce se réjouissait même de ce dernier trajet précipité jusqu'à la porte, à travers l'obscurité, le vent et la pluie glacée. Elle avait l'impression de se débarrasser ainsi de sa journée de travail pleine de tourments et d'incertitude, consacrée à l'enseignement musical qu'elle dispensait aussi bien aux indifférents qu'à ceux dont il éveillait l'intérêt. Mieux valait, et de beaucoup, travailler le bois dans la solitude – elle ne comptait pas l'apprentie – qu'avoir pour matériau l'adolescence imprévisible.

Elle n'en disait rien à Jon. Il n'aimait pas entendre les gens vanter le travail du bois, dire que c'était un beau métier, une activité fondamentale et honorable. D'une telle intégrité, d'une telle dignité.

Foutaises, aurait-il dit.

Jon et Joyce s'étaient connus au lycée dans une ville industrielle de l'Ontario. Joyce avait le deuxième QI le plus élevé de leur classe et Jon le plus élevé du bahut et probablement de la ville. On s'attendait à la voir devenir une excellente violoniste – c'était avant qu'elle eût renoncé au violon pour le violoncelle – et lui, un de ces savants impressionnants dont les travaux passent l'entendement du monde ordinaire.

Pendant leur première année de fac, ils abandonnèrent les cours pour s'enfuir ensemble. Ils prirent des petits boulots çà et là, traversèrent le continent en autocar, passèrent un an sur la côte de l'Oregon, se réconcilièrent, de loin, avec leurs parents, pour qui une lumière s'était éteinte dans le monde. L'époque était un peu avancée pour les traiter de hippies mais c'était ainsi que leurs parents les appelaient. Jamais ils ne se virent eux-mêmes de cette façon. Ils ne se droguaient pas, portaient des vêtements classiques bien qu'un peu miteux, et Jon tenait beaucoup à se raser et demandait à Joyce de lui couper les cheveux. Ils se lassèrent de leurs emplois temporaires au salaire minimum et empruntèrent à leurs deux familles déçues de quoi suivre une formation afin de mieux gagner leur vie. Jon apprit la menuiserie et l'ébénisterie et Joyce passa un diplôme de prof de musique.

Le poste qu'elle obtint était à Rough River. Ils achetèrent pour presque rien une maison qui menaçait ruine et inaugurèrent une nouvelle phase de leur existence. Ils plantèrent un jardin, firent la connaissance de leurs voisins – dont certains étaient encore de véritables hippies, qui faisaient pousser un peu d'herbe au cœur de la forêt et confectionnaient des colliers de grosses perles et des sachets de plantes odorantes pour les vendre.

Leurs voisins aimaient bien Jon. Il avait gardé sa maigreur et ses yeux brillants, et malgré son égocentrisme, écoutait volontiers les autres. À l'époque, la plupart des gens découvraient l'informatique, que lui-même comprenait et savait expliquer patiemment. Joyce ne jouissait pas d'une telle popularité. Ses méthodes d'enseignement passaient pour trop formalistes.

Joyce et Jon préparaient le dîner ensemble en buvant un verre du vin maison. (Jon le produisait selon une méthode stricte et couronnée de succès.) Joyce racontait les frustrations et les incidents comiques de sa journée. Jon ne parlait guère – parce que, entre autres raisons, c'était à lui qu'incombaient plus particulièrement les tâches culinaires. Mais pendant le repas, il lui arrivait de raconter la visite de tel ou tel client, ou de parler de son apprentie, Edie. Tous deux riaient d'une déclaration d'Edie. Mais d'un rire qui n'avait rien de désobligeant – Edie était comme un animal familier, songeait parfois Joyce. Ou comme une enfant. Mais si elle avait été une enfant, leur enfant, et s'était comportée comme elle le faisait, ils auraient sans doute été trop perplexes, et peut-être trop inquiets, pour rire.

Pourquoi? Comment se comportait-elle? Elle n'était pas bête. Jon disait qu'elle était loin d'être un génie de l'ébénisterie, mais qu'elle apprenait et retenait ce qu'on lui enseignait. Ce qui comptait, c'était qu'elle n'était pas bavarde. Voilà ce qu'il avait particulièrement redouté quand cette affaire d'apprenti s'était présentée. Le gouvernement avait lancé un programme – lui recevrait une certaine somme en échange de la formation et l'apprenti lui-même percevrait un salaire suffisant pour vivre pendant son apprentissage. Au début, il n'en avait pas envie mais Joyce l'avait convaincu. Elle estimait qu'ils avaient une obligation envers la société.

Si Edie ne parlait pas beaucoup, quand elle parlait, c'était avec force.

«Je m'abstiens de toute consommation de drogue ou d'alcool, leur déclara-t-elle au cours du premier entretien. Je suis membre des Alcooliques Anonymes et je suis une alcoolique en cours de guérison. Nous ne disons jamais que nous sommes guéris, parce que nous ne le sommes jamais. On ne l'est jamais jusqu'à la fin de ses jours. J'ai une fille de neuf ans qui est née sans père, dont je suis donc totalement responsable, et que j'ai l'intention d'élever comme il faut. Mon ambition est d'apprendre à travailler le bois pour être à même d'assurer ma subsistance et celle de mon enfant.»

Pendant qu'elle prononçait cette tirade, elle les dévisageait à tour de rôle, assise en face d'eux à la table de la cuisine. C'était un petit bout de femme trapue qui ne semblait ni assez vieille ni assez abîmée pour avoir déjà une vraie carrière de dissipation derrière elle. Les épaules larges, une frange épaisse, une stricte queue-de-cheval, aucune possibilité de sourire.

«Et autre chose encore», dit-elle. Elle déboutonna et ôta son chemisier à manches longues. Elle portait un tricot de corps. Ses deux bras, le haut de son torse et – quand elle se tourna – le haut de son dos étaient ornés de tatouages. C'était comme si sa peau était devenue un vêtement, ou peut-être une BD de visages ricanants et tendres à la fois, semée de dragons, de baleines, de flammes, trop enchevêtrés, voire trop horribles, pour être perçus nettement.

On ne pouvait s'empêcher de se demander aussitôt si son corps entier avait été ainsi transformé.

« Incroyable, dit Joyce du ton le plus neutre qu'elle pût trouver.

– Bah, incroyable, je ne sais pas, mais ça m'aurait coûté un paquet de fric si j'avais dû payer, dit Edie. J'étais là-dedans à un moment donné. Je vous le montre parce qu'il y a des gens qui n'approuveraient pas. Imaginons par exemple que j'aie trop chaud dans l'atelier et que je doive travailler en tricot de corps.

– Rien à craindre avec nous », dit Joyce, et elle regarda Jon. Il haussa les épaules.

Elle demanda à Edie si elle voulait une tasse de café.

« Non, merci. » Elle remettait son chemisier. « Il y a plein de gens aux Alcooliques Anonymes, on dirait qu'ils ne vivent que de café. Ce que je leur dis moi, voilà, pourquoi échanger une mauvaise habitude contre une autre ? »

« Extraordinaire, avait dit Joyce par la suite. On a l'impression que, quoi qu'on dise, elle va vous faire la leçon. Je n'ai pas osé l'interroger sur la parthénogénèse. »

Jon avait dit : « Elle est forte. C'est le principal. J'ai regardé ses bras. »

Quand Jon dit « forte », c'est au sens que ce mot avait autrefois. Il veut dire qu'elle pourrait porter une poutre.

Pendant qu'il travaille, Jon écoute la station de radio CBC. Musique, mais aussi informations, commentaires, appels téléphoniques d'auditeurs. Il rapporte parfois les opinions d'Edie sur ce qu'ils ont écouté.

Edie ne croit pas à l'évolution.

(Il y avait eu une émission au cours de laquelle certains auditeurs exprimaient leur désaccord avec ce qu'on enseignait à l'école.)

Pourquoi n'y croit-elle pas ?

« Figure-toi que c'est parce que dans ces pays de la Bible », dit Jon, puis il adopte le ton ferme et monocorde qu'il prend pour imiter Edie, « dans ces pays de la Bible, ils ont plein de singes et les singes n'arrêtaient pas de descendre des arbres, alors c'est comme ça que les gens se sont fait l'idée que les singes n'ont eu qu'à descendre des arbres pour devenir des gens.

– Mais d'abord… dit Joyce.

– Te fatigue pas. C'est couru d'avance. Tu ne connais pas encore la première règle pour discuter avec Edie? On ne répond pas, on la ferme.»

Edie croyait aussi que les grandes compagnies pharmaceutiques connaissent le remède du cancer mais ont un accord avec les médecins pour le garder secret à cause de l'argent que cela rapporte aux unes et aux autres.

Quand l'«Hymne à la joie» passait à la radio, elle exigeait que Jon éteigne le poste, parce que c'était si affreux, comme un enterrement.

Et aussi elle estimait que Jon et Joyce – enfin, Joyce, à vrai dire – n'auraient pas dû laisser de bouteilles contenant encore du vin exposées à la vue sur la table de la cuisine.

«Ça la regarde? s'enquit Joyce.

– On dirait qu'elle le pense.

– À quel moment a-t-elle l'occasion d'inspecter notre table de cuisine?

– Elle doit passer par là pour aller aux toilettes. On ne peut pas lui demander d'aller pisser dans les buissons.

– Je ne vois vraiment pas en quoi ça la regarde…

– Et puis elle y va parfois nous faire des sandwichs…

– Et alors? C'est ma cuisine. C'est notre cuisine.

– Seulement elle se sent si menacée par le pinard. Elle est encore assez fragile. C'est un truc qu'on ne peut pas comprendre, toi et moi.»

Menacée. Pinard. Fragile.

En voilà des mots, dans la bouche de Jon.

Elle aurait dû comprendre, et à ce moment précis, même si lui était encore bien loin de le savoir, qu'il était en train de tomber amoureux.

En train de tomber. Cela suggère une certaine durée, subreptice. Mais on peut l'envisager plutôt comme une accélération, l'instant ou la seconde de la chute. Jon n'est pas amoureux d'Edie. Paf. Maintenant il l'est. Pas moyen de le voir comme probable ou possible, à moins de songer à un choc en pleine figure, une calamité soudaine. Le coup du sort qui laisse un homme infirme, la mauvaise blague qui transforme des yeux limpides en deux cailloux aveugles.

Joyce entreprit de le convaincre qu'il se trompait. Il connaissait si peu de choses aux femmes. Rien, en dehors d'elle. Ils avaient toujours pensé que multiplier les expériences avec divers partenaires était puéril, que l'adultère entraînait désordre et destruction. Et voilà qu'elle se demandait s'il n'eût pas mieux valu qu'il regarde un peu ailleurs.

Et il avait passé les sombres mois d'hiver cloîtré dans son atelier, exposé aux émanations pleines d'assurance d'Edie. C'était comme tomber malade à cause d'une ventilation défectueuse.

Edie le rendrait fou s'il s'avisait de la prendre au sérieux.

« J'y ai pensé, dit-il. Peut-être que c'est déjà fait. »

Joyce répondit qu'il tenait là des propos idiots d'adolescent, qui tenterait de se faire passer pour la victime impuissante d'un sortilège.

« Pour qui te prends-tu, une espèce de chevalier de la Table Ronde ? Quelqu'un t'a fait boire un philtre ? »

Puis elle lui demanda pardon. La seule chose à faire, dit-elle, c'était d'y voir une épreuve à affronter ensemble. La traversée d'une vallée de larmes. Un simple incident de parcours dans leur ménage.

« Nous en viendrons à bout », dit-elle.

Jon la considéra d'un air lointain et même empreint de bonté.

« Il n'y a pas de nous », dit-il.

Comment une telle chose a-t-elle pu arriver ? Joyce le demande à Jon puis à elle-même et puis à d'autres. Une apprentie menuisier à la démarche aussi lourdaude que la pensée, vêtue de pantalons trop larges et de marcels de flanelle et – l'hiver durant – d'un terne chandail épais tout piqueté de sciure de bois. Un esprit qui piétine inexorablement d'un cliché à l'autre, d'une imbécillité à l'autre, en proclamant que chacune des étapes de ce voyage a force de loi. C'est cette personne qui a éclipsé Joyce et ses longues jambes, sa taille mince et la longue tresse soyeuse de sa chevelure noire. Sa finesse et son savoir musical et son QI élevé.

« Je vais te dire ce que c'était, d'après moi », dit Joyce. C'est par la suite, quand les jours ont rallongé et que les couleurs des crinoles enflamment les fossés. Quand elle partait enseigner la musique en dissimulant derrière des verres teintés ses yeux gonflés par les larmes et l'alcool et que, au lieu de rentrer chez elle après le travail, elle allait en voiture à Willingdon Park dans l'espoir que Jon viendrait l'y chercher, craignant son suicide. (Il y était venu, mais une fois seulement.)

« D'après moi, c'est parce qu'elle a fait le trottoir, disait-elle. Les tatouages des prostituées, c'est pour le métier, et les hommes, ça les excite, ce genre de trucs. Je veux pas dire les tatouages – enfin, ça aussi, bien sûr, ça aussi ça les excite – mais le fait qu'elles se soient vendues. Une telle disponibilité et tellement d'expérience. Et puis rangée des voitures. C'est cette saloperie de côté Marie-Madeleine, voilà ce que c'est. Et sexuellement, lui, c'est un tel bébé, c'est gerbant, quoi. »

Elle a des amies désormais, à qui elle peut tenir ce genre de langage. Elles ont toutes eu des histoires. Elle en connaissait quelques-unes avant, mais pas comme elle les connaît aujourd'hui. Elles échangent des confidences en buvant et en riant jusqu'à ce qu'elles pleurent. Elles disent que c'est incroyable. Les mecs. Leur conduite. Quel dégoût, quelle bêtise. C'est à ne pas croire.

C'est pourquoi c'est vrai.

Au milieu de ce discours, Joyce se sent bien. Vraiment bien. Elle dit que par moments elle est reconnaissante à Jon parce qu'elle ne s'est jamais sentie aussi vivante. C'est terrible mais merveilleux. Un nouveau départ. La vérité toute nue. La vie toute nue.

Mais quand elle s'éveillait à trois ou quatre heures du matin, elle se demandait où elle était. Plus chez eux, à la maison. C'était Edie qui était à la maison maintenant. Edie et son enfant et Jon. Une substitution que Joyce elle-même avait souhaitée, dans l'idée qu'elle ramènerait peut-être Jon à la raison. Elle avait déménagé pour un appartement en ville. Il appartenait à une prof qui avait pris une année sabbatique. Elle s'éveillait en pleine nuit dans la vibration des lueurs roses de l'enseigne du restaurant d'en face qui pénétraient par la fenêtre illuminant le bric-à-brac mexicain de l'autre prof. Cactus en pots, perles pendouillant au bout d'un lacet, couvertures aux rayures couleur de sang séché. Toute la sagacité de son ivresse, toute sa jubilation, expulsées d'elle comme du vomi. À part ça, elle n'avait pas la gueule de bois. Elle pouvait se vautrer dans des lacs d'alcool, semblait-il, et se réveiller aussi sèche, aussi aplatie, qu'une plaque de carton.

Sa vie l'avait désertée. Calamité bien ordinaire.

En vérité, elle était encore ivre, alors qu'elle se sentait parfaitement à jeun et lucide. Elle risquait de sauter dans sa voiture pour rouler jusqu'à la maison. Sans finir au fossé, parce que sa conduite à ces moments-là devenait très lente et calme, puis d'aller se ranger dans la cour devant les fenêtres éteintes pour crier à Jon qu'il fallait arrêter ça, tout simplement.

Arrête ça. Ça ne va pas. Dis-lui de s'en aller.

Rappelle-toi qu'on a dormi dans le champ et qu'on s'est réveillés et que les vaches ruminaient tout autour de nous et qu'on ne s'était même pas rendu compte de leur présence la veille. Rappelle-toi qu'on se lavait dans la rivière glacée, qu'on cueillait des champignons sur l'île de Vancouver et qu'on prenait l'avion pour aller les vendre en Ontario, ça payait le voyage, quand ta mère était malade et qu'on croyait qu'elle allait mourir et qu'on disait, Non mais quelle blague, on s'intéresse même pas à la drogue, c'est par piété filiale qu'on agit.

Le soleil montait et les couleurs mexicaines commençaient à l'agresser dans leur hideur renouvelée et au bout d'un moment elle se levait pour se débarbouiller, se mettre du rouge aux joues et boire du café qu'elle faisait fort comme de la boue et enfiler tel ou tel de ses nouveaux vêtements. Elle avait acheté des hauts vaporeux, des jupes papillonnantes et des boucles d'oreilles ornées de plumes arc-en-ciel. Elle allait enseigner la musique dans les écoles avec des allures de gitane ou d'hôtesse de bar. Elle riait de tout, flirtait avec tous. L'homme qui lui préparait son petit déjeuner au diner d'en bas, le gamin qui lui servait de l'essence, le préposé qui lui vendait des timbres à la poste. Elle avait vaguement l'idée que Jon entendrait dire combien elle était jolie, et sexy, et heureuse, apprendrait l'effet tout bonnement dévastateur qu'elle produisait sur les hommes. Sitôt qu'elle sortait de l'appartement, elle était sur scène, avec Jon pour spectateur principal, encore qu'au deuxième degré. Jamais pourtant Jon n'avait été séduit par les tenues affriolantes et les comportements aguichants, n'avait trouvé que c'était ce qui la rendait séduisante. Quand ils voyageaient, ils s'étaient souvent contentés d'une garde-robe commune. Grosses chaussettes, blue-jeans, chemises sombres, blousons légers.

Encore un changement.

Même avec les plus jeunes ou les plus ternes des élèves, son ton était devenu caressant, plein d'un rire malicieux, ses encouragements irrésistibles. Elle les préparait au spectacle musical qu'on donnait à la fin de l'année scolaire. Elle n'avait guère éprouvé jusque-là d'enthousiasme pour cette soirée en public – estimant qu'elle interférait avec les progrès des élèves doués en leur imposant une situation pour laquelle ils n'étaient pas encore prêts. Un tel effort, une telle tension ne pouvaient que créer de fausses valeurs mais cette année-là elle s'investit à fond dans tous les aspects de la soirée. Programmation, éclairages, présentation des morceaux et, bien sûr, morceaux eux-mêmes. Il fallait que ces derniers soient plaisants, proclamait-elle. Plaisants pour les élèves, plaisants pour le public.

Bien entendu, elle comptait sur la présence de Jon. Sa fille devant se produire, Edie serait forcément là. Et Jon l'accompagnerait.

Ce serait la première apparition du couple en public. Une déclaration. Ils n'y échapperaient pas. Ce genre de redistribution des rôles n'était pas inconnu, particulièrement parmi les gens qui habitaient au sud de la ville. Mais il n'était tout de même pas banal. Si ces réarrangements ne faisaient plus scandale, ils n'en attiraient pas moins l'attention. Il y avait nécessairement une période d'intérêt avant que les choses se tassent et que les gens s'habituent à la nouvelle alliance. Entre-temps, on voyait à l'épicerie les partenaires réassortis bavarder avec ceux qui avaient été évincés, ou, à tout le moins, les saluer.

Tel n'était pas le rôle que Joyce se voyait jouer, sous le regard de Jon et Edie – enfin, de Jon à vrai dire – le soir du spectacle.

Qu'envisageait-elle ? Dieu sait. Elle ne songeait pas, quand elle était raisonnable, à produire sur Jon une impression si favorable qu'il retrouverait le sens commun quand elle viendrait recevoir les applaudissements du public à la fin du spectacle. Elle ne pensait pas qu'il aurait le cœur brisé par la folie qu'il avait commise, une fois qu'il l'aurait vue heureuse, séduisante et maîtresse d'elle-même et des événements plutôt qu'effondrée et suicidaire. Mais ce qu'elle envisageait n'était pas non plus très éloigné de cela – c'était quelque chose qu'elle ne pouvait pas s'empêcher d'espérer.

Ce fut le meilleur de tous les spectacles. De l'avis général. On lui trouva plus de verve. Plus de gaieté et pourtant plus de profondeur. Les costumes des enfants étaient harmonieusement assortis à la musique qu'ils interprétaient. Et leur maquillage atténuait leur frayeur et leur expression de victimes promises au sacrifice.

Quand Joyce sortit des coulisses à la fin, elle portait une longue jupe de soie noire où ses mouvements mettaient des reflets d'argent. Il y avait aussi des mèches et des paillettes d'argent dans sa chevelure, quelques sifflets admiratifs se mêlèrent aux applaudissements.

Jon et Edie n'étaient pas dans le public.

II

Joyce et Matt donnent une soirée dans leur maison de Vancouver Nord. Ils célèbrent le soixante-cinquième anniversaire de Matt. Neuropsychologue, Matt est aussi un bon violoniste amateur. C'est ainsi qu'il a fait la connaissance de Joyce, devenue violoncelliste professionnelle – et sa troisième épouse.

« Non mais quelle foule, ne cesse de répéter Joyce. Carrément l'histoire d'une vie. »

C'est une femme mince, pleine d'enthousiasme, avec une tignasse gris acier et une légère voussure née peut-être de la manipulation de son encombrant instrument, ou simplement de ses habitudes d'écouter complaisamment et de bavarder volontiers.

Il y a bien sûr les collègues de fac de Matt; ceux qu'il considère comme ses amis personnels. Il est généreux mais c'est un homme qui a son franc-parler, et on peut donc s'attendre à ce que tous ses collègues n'entrent pas dans cette catégorie. Il y a sa première épouse, Sally, accompagnée de son infirmière. Le cerveau de Sally a subi des lésions irréversibles dans un accident de voiture qu'elle a eu à vingt-neuf ans, de telle sorte qu'elle ne sait vraisemblablement pas qui est Matt, ou qui sont ses trois fils adultes, ni qu'elle se trouve dans la maison qu'elle habitait autrefois. Mais ses manières engageantes sont intactes et elle se déclare enchantée de faire la connaissance de gens qu'elle a déjà rencontrés dans le quart d'heure précédent. Son infirmière est une petite Écossaise impeccable qui explique souvent qu'elle n'a pas l'habitude des grandes fêtes bruyantes comme celle-ci et qu'elle ne boit pas quand elle est de service.

La deuxième femme de Matt, Doris, a vécu moins d'un an avec lui alors que leur mariage en a duré trois. Elle est venue avec sa compagne beaucoup plus jeune, Louise, et leur bébé, une fillette que Louise a mise au monde quelques mois auparavant. Doris est restée amie avec Matt et surtout avec le plus jeune fils de Matt et Sally, Tommy, qui était encore assez jeune pour qu'elle s'en occupe une fois mariée à son père. Les deux fils aînés de Matt ont amené leurs enfants et les mères de ces enfants, bien que l'une des mères soit à présent séparée du père. Lequel a donc amené sa compagne du moment et son fils à elle, qui est en train de se disputer avec un des enfants de la lignée pour le partage de la balançoire.

Tommy a amené pour la première fois son amant, Jay, qui n'a pas encore dit un mot. Tommy a dit à Joyce que Jay n'est pas habitué aux familles.

«Je le plains, dit Joyce. Il fut un temps où je n'y étais pas habituée non plus.» Elle rit – elle n'a pas arrêté de rire pendant sa présentation du statut des membres officiels ou plus ou moins lointains de ce que Matt nomme le clan. Elle-même n'a pas d'enfants, bien qu'elle ait effectivement un ex-mari, Jon, installé plus haut sur la côte dans une bourgade industrielle qui a connu des jours meilleurs. Elle l'a invité mais il ne pouvait pas se libérer. Un petit-enfant de sa troisième épouse devait être baptisé le même jour. Évidemment, Joyce avait aussi invité l'épouse – elle s'appelle Charlene et gère une boulangerie. Elle a rédigé le gentil petit mot annonçant le baptême, à propos duquel Joyce a dit à Matt qu'elle n'arrivait pas à croire que Jon avait une religion.

« J'aurais vraiment aimé qu'ils puissent venir », dit-elle, expliquant tout cela à un voisin. (Les voisins ont été invités, pour éviter les histoires à cause du bruit.) « Comme ça j'aurais eu ma part des complications. Il y a eu une deuxième épouse mais je n'ai aucune idée de ce qu'elle est devenue et je ne crois pas qu'il le sache non plus. »

Il y a une grande quantité de mets confectionnés par Matt et Joyce ou apportés par les invités, une grande quantité de vin, du punch de jus de fruits sans alcool pour les enfants et un punch authentique que Matt a concocté pour l'occasion – en l'honneur du bon vieux temps, dit-il, quand les gens savaient vraiment boire. Il dit qu'il l'aurait bien préparé dans une poubelle soigneusement récurée, comme à l'époque, mais qu'aujourd'hui tout le monde était bien trop délicat. La plupart des jeunes adultes n'en boivent pas, de toute manière.

Le terrain autour de la maison est vaste. On a installé un croquet, pour ceux qui auraient envie de jouer, et la fameuse balançoire convoitée qui date de l'enfance de Matt et qu'il a ressortie du garage. La plupart des enfants ne connaissent que les balançoires des jardins publics et les portiques en plastique des jardins individuels. Matt est certainement une des dernières personnes à Vancouver qui dispose d'une balançoire de son enfance et qui habite encore la maison où il a grandi, à Windsor Road au flanc du mont Grouse, qui se trouvait alors à l'orée de la forêt. Désormais de plus en plus de maisons s'étagent au-dessus, pour la plupart des espèces de châteaux flanqués d'énormes garages. Un jour ou l'autre il faudra vendre, dit Matt. Les impôts sont monstrueux. Il faudra vendre et une ou deux horreurs la remplaceront.

Joyce n'imagine pas la vie avec Matt ailleurs. Il se passe tant de choses ici. Les gens vont et viennent et oublient des affaires qu'ils reviennent chercher plus tard (parfois même des enfants). Le quatuor à cordes de Matt dans le bureau le dimanche après-midi, les réunions de la Congrégation unitarienne dans la salle de séjour le dimanche soir, les militants du parti des Verts qui élaborent des stratégies dans la cuisine. Le groupe qui lit avec passion des pièces de théâtre au salon pendant que quelqu'un livre des détails dramatiques de sa vie réelle dans la cuisine (la présence de Joyce étant requise aux deux endroits à la fois). Matt et un collègue de la fac qui mettent au point une tactique dans le bureau derrière une porte close.

Elle fait souvent remarquer qu'elle et Matt sont rarement seuls ensemble ailleurs qu'au lit.

« Et encore, c'est là qu'il choisit de faire une lecture importante. »

Pendant qu'elle-même fait une lecture sans importance.

Et puis zut. Il possède de vastes réserves d'appétit et de convivialité dont elle a peut-être besoin. Même à la fac – où il a affaire à des étudiants de troisième cycle, à des collaborateurs, à des ennemis éventuels et à des détracteurs – on dirait qu'il se meut au sein d'un tourbillon qu'il maîtrise à peine. Tout cela semblait si réconfortant à Joyce autrefois. Et cela resterait probablement le cas si elle avait le temps de l'envisager de l'extérieur. Elle envierait probablement sa situation, vue de l'extérieur. Les gens devaient l'envier, ou du moins l'admirer – songeant qu'elle lui était si bien assortie, avec toutes les amitiés, tous les devoirs et toutes les activités qu'elle avait, sans compter bien sûr sa propre carrière, par-dessus le marché. Jamais en la voyant à présent on n'aurait pensé qu'en arrivant à Vancouver la première fois, elle était si seule qu'elle avait accepté de sortir avec l'employé de la teinturerie qui était dix ans trop jeune pour elle. Et qui lui avait posé un lapin.

Pour l'heure elle traverse la pelouse avec sur le bras un châle destiné à la vieille Mrs. Fowler, la maman de Doris, la deuxième épouse et lesbienne fraîchement éclose. Mrs. Fowler ne peut pas rester au soleil mais frissonne quand elle est à l'ombre. Et de l'autre main, elle tient un verre de citronnade bien fraîche pour Mrs. Gowan, qui est de service aux côtés de Sally. Et qui a trouvé le punch des enfants trop sucré. Elle n'autorise pas Sally à boire quoi que ce soit – elle risquerait d'en renverser sur sa jolie robe ou d'en jeter sur quelqu'un s'il lui prenait l'envie de jouer. Sally n'a pas l'air de souffrir de cette privation.

En traversant la pelouse, Joyce contourne un groupe de jeunes gens assis en cercle. Tommy et son nouvel ami et d'autres amis qu'elle a souvent vus à la maison et d'autres encore qu'elle croit n'avoir jamais vus.

Elle entend Tommy dire : « Non, je ne suis pas Isadora Duncan. »

Ils éclatent tous de rire.

Elle se rend compte qu'ils doivent jouer à ce jeu difficile et un peu snob qui a connu son heure de succès voilà des années. Comment s'appelait-il déjà ? Elle se rappelle que ça commençait par B. Elle les aurait crus trop antiélitistes de nos jours pour ce genre de passe-temps.

Buxtehude. Elle l'a dit à haute voix.

« Vous jouez à Buxtehude.

– Tu as déjà le B, c'est tout ce que je peux dire », répond Tommy, moqueur, afin que les autres puissent rire d'elle.

« Vous voyez, dit-il. Ma *belle-mère*[1] n'est pas idiote. Mais elle est musicienne. C'était pas un musicien, ton Bouxtehoude ?

– Buxtehude fit quatre-vingts kilomètres à pied pour aller écouter Bach jouer de l'orgue, dit Joyce, vaguement irritée. Oui. C'était un musicien. »

Tommy lâche : « Ben mince. »

Une fille se lève et quitte le cercle, Tommy lui lance :

« Eh, Christie. Christie. Tu ne joues plus ?

– Je reviens. Je vais seulement me cacher dans les buissons avec cette répugnante cigarette. »

Cette fille porte une courte robe noire à fronces qui fait penser à de la lingerie ou à une nuisette et une petite veste noire sévère mais assez décolletée. Des mèches de cheveux pâles, un visage pâle et évasif, des sourcils invisibles. L'antipathie de Joyce a été immédiate. Le genre de fille, songe-t-elle, dont la mission dans la vie est de mettre les gens mal à l'aise. Suivant le mouvement – Joyce pense qu'elle a dû s'imposer – jusqu'à une fête chez des gens qu'elle ne connaît pas mais qu'elle s'estime en droit de mépriser. À cause de leur bonne humeur sans apprêt (creuse ?) et de leur hospitalité bourgeoise. (Est-ce qu'on dit encore « bourgeois » ?)

---

1. En français dans le texte. (*Toutes les notes sont des traducteurs.*)

Dieu sait que leurs hôtes peuvent fumer où bon leur semble. On ne trouve nulle part un de ces petits écriteaux chichiteux, même pas dans la maison. Joyce sent le plus clair de sa bonne humeur la quitter.

«Tommy, dit-elle brusquement. Ça ne t'ennuierait pas, Tommy, de porter ce châle à grand-mère Fowler? Il paraît qu'elle a froid. Et la citronnade est pour Mrs. Gowan. Tu sais. La personne qui est avec ta mère.»

Ça ne peut pas faire de mal de lui rappeler certaines relations et certaines responsabilités.

Tommy est aussitôt, et obligeamment, sur pied.

«C'est Botticelli, pas Bouxtehoude, dit-il en lui prenant des mains le châle et le verre.

– Pardon. Je ne voulais pas gâcher votre jeu.

– On n'est pas très forts, de toute façon, dit un garçon qu'elle connaît, Justin. On n'est pas aussi malins que vous vous l'étiez autrefois.

– Autrefois, c'est le mot», dit Joyce. L'espace d'un instant, elle ne sait plus quoi faire ni où aller.

Ils sont en train de faire la vaisselle, à la cuisine. Joyce et Tommy, et le nouvel ami, Jay. La fête est finie. Les gens sont partis avec force embrassades et baisers et vociférations cordiales, certains portant des plats entiers de nourriture pour lesquels Joyce n'a pas de place au réfrigérateur. On a jeté les salades flétries, les tartes à la crème et les œufs mimosa. On n'en a guère mangé, des œufs mimosa, d'ailleurs. Passés de mode. Trop de cholestérol.

«Dommage, c'était beaucoup de boulot. Ça a dû rappeler aux gens les buffets après certaines soirées à l'église, dit Joyce en en vidant un plat dans la poubelle.

– Ma grand-mère en faisait», dit Jay. Ce sont les premières paroles qu'il a adressées à Joyce et elle voit l'expression pleine de gratitude de Tommy. Et elle en éprouve elle-même, de la gratitude, même s'il vient de la ranger dans la même catégorie que sa grand-mère.

«Nous en avons mangé plusieurs et ils étaient bons», dit Tommy. Jay et lui s'affairent depuis une demi-heure au moins avec elle, récupérant verres, assiettes et couverts qui sont répandus partout à travers la pelouse et la véranda ainsi que dans toute la maison, et jusque dans les endroits les plus curieux, comme les pots de fleurs ou sous les coussins d'un sofa.

Les garçons – c'est ainsi qu'elle les désigne en pensée, les garçons – ont rempli le lave-vaisselle avec plus d'adresse qu'elle n'aurait jamais été capable d'en mobiliser dans l'état d'épuisement où elle est, et ils ont préparé l'eau chaude savonneuse et celle, fraîche, de rinçage, dans les deux bacs de l'évier, pour les verres.

«On pourrait attendre d'avoir fini la première fournée pour les passer au lave-vaisselle», a dit Joyce, mais Tommy a refusé.

«Dans ton état normal tu ne t'aviserais jamais de les passer au lave-vaisselle, mais avec tout ce que tu as fait aujourd'hui, tu n'as plus les idées claires.»

Jay lave, Joyce essuie et Tommy range. Il se rappelle encore la place de chaque chose dans la maison. Dehors sur la galerie, Matt est en grande conversation avec un type de son département. Selon toute apparence, il n'est pas aussi soûl que les nombreuses effusions et les adieux prolongés d'il y a peu semblaient l'indiquer.

«C'est très possible que je ne sois plus en état de réfléchir, dit Joyce. Pour l'instant mon instinct serait de tout balancer pour acheter des trucs en plastique.

– Syndrome post-festif, dit Tommy. On connaît ça par cœur.

– Au fait, qui était cette fille en robe noire? dit Joyce. Celle qui a abandonné le jeu?»

– Christie? Tu dois parler de Christie. Christie O'Dell. C'est la femme de Justin, mais elle a gardé son nom. Tu connais Justin.

– Bien sûr que je le connais. Seulement, je ne savais pas qu'il était marié.

– Ah là là, ce qu'ils peuvent grandir vite, dit Tommy, taquin. Justin a trente ans, ajoute-t-il. Et elle, peut-être un peu plus.»

Jay dit à son tour: «Plus, certainement.

– Elle a une allure intéressante, dit Joyce. Comment est-elle?

– Elle est écrivain. Pas mal.»

Penché sur l'évier, Jay émet un bruit que Joyce ne peut interpréter.

« Elle a tendance à prendre un peu les gens de haut », dit Tommy. Il s'adresse à Jay. « C'est pas vrai, ce que je dis ? Tu dirais pas ça ?

— Elle se prend pas pour de la merde, dit Jay de façon parfaitement audible.

— Bah, son premier livre vient d'être publié, dit Tommy. J'ai oublié le titre. Une parodie genre faites-le vous-même. Je trouve pas que ce soit un bon titre. Quand on sort son premier livre, j'imagine qu'on se prend pas pour une merde pendant quelque temps. »

Passant devant une librairie de Lonsdale Avenue, quelques jours plus tard, Joyce voit le visage de la fille sur une affiche et c'est bien son nom, Christie O'Dell. Elle porte un chapeau noir et la même petite veste noire qu'elle avait le soir de la fête. Cintrée, stricte, très décolletée, alors qu'elle n'a, pour ainsi dire, rien à montrer de ce côté-là. Elle regarde droit dans l'objectif, de son regard sombre, blessé, distant mais accusateur.

Où Joyce l'a-t-elle déjà vue ? À la soirée, bien sûr. Mais même là, au milieu de son antipathie probablement injustifiée, elle a eu le sentiment d'avoir déjà vu ce visage quelque part.

Une élève ? Elle en avait eu tant quand elle enseignait.

Elle entre dans le magasin pour acheter un exemplaire du livre. *Comment faire pour vivre*. La femme qui le lui a vendu dit : « Et vous savez, si vous le rapportez vendredi après-midi entre deux et quatre, l'auteur sera là pour vous le signer. Simplement, ne déchirez pas le petit autocollant doré, il montre que vous l'avez acheté ici. »

Joyce n'a jamais compris cette histoire qui consiste à faire la queue afin d'entr'apercevoir l'auteur puis de repartir en emportant le nom d'un inconnu inscrit dans le livre. Elle murmure donc poliment, sans que cela signifie oui ou non. Elle ne sait même pas si elle lira le livre.

Elle a une ou deux bonnes biographies entre les mains en ce moment dont elle est sûre qu'elles sont plus à son goût que ce truc-là.

Comment faire pour vivre est donc le titre du livre. Un recueil de nouvelles, pas un roman. Voilà qui est déjà en soi une déception.

L'autorité du livre en paraît diminuée, cela fait passer l'auteur pour quelqu'un qui s'attarde à l'entrée de la littérature, au lieu d'être assurément installé à l'intérieur.

Joyce n'en prend pas moins le livre avec elle quand elle va se coucher ce soir-là et elle en consulte dûment la table des matières. À mi-chemin de la liste, un titre lui tire l'œil.

« *Kindertotenlieder* »

Mahler. Terrain connu. Rassurée, elle va à la page indiquée. Quelqu'un, probablement l'auteur elle-même, a eu la bonne idée de fournir une traduction.

« Chants sur la mort des enfants »

À côté d'elle, Matt émet une brève réprobation. Elle sait qu'il est en désaccord avec une chose qu'il vient de lire et aimerait qu'elle lui demande ce dont il s'agit. Aussi s'empresse-t-elle de le faire.

« Bon Dieu, quel imbécile. »

Elle pose *Comment faire pour vivre* contre sa poitrine, faisant des bruits pour montrer qu'elle écoute Matt.

Sur la quatrième de couverture du livre, il y a la même photo de l'auteur, sans chapeau cette fois. Elle ne sourit toujours pas, boudeuse, mais son expression est un peu moins prétentieuse. Pendant que Matt parle, Joyce replie les genoux de façon à pouvoir y appuyer le volume pour lire les quelques phrases de la bio de couverture.

Christie O'Dell a grandi à Rough River, petite ville côtière de Colombie-Britannique. Elle est diplômée du programme d'écriture créative de l'université de Colombie-Britannique. Elle vit à Vancouver avec son mari, Justin, et son chat, Tiberius.

Une fois qu'il lui a expliqué en long et en large l'imbécillité qu'il a remarquée dans son livre, Matt lève les yeux de son volume pour regarder celui de Joyce et dit : « Tiens, c'est la fille qui était à notre soirée.

— Oui. Elle s'appelle Christie O'Dell. C'est la femme de Justin.

— Alors elle a écrit un livre ? Qu'est-ce que c'est ?

— Des nouvelles. »

– Ah. »

Il s'est remis à lire mais au bout d'un instant lui demande, avec un soupçon de contrition : « Qu'est-ce que ça vaut ?

– Je ne sais pas encore. »

Elle habitait avec sa mère, une maison entre les montagnes et l'océan...

Elle n'a pas sitôt lu ces mots que Joyce se sent trop mal à l'aise pour poursuivre sa lecture. Ou pour continuer de lire avec son mari à côté d'elle. Elle ferme le volume et dit : « Je crois que je vais descendre un moment.

– C'est la lumière qui te gêne ? Je vais pas tarder à éteindre.

– Non. Je crois que j'ai envie de thé. À tout à l'heure.

– Je dormirai déjà, probablement.

– Alors bonne nuit.

– Bonne nuit. »

Elle l'embrasse et emporte son livre avec elle.

Elle habitait avec sa mère une maison entre les montagnes et l'océan. Avant cela elle avait habité avec Mrs. Noland, qui prenait chez elle des enfants placés. Le nombre d'enfants présents chez Mrs. Noland variait de temps en temps mais il y en avait toujours trop. Les petits dormaient dans un lit au milieu de la chambre et les plus grands sur des couchettes de part et d'autre du lit de sorte que les petits ne risquent pas de tomber. Une cloche sonnait pour vous faire lever le matin. C'était Mrs. Noland qui se tenait sur le seuil et sonnait la cloche. Quand elle sonnait de nouveau, on était censé avoir fait pipi, s'être débarbouillé et habillé et être prêt pour le petit déjeuner. Les grands étaient censés aider les petits puis faire les lits. Parfois les petits du milieu avaient mouillé le lit parce qu'il leur était difficile d'en sortir à temps en passant par-dessus les grands. Il y avait des grands qui les dénonçaient mais d'autres qui étaient plus gentils et se contentaient de remonter les couvertures pour laisser sécher et parfois quand on se couchait le soir, le lit était

58

encore un peu humide. Voilà à peu près tout ce qu'elle se rappelait de la maison de Mrs. Noland.

Puis elle était allée vivre avec sa mère et tous les soirs cette dernière l'emmenait à la réunion des Alcooliques Anonymes. Elle devait l'emmener parce qu'elle n'avait personne à qui la confier. Aux Alcooliques Anonymes, il y avait une boîte de Lego pour que les enfants puissent jouer mais elle n'aimait pas beaucoup les Lego. Après avoir commencé à étudier le violon à l'école, elle emportait son petit violon d'enfant aux Alcooliques Anonymes. Elle ne pouvait pas en jouer, là-bas, mais elle ne devait jamais s'en séparer parce qu'il appartenait à l'école. Quand les gens se mettaient à parler très fort, elle pouvait faire quelques exercices doucement.

Les cours de violon avaient lieu à l'école. Si l'on n'avait pas envie de jouer d'un instrument, on pouvait se contenter du triangle mais la prof préférait qu'on choisisse quelque chose de plus difficile. La prof était une grande femme aux cheveux bruns qu'elle portait d'ordinaire en une longue natte dans le dos. Son odeur était différente de celle des autres profs. Certaines mettaient du parfum mais elle, jamais. Elle sentait le bois ou le poêle, ou les arbres. Par la suite, l'enfant allait croire que c'était l'odeur du cèdre écrasé. Quand la mère de l'enfant alla travailler pour le mari de la prof, elle se mit à sentir le même genre d'odeur, mais pas tout à fait la même. La différence semblait être que sa mère sentait le bois, mais que la prof sentait le bois en musique.

L'enfant n'avait pas beaucoup de talent mais elle travaillait dur. Ce n'était pas par amour de la musique. C'était par amour pour la prof, rien d'autre.

Joyce pose le livre sur la table de la cuisine et regarde de nouveau la photo de l'auteur. Y a-t-il un quelconque trait d'Edie dans ce visage ? Rien. Rien dans la forme ni dans l'expression.

Elle se lève pour aller chercher le brandy, en verse un peu dans son thé. Elle se creuse la tête pour retrouver le nom de l'enfant d'Edie. Certainement pas Christie. Elle ne se rappelle pas qu'Edie ait jamais amené la petite avec elle à la maison. À l'école, plusieurs enfants apprenaient le violon.

L'enfant ne pouvait pas avoir été complètement nulle, car Joyce l'aurait dirigée vers un instrument moins difficile que le violon. Mais elle ne pouvait pas avoir été douée – d'ailleurs, elle disait elle-même qu'elle n'était pas douée – parce qu'alors elle aurait retenu son nom.

Un visage vide. L'être amorphe d'une petite fille. Il y avait pourtant quelque chose que Joyce reconnaissait dans le visage de la fille, de la femme, de l'adulte.

N'était-elle pas venue à la maison si Edie donnait un coup de main à Jon un samedi ? Ou même un de ces jours où Edie venait comme ça, en visite pour ainsi dire, pas pour travailler mais simplement pour voir comment le travail avançait et donner un coup de main si nécessaire. Se poster là pour assister à ce que Jon faisait et faire obstacle à la conversation qu'il aurait pu avoir avec Joyce en profitant de son unique jour de congé.

Christine. Bien sûr. C'était ça. Facilement transformable en Christie.

Christine avait forcément été d'une façon ou d'une autre témoin de l'évolution des relations, Jon avait dû passer à l'appartement tout comme Edie était passée à la maison. Et Edie avait peut-être sondé l'enfant.

Tu l'aimes bien, Jon ?

Elle te plaît, la maison de Jon ?

Ce serait bien, hein, d'aller vivre dans la maison de Jon ?

Maman et Jon s'aiment beaucoup. Et quand des gens s'aiment beaucoup, ils ont envie d'habiter ensemble. Ton professeur de musique et Jon ne s'aiment pas autant que maman et Jon, alors maman et Jon vont habiter dans la maison de Jon et ta prof ira habiter dans un appartement.

C'était entièrement faux ; jamais Edie n'aurait débité de telles fadaises. Il fallait lui rendre cette justice.

Joyce pense connaître le tour que va prendre le récit. Le désarroi de l'enfant, prisonnière des manigances et des erreurs des adultes, tirée à hue et à dia. Mais quand elle reprend le livre, elle découvre que le changement de domicile y est à peine mentionné.

Tout tourne autour de l'amour de l'enfant pour la prof.

Le jeudi, jour de la leçon de musique, est le point d'orgue de la semaine, moment de bonheur ou de malheur selon la réussite ou l'échec de l'enfant et la réaction de la prof à l'une ou l'autre. Les deux sont presque insupportables. Il arrive que la prof maîtrise sa voix, s'exprime avec bonté, plaisante pour cacher sa lassitude et sa déception. L'enfant en est ravagée. Ou la prof se montre soudain insouciante et joyeuse.

« C'est bien. C'est très bien. Tu as fait de vrais progrès aujourd'hui. » Et l'enfant est si heureuse qu'elle en a des crampes d'estomac.

Puis vient le jeudi où l'enfant a trébuché dans la cour de récré et s'est égratigné le genou. La prof nettoie la plaie avec un chiffon humecté d'eau tiède, sa voix soudain douce soutient que cela mérite une consolation, une friandise, et elle tend la main vers le bol de Smarties dont elle se sert pour encourager les plus jeunes élèves.

« Quelle est ta couleur préférée ? »

L'enfant répond, aux anges : « N'importe. »

Est-ce le début d'un changement ? Est-ce à cause du printemps ? Des préparatifs du spectacle ?

L'enfant se sent distinguée. Elle sera soliste. Cela signifie qu'elle doit rester après l'école le jeudi pour répéter, et par conséquent qu'elle manque le trajet de retour par le car scolaire jusqu'à la maison, en dehors de la ville, où elle et sa mère vivent désormais. La prof la raccompagnera en voiture. En chemin, elle demande à l'enfant si la perspective du récital lui donne le trac.

Plutôt.

Eh bien alors, dit la prof, il faut qu'elle s'exerce à penser à quelque chose de vraiment plaisant. Comme un oiseau dans le ciel. Quel est son oiseau préféré ?

Préféré, encore. L'enfant n'en trouve pas, ne trouve aucun oiseau. Puis : « Un corbeau ? »

La prof se met à rire. « Si tu veux. Très bien. Pense à un corbeau. Juste avant de te mettre à jouer, pense à un corbeau. »

Puis peut-être pour se racheter d'avoir ri, percevant l'humiliation de l'enfant, la prof propose d'aller jusqu'à Willingdon Park voir si la baraque du marchand de glaces a rouvert pour l'été.

« Est-ce qu'ils s'inquiètent quand tu ne rentres pas aussitôt à la maison ?

– Ils savent que je suis avec vous. »

Le marchand de glaces est ouvert mais le choix reste limité. Les parfums les plus intéressants ne sont pas encore disponibles. L'enfant choisit fraise, mettant un point d'honneur, cette fois, à répondre du tac au tac, dans sa félicité et son agitation. La prof choisit vanille comme souvent les adultes. Mais elle plaisante avec le vendeur, lui conseillant de ne pas tarder à se procurer de la glace rhum-raisins s'il veut qu'elle continue de l'aimer.

C'est peut-être alors que se produit un nouveau changement. En entendant la prof parler de cette façon, d'une voix effrontée, presque à la manière des grandes filles, l'enfant se détend. À partir de ce moment, elle est moins étranglée d'adoration, bien que tout à fait heureuse. Elles reprennent la voiture jusqu'aux docks pour regarder les bateaux à quai. Et la prof dit qu'elle a toujours eu envie de vivre dans une maison flottante. Ce serait rudement bien, non, dit-elle, et l'enfant est d'accord, évidemment. Elles désignent celle qu'elles choisiraient. Le propriétaire l'a conçue et construite lui-même. Elle est peinte en bleu ciel, avec une rangée de petites fenêtres garnies de géraniums en pots.

Cela amène la conversation sur la maison où l'enfant vit à présent, celle où la prof vivait autrefois. Et du coup, par la suite, pendant leurs trajets en voiture, elles reviennent souvent sur le sujet. L'enfant raconte qu'elle est contente d'avoir une chambre à elle, mais n'aime guère qu'il fasse si noir dehors. Parfois, elle a l'impression d'entendre des bêtes sauvages sous sa fenêtre.

Quelles bêtes sauvages ?

Des ours, des couguars. Sa mère dit qu'il y en a dans les bois et qu'il ne faut jamais y aller.

« Est-ce que tu cours te cacher dans le lit de ta mère quand tu les entends ?

— J'ai pas le droit.

— Pourquoi, grands dieux ?

— Parce qu'il y a Jon.

— Qu'est-ce qu'il pense des ours et des couguars, Jon ?

— Il pense que c'est des cerfs.

— Il s'est fâché contre ta mère, quand elle t'a dit ça ?

– Non.

– Je crois qu'il ne se fâche jamais.

– Il s'est un peu fâché, une fois. Quand ma mère et moi, on a vidé tout son vin dans l'évier. »

La prof dit que c'est dommage d'avoir toujours peur des bois. On peut y faire des promenades, dit-elle, sans être ennuyé par les bêtes sauvages, surtout si on fait du bruit et d'ordinaire on en fait. Elle connaît les chemins où on ne risque rien et le nom de toutes les fleurs qui ne vont pas tarder à éclore. Lys dents-de-chien. Trilles. Petits prêcheurs. Violettes impériales et ancolies. Lys chocolat.

« Je crois qu'ils ont un autre nom mais j'aime bien les appeler lys chocolat. C'est un nom si appétissant. Bien sûr ça n'a rien à voir avec leur goût mais seulement avec leur apparence. On dirait exactement du chocolat avec des petits éclats violets comme des mûres écrasées. Ils sont rares mais je sais où on peut en trouver. »

Joyce pose de nouveau le livre. Voilà, cette fois, elle a compris pour de bon, elle sent venir l'horreur. L'enfant innocente, l'adulte morbide et sournoise, toute cette entreprise de séduction. Elle aurait dû le savoir. Tout cela est tellement à la mode de nos jours, pour ainsi dire obligatoire. Les bois, les fleurs printanières. C'est ici que l'auteur allait greffer sa hideuse invention sur les gens et la situation qu'elle avait tirée de la vie réelle, trop paresseuse pour inventer mais pas pour dénigrer.

Car c'était en partie vrai, sans aucun doute. Il lui revient des choses qu'elle avait oubliées. Raccompagner Christine chez elle et ne jamais la considérer comme Christine mais toujours comme l'enfant d'Edie. Elle se rappelle qu'elle ne pouvait pénétrer dans la cour pour faire demi-tour mais déposait toujours l'enfant au bord de la route, avant de poursuivre sur près d'un kilomètre jusqu'à un endroit où elle pouvait tourner. Elle ne se rappelle rien concernant cette glace. Mais il y avait une maison flottante exactement semblable à celle-là amarrée à cet endroit. Même les fleurs, et l'horrible ruse de l'interrogatoire auquel l'enfant était soumise – cela pouvait être vrai. Il faut qu'elle continue.

Elle aimerait se servir encore du brandy mais elle a une répétition à neuf heures le lendemain matin.

Et rien de ce genre. Elle s'est trompée de nouveau. Les bois et les lys chocolat disparaissent de l'histoire, le spectacle est presque négligé. L'école vient de finir. Et le dimanche matin, après la dernière semaine de classe, l'enfant se réveille tôt. Elle entend la voix de la prof dans la cour et va à la fenêtre. La prof est là, dans sa voiture, elle a baissé la vitre, elle parle avec Jon. Une petite remorque est attelée à la voiture. Jon est pieds nus, torse nu, vêtu seulement de son jean. Il appelle la mère de l'enfant, laquelle vient à la porte de la cuisine et s'avance de quelques pas dans la cour sans aller jusqu'à la voiture. Elle porte une chemise de Jon qui lui sert de robe de chambre. Elle porte toujours des manches longues pour cacher ses tatouages.

La conversation roule sur quelque chose qui se trouve à l'appartement et que Jon promet d'aller chercher. La prof lui lance les clés. Puis Jon et la mère de l'enfant, parlant en même temps, la pressent d'emporter quelques autres objets. Mais la prof a un rire déplaisant et lâche : « Je vous laisse tout ça. » Bientôt Jon répondit : « Bon. À plus tard », et la prof en écho : « À plus tard », et la mère de l'enfant ne dit rien d'audible. La prof rit de la même façon qu'elle l'a déjà fait et Jon lui dit comment faire demi-tour avec la remorque dans la cour. À ce moment, en pyjama, l'enfant descend déjà l'escalier en courant alors qu'elle sait que la prof n'est pas d'humeur à bavarder avec elle.

« Tu l'as manquée de peu, dit la mère de l'enfant. Elle ne voulait pas être en retard pour prendre le bac. »

Un coup de klaxon retentit ; Jon lève une main puis il traverse la cour et dit à la mère de l'enfant : « C'est réglé. »

L'enfant demande si la prof doit revenir et il répond : « Ça m'étonnerait. »

Il faut encore une demi-page pour montrer que l'enfant comprend de plus en plus clairement ce qui s'est passé. Tandis qu'elle grandit, elle se rappelle certaines questions, la façon dont elle a été sondée, apparemment au hasard. Les renseignements – parfaitement inutiles à vrai dire – à propos de Jon (qu'elle n'appelle pas Jon) et de sa mère.

À quelle heure se levaient-ils le matin? Qu'aimaient-ils manger et faisaient-ils la cuisine ensemble? Quelles émissions écoutaient-ils à la radio? (Aucune – ils avaient acheté un téléviseur.)

Que cherchait-elle au juste, la prof? Espérait-elle entendre des choses négatives? Ou était-elle seulement avide de tout ce qu'elle pouvait apprendre, d'être ainsi en contact avec quelqu'un qui couchait sous le même toit que ces deux personnes, mangeait à la même table, vivait dans leur intimité quotidienne?

Voilà ce que l'enfant ne pourra jamais savoir. Ce qu'elle peut savoir, c'est à quel point elle-même a peu compté, à quel point ses propres sentiments ont été manipulés, quelle pitoyable petite dupe elle a été. Et cela l'emplit de colère et d'amertume, sans le moindre doute. D'amertume et de fierté. Elle se voit comme une personne qui jamais plus ne se laissera duper.

Mais il se produit quelque chose. Et voilà la surprise finale. Les sentiments que lui inspirent la prof et cette période de son enfance changent un beau jour. Elle ne sait ni comment ni quand, mais se rend compte qu'elle a cessé de songer à cet épisode comme à une tromperie. Elle pense à la musique qu'elle a appris à jouer à grand-peine (elle a renoncé, bien sûr, avant même d'être adolescente). À l'insouciance que lui insufflaient ses espoirs, aux instants de bonheur, aux noms curieux et enchanteurs des fleurs de la forêt qu'elle ne vit jamais, en définitive.

À l'amour. Elle en était contente. À croire qu'il existe en apparence on ne sait quel savoir-faire fortuit et bien sûr injuste dans l'économie affective du monde puisque le grand bonheur – aussi provisoire, aussi fragile soit-il – d'une personne peut sortir du grand malheur d'une autre.

Mais oui, songe Joyce. Oui.

Le vendredi après-midi elle se rend à la librairie. Elle apporte son livre pour le faire signer, ainsi qu'un petit ballotin de chez Le Bon Chocolatier. Elle se met dans la queue. Elle est surprise de voir que les gens sont venus si nombreux. Des femmes de son âge, d'autres plus âgées ou plus jeunes. Quelques hommes tous plus jeunes qu'elle, certains venus accompagner leur copine.

La femme qui a vendu le livre à Joyce la reconnaît.

« Je suis heureuse de vous revoir, dit-elle. Vous avez lu la critique du *Globe* ? Wouahou. »

Joyce est troublée, à vrai dire elle tremble un peu. Elle a du mal à parler.

La femme passe le long de la file d'attente pour expliquer que seuls les livres achetés sur place peuvent faire l'objet d'un autographe, et qu'une anthologie dans laquelle des nouvelles de Christie O'Dell figurent parmi d'autres ne sera pas acceptée, elle le regrette.

La dame qui est devant elle est à la fois grande et large d'épaules, de sorte que Joyce ne voit pas Christie O'Dell avant l'instant où l'autre se penche pour déposer son livre sur la table. Elle découvre alors une jeune femme tout à fait différente de celle de l'affiche et de celle de la soirée. La tenue noire a disparu, ainsi que le chapeau noir. Christie O'Dell a revêtu une jaquette de brocard rose foncé aux revers cousus de minuscules perles d'or. En dessous, un caraco d'un rose délicat. Sa chevelure a des reflets dorés, elle a des anneaux d'or aux oreilles et une chaîne d'or aussi fine qu'un cheveu lui entoure le cou. Ses lèvres luisent comme des pétales de fleur et ses paupières sont fardées.

Bah – qui voudrait acheter le livre d'un auteur revêche, ou paumé ?

Joyce n'a pas réfléchi à ce qu'elle va dire. Elle s'attend à ce que les mots lui viennent.

À présent la vendeuse a repris la parole.

« Avez-vous ouvert le livre à la page où vous souhaitez qu'on vous le signe ? »

Pour ce faire, Joyce doit poser son ballotin. Elle sent bel et bien une petite palpitation dans sa gorge.

Christie O'Dell lève les yeux sur elle, lui sourit – un sourire d'une cordialité très étudiée, d'une indifférence toute professionnelle.

« Quel nom je mets ?

– Seulement Joyce, ça ira. »

Le temps dont elle dispose passe si vite.

« Vous êtes née à Rough River ?

– Non, dit Christie O'Dell avec un vague déplaisir, ou moins d'entrain. J'y ai vécu quelque temps. Je mets la date ? »

Joyce reprend son ballotin. Chez Le Bon Chocolatier, on vend effectivement des fleurs de chocolat, mais pas de lys, seulement des roses et des tulipes. Elle a donc acheté des tulipes qui ne sont pas si différentes des lys, en fait. Ce sont des bulbes, tous les deux.

« Je tiens à vous remercier pour "*Kindertotenlieder*", dit-elle si vite qu'elle avale presque le mot interminable. Cela signifie beaucoup pour moi. Je vous ai apporté un cadeau.

– N'est-ce pas que c'est une nouvelle merveilleuse, dit la vendeuse en prenant le ballotin. Je vais le garder pour elle.

– Ce n'est pas une bombe, dit Joyce avec un rire. Ce sont des lys en chocolat. Des tulipes, en fait. Ils n'avaient pas de lys alors j'ai pris des tulipes, c'était ce qui s'en rapprochait le plus. »

Elle s'aperçoit que la vendeuse ne sourit plus à présent mais fixe sur elle un regard dur. Christie O'Dell dit : « Merci. »

Rien sur le visage de la fille n'indique qu'elle la reconnaît le moins du monde. Elle ne se souvient de Joyce ni pour l'avoir connue voilà bien des années à Rough River, ni pour l'avoir rencontrée voilà deux semaines, à la soirée. On ne peut même pas être sûr qu'elle a reconnu le titre de sa propre nouvelle. À croire qu'elle n'a rien à faire avec elle. Comme si ce n'était qu'une mue dont elle se serait dégagée en se tortillant avant de l'abandonner dans l'herbe. Et quant à la part de vérité d'où la nouvelle était sortie – c'est simple, elle agit comme si elle s'en était débarrassée depuis longtemps. Installée à sa table, Christie O'Dell inscrit son nom comme s'il s'agissait du seul travail d'écriture dont elle puisse être responsable en ce monde.

« C'était un plaisir de bavarder avec vous », dit la vendeuse, regardant encore le ballottin que la jeune fille du Bon Chocolatier a orné d'un nœud de ruban jaune torsadé.

Christie O'Dell a levé les yeux pour accueillir la personne suivante dans la file et Joyce retrouve enfin ses esprits et repart, avant de devenir l'objet de l'amusement général ou, Dieu sait, d'intéresser la police.

Dans Lonsdale Avenue, qu'elle remonte à contre-pente, elle retrouve peu à peu son état normal. L'épisode pourrait même devenir un récit amusant. Elle n'en serait pas surprise.

Wenlock Edge

Ma mère avait un cousin célibataire qui venait nous rendre visite à la ferme tous les étés. Il amenait avec lui sa mère, la tante Nell Potts. Lui-même se nommait Stevie Potts. C'était un homme de haute taille, au teint fleuri, dont le gros visage carré arborait une expression engageante sous des cheveux blonds bouclés plantés bas sur le front. Ses mains, ses ongles, étaient propres comme des sous neufs et il avait les hanches un peu enveloppées. Je l'appelais donc – en son absence – C'te Vieux Popotin. J'étais mauvaise langue.

Mais je n'y voyais pas malice. Ou guère. Après la mort de la tante Nell Potts, il cessa de venir mais envoyait une carte de Noël.

Quand j'allai à l'université à London – non, pas à Londres, à London, dans l'Ontario – où il demeurait, il prit l'habitude de m'emmener dîner au restaurant un dimanche sur deux. C'était le genre de choses, me semblait-il, auxquelles il se sentait tenu, parce que nous étions parents – sans même avoir eu à se demander s'il existait entre nous une affinité quelconque. Il m'invitait toujours au même endroit, un restaurant qui s'appelait Old Chelsea, et dont la salle occupait un premier étage dans Dundas Street. Rideaux de velours, nappes blanches, petites lampes à abat-jour rose sur les tables. Il était probablement trop cher pour lui, mais je ne m'en souciais pas, ayant dans l'idée comme une bonne campagnarde que tous les hommes habitant une grande ville, portant tous les jours un complet-veston et arborant des ongles impeccables avaient atteint un niveau de prospérité qui leur permettait de s'offrir régulièrement ce genre de plaisir dispendieux.

Je choisissais ce que la carte offrait de plus exotique, comme le *vol-au-vent*[1] au poulet ou le canard *à l'orange*[2] tandis qu'il prenait toujours le rosbif. Les desserts étaient voiturés jusqu'à la table sur un chariot. Il y avait d'ordinaire un gros gâteau à la noix de coco, des tartes à la crème pâtissière garnies de fraises en toute saison, des oublies couvertes d'un glacis de chocolat et remplies de crème fouettée. Je mettais longtemps à me décider, comme une enfant de cinq ans hésitant devant les parfums de crème glacée, et, le lundi, devais jeûner toute la journée pour me remettre de cette orgie.

Stevie semblait un peu trop jeune pour être mon père. J'espérais que personne de l'université ne nous apercevrait et ne s'imaginerait que c'était mon petit ami. Il s'enquérait de mes cours, et hochait du chef avec sérieux quand je lui disais, ou lui rappelais, que j'étais inscrite en littérature anglaise et en philosophie. Il n'accueillait pas cette information en levant les yeux au plafond, comme faisaient les gens de chez nous. Il me disait qu'il avait le plus grand respect pour les études et regrettait de n'avoir pas eu les moyens de poursuivre les siennes au-delà du lycée. Au lieu de quoi, il avait pris un emploi aux chemins de fer du Canada comme guichetier. À présent, il était chef d'équipe.

Il aimait les lectures sérieuses, mais cela ne remplaçait pas l'enseignement universitaire.

J'étais à peu près sûre que son idée des lectures sérieuses était les ouvrages condensés du Reader's Digest et, pour le mettre sur un autre sujet que celui de mes études, je lui parlais de la pension où j'étais logée. À l'époque, la fac n'avait pas de dortoirs – tous les étudiants étaient logés dans des pensions, des appartements bon marché, ou dans les foyers des fraternités et des sororités. Ma chambre occupait le grenier d'une vieille maison, avec beaucoup de surface de plancher et guère de hauteur sous plafond. Mais, ayant été autrefois le logement de la bonne, elle possédait sa propre salle de bains. Au premier étage, les chambres étaient louées par deux autres boursières, qui étaient en dernière année de langues étrangères. Elles s'appelaient Kay et Beverly. Dans les pièces exiguës

---

1. En français dans le texte.
2. En français dans le texte.

mais hautes de plafond du rez-de-chaussée logeaient un étudiant en médecine qui n'était presque jamais là et son épouse, Beth, qui était tout le temps là au contraire parce qu'elle avait deux enfants en bas âge. Beth était chargée de gérer la maison et de percevoir les loyers et les querelles étaient fréquentes entre elle et les filles du premier auxquelles elle reprochait de laver leur linge dans la salle de bains et de l'y suspendre à sécher. Quand l'étudiant en médecine était à la maison, il lui arrivait d'avoir à utiliser cette salle de bains-là à cause des affaires de bébé qui se trouvaient dans celle du rez-de-chaussée et Beth disait qu'il n'était pas correct de le contraindre à s'accommoder des paires de bas qui lui pendaient sous le nez et d'un tas d'accessoires intimes. Kay et Beverly rétorquaient qu'on leur avait garanti l'usage exclusif d'une salle de bains quand elles avaient emménagé.

Voilà le genre de choses dont je choisissais d'entretenir Stevie, qui rougissait en disant qu'elles auraient dû faire coucher cette promesse par écrit.

Kay et Beverly me décevaient. Elles bûchaient les langues étrangères mais leur conversation et leurs préoccupations ne différaient guère en apparence de celles des employées de banque ou des dactylos. Elles mettaient des bigoudis et se vernissaient les ongles le samedi parce que ce soir-là elles sortaient avec leur petit ami. Le dimanche, elles devaient s'appliquer une lotion apaisante sur la figure parce que la pilosité du petit ami leur avait irrité la peau. Aucun des deux petits amis en question ne me semblait le moins du monde désirable et je me demandais ce qu'elles pouvaient bien leur trouver.

Elles disaient avoir caressé autrefois l'idée folle d'être traductrices à l'ONU mais s'être résignées désormais à devenir profs de lycée et, avec de la chance, à se marier.

Elles me prodiguaient des conseils dont je me serais passée.

J'avais pris un emploi à la cafétéria de la fac. Je poussais un chariot pour débarrasser de la vaisselle sale les tables que je nettoyais ensuite quand elles étaient vides. Et je disposais les aliments sur les présentoirs pour le service.

Elles disaient que ce n'était pas une bonne idée.

« Les garçons ne t'inviteront pas à sortir s'ils te voient faire un boulot pareil. »

Je le racontai à Stevie, qui me demanda : « Et alors, qu'as-tu répondu ? »

Que je n'aurais pas eu envie de sortir avec des gens capables d'un tel jugement et que je ne voyais donc pas où était le problème.

Là, j'avais touché la corde sensible. Stevie était radieux ; il fendait l'air du tranchant de ses deux mains.

« Tu as absolument raison, dit-il. C'est l'attitude à avoir, absolument. Un travail honnête. N'écoute jamais ceux qui voudraient te rabaisser parce que tu fais un travail honnête. Poursuis ta route et ignore-les. Garde ta fierté. S'il y en a à qui ça ne plaît pas, dis-leur d'aller se faire voir. »

Ce discours qu'il me tint, l'approbation vertueuse qui illuminait son gros visage, l'enthousiasme saccadé de ses mouvements firent naître les premiers doutes en moi. Le sombre soupçon que la mise en garde de Kay et Beverly n'était pas, après tout, totalement dépourvue de fondement.

Je trouvai un mot sous ma porte disant que Beth souhaitait me parler. Je craignais que ce fût au sujet de mon manteau mis à sécher sur la rampe ou de mes pas trop bruyants dans l'escalier quand son mari, Blake (parfois), et les bébés (toujours) dormaient pendant la journée.

La porte s'ouvrit sur le spectacle du malheur et de la confusion dans lesquels Beth passait apparemment toutes ses journées. Une lessive humide – couches et langes malodorants – pendait à des séchoirs au plafond, des biberons tremblotaient à grand bruit dans l'eau bouillonnante d'un stérilisateur sur le réchaud. Les fenêtres étaient couvertes de buée, et des vêtements trempés, quand ce n'étaient pas des peluches crasseuses, traînaient sur les chaises. L'aîné des bébés, accroché aux barreaux de son parc, poussait un long hurlement accusateur – Beth venait manifestement de le déposer là – et le plus petit, assis sur la chaise haute, avait la bouche et le menton barbouillés d'une purée gluante couleur potiron qui faisait comme une éruption.

Beth leva les yeux du sein de ce tableau avec une expression pincée de supériorité sur son petit visage plat, comme pour dire que peu de gens étaient capables de s'accommoder d'un tel cauchemar aussi bien qu'elle le faisait, même si le monde manquait trop de générosité pour lui en savoir gré si peu que ce fût.

« Vous savez, quand vous avez emménagé, dit-elle, avant d'élever la voix dans une tentative de se faire entendre malgré les cris du plus grand des bébés. Quand vous avez emménagé je vous ai dit qu'il y avait de la place pour deux ? »

Pas dans le domaine de la hauteur sous plafond, m'apprêtai-je à dire, mais elle poursuivit sans s'interrompre et m'apprit qu'une autre fille allait emménager. Elle serait là du mardi au vendredi. Elle assisterait en auditrice libre à certains des cours de la fac.

« Blake installera le lit de camp ce soir. Elle n'occupera pas beaucoup de place. Je ne pense pas qu'elle apporte tellement de vêtements – elle demeure en ville. Cela fait six semaines que vous avez eu la chambre pour vous toute seule, et vous continuerez de l'avoir pendant les week-ends. »

Pas un mot d'une éventuelle réduction de loyer.

De fait, Nina n'occupait pas beaucoup de place. Elle était petite et prudente dans ses mouvements – jamais elle ne se cognait la tête aux poutres, contrairement à moi. Elle passait une bonne part de son temps assise en tailleur sur le lit de camp, ses cheveux brun-blond lui retombant dans la figure, un kimono japonais dénoué sur ses sous-vêtements blancs de petite fille. Elle avait de fort beaux vêtements – un manteau de poil de chameau, des chandails en cachemire, une jupe plissée écossaise avec une grande épingle d'argent. Exactement le genre qu'on voyait sur une double page dans les magazines sous le titre « Refaire la garde-robe de votre fille qui entre à l'université ». Mais sitôt rentrée de la fac, elle quittait sa tenue pour le kimono. D'ordinaire, elle ne se donnait pas la peine d'accrocher quoi que ce soit. Je partageais cette habitude de quitter mes vêtements de la journée mais, dans mon cas, c'était pour éviter de froisser ma jupe et tenter de préserver une fraîcheur raisonnable de mon chemisier ou de mon chandail, et je rangeais donc le tout soigneusement dans la penderie. Le soir, je portais un peignoir de laine. J'avais avalé de bonne heure à la fac le dîner qui faisait partie de mon salaire, et Nina avait apparemment dîné elle aussi sans que je puisse dire où. Peut-être son repas était-il constitué de ce qu'elle grignotait toute la soirée – des amandes et des oranges et quantité de petits bonbons de chocolat enveloppés de papier métallisé rouge, doré ou violet.

Je lui demandai si elle n'avait pas froid dans ce léger kimono.

« Nan-nan », dit-elle. Saisissant ma main elle se l'appliqua sur le cou. « J'ai la peau chaude en permanence », dit-elle, et c'était un fait. La chaleur de sa peau donnait même l'impression d'être visible mais elle disait que c'était seulement à cause de son hâle, qui était d'ailleurs en train de s'estomper. Et liée à cette chaleur de la peau, il y avait une odeur particulière de fruits secs ou d'épices, pas déplaisante, mais pas non plus l'odeur d'un corps constamment baigné et douché. (Je n'étais pas tout à fait fraîche moi-même, vu la règle établie par Beth d'un unique bain hebdomadaire. Bien des gens à l'époque ne se baignaient pas plus d'une fois par semaine, et j'ai dans l'idée que l'humanité devait sentir plus fort malgré le talc et les crèmes déodorantes.)

D'ordinaire je lisais des livres jusque tard dans la nuit. J'avais cru qu'il serait peut-être plus difficile de lire avec une tierce personne dans la chambre, mais la présence de Nina n'était pas gênante. Elle épluchait ses oranges et développait ses chocolats, elle faisait des réussites. Quand elle devait allonger le bras pour déplacer une carte, elle produisait parfois un léger bruit, soupir ou grognement, comme si elle se plaignait de ce petit accommodement corporel, mais y prenait plaisir, tout de même. En dehors de cela, elle était satisfaite et se pelotonnait pour dormir avec la lumière allumée sitôt que l'envie lui en prenait. Et parce que nous n'exigions pas de parler et n'en éprouvions pas de besoin particulier, nous ne tardâmes pas à le faire et à nous raconter nos vies.

Nina avait vingt-deux ans et voici ce qui lui était arrivé depuis qu'elle en avait quinze.

D'abord, elle s'était arrangée pour se retrouver enceinte (c'était ainsi qu'elle l'exprimait) et avait épousé le père, qui n'était guère plus âgé qu'elle. Ça se passait dans une petite ville des environs de Chicago. L'endroit s'appelait Laneyville et les seuls emplois y étaient dans les silos ou dans la mécanique agricole, pour les garçons, et dans les boutiques pour les filles. L'ambition de Nina était d'être coiffeuse mais il fallait partir pour suivre une formation. Elle n'avait pas toujours habité Laneyville, c'était là que vivait sa grand-mère, et elle-même vivait avec sa grand-mère parce que son père était mort, que sa mère s'était remariée et que son beau-père l'avait mise à la porte.

Elle eut un deuxième enfant, encore un garçon, et son mari était censé avoir une perspective d'emploi dans une autre ville pour laquelle il partit donc. Il devait l'envoyer chercher, mais ne le fit jamais. Laissant les deux enfants chez sa grand-mère, elle prit le car pour Chicago.

Dans le car, elle rencontra une certaine Marcy, qui se rendait comme elle à Chicago. Marcy y connaissait le propriétaire d'un restaurant qui leur donnerait du travail. Mais quand elles arrivèrent à Chicago et eurent trouvé le restaurant, il s'avéra que, loin d'en être propriétaire, il y avait seulement travaillé et avait quitté son emploi depuis quelque temps. Le véritable propriétaire avait une chambre vacante à l'étage et les autorisa à s'y installer en échange du ménage qu'elles feraient tous les soirs au restaurant. Les toilettes étaient celles des dames au restaurant mais il ne fallait pas y rester trop longtemps pendant la journée parce qu'elles étaient destinées à la clientèle. Elles ne pouvaient y laver leurs vêtements qu'après la fermeture. Elles ne dormaient pour ainsi dire pas. Elles se lièrent d'amitié avec un barman – il était homo mais sympa – d'un établissement situé de l'autre côté de la rue qui leur faisait boire des sodas gratuitement. Là, elles firent la connaissance d'un monsieur qui les invita à une soirée où, de fil en aiguille, elles furent invitées à d'autres soirées, et ce fut pendant cette période que Nina fit la connaissance de Mr. Purvis. C'était lui à vrai dire qui l'avait appelée Nina. Avant, elle répondait au nom de June. Elle alla s'installer chez Mr. Purvis à Chicago.

Elle attendait le bon moment pour aborder le sujet de ses fils. Il y avait tant de place dans la maison de Mr. Purvis qu'elle pensait qu'ils pourraient y habiter avec elle. Mais quand elle en parla, Mr. Purvis lui dit que les enfants le dégoûtaient. Il ne voulait pas qu'elle soit enceinte, jamais. Et pourtant, cela arriva, et elle partit avec Mr. Purvis au Japon pour avorter.

Jusqu'à la dernière minute, elle crut que c'était ce qu'elle allait faire, et puis elle décida que non. Elle aurait cet enfant.

Fort bien, dit-il. Il paierait son billet de retour à Chicago, après quoi elle se débrouillerait toute seule.

Elle était un peu plus dégourdie désormais et se rendit dans un établissement où on s'occupait de vous jusqu'à la naissance de l'enfant et où on pouvait le faire adopter. Elle accoucha d'une fille qu'elle nomma Gemma et elle finit par se décider à la garder.

Elle connaissait une autre fille qui avait eu un enfant dans cet établissement et l'avait gardé, alors elle passa un accord avec cette fille selon lequel elles travailleraient à tour de rôle et habiteraient ensemble pour élever leurs deux enfants. Elles prirent un appartement dans leurs prix et se firent embaucher – Nina dans un bar à cocktails – et tout fut pour le mieux. Puis Nina rentra un soir juste avant Noël – Gemma avait huit mois – et trouva l'autre mère à moitié ivre et folâtrant avec un homme alors que la petite Gemma était brûlante de fièvre et trop malade pour avoir seulement la force de pleurer.

Nina l'enveloppa dans un lange et prit un taxi pour l'emmener à l'hôpital. La circulation était bloquée à cause de Noël et quand elles finirent par arriver on leur dit que ce n'était pas le bon hôpital pour on ne savait quelle raison et on les envoya vers un autre sur le chemin duquel Gemma fit une convulsion et mourut.

Elle voulait un enterrement comme il faut pour Gemma, pas qu'on se contente de la mettre avec le cadavre d'un vieux miséreux (c'était ce qu'elle avait entendu dire qu'on faisait du corps des bébés quand on était sans le sou), elle alla donc trouver Mr. Purvis. Il fut plus gentil avec elle qu'elle ne s'y était attendue et il paya pour le cercueil et tout, et pour la pierre tombale gravée au nom de Gemma, après quoi il reprit Nina chez lui. Ils firent un long voyage à Londres et à Paris et plein d'autres endroits pour la consoler. À leur retour il ferma la maison de Chicago et ils vinrent s'installer ici. Il avait une propriété non loin, à la campagne, il y élevait des chevaux de course.

Il lui demanda si elle voulait faire des études et elle répondit oui. Il dit qu'elle devrait aller assister à quelques cours afin de voir ce qu'elle aimerait étudier. Elle lui confia alors qu'elle avait envie de vivre une partie du temps la vie des étudiantes ordinaires, de s'habiller comme elles et d'étudier comme elles, ce à quoi il répondit que cela devait pouvoir s'arranger.

La vie de Nina me donnait le sentiment que j'étais bien nunuche.

Je lui demandai le prénom de Mr. Purvis :

«Arthur.

– Pourquoi tu ne l'appelles pas comme ça ?

– Ça n'aurait pas l'air naturel. »

Nina n'était pas censée sortir le soir, sauf pour aller à la fac dans certaines occasions bien particulières, pièce de théâtre, concert ou conférence. Elle était censée dîner et déjeuner à la fac. Mais j'ai dit que j'ignore si elle le fit jamais. Le petit déjeuner consistait en un Nescafé dans notre chambre avec des doughnuts de la veille que je rapportais de la cafétéria. Mr. Purvis voyait cela d'un assez mauvais œil mais l'acceptait comme faisant partie de l'imitation par Nina de l'existence d'une étudiante ordinaire. Du moment qu'elle mangeait un bon repas chaud une fois par jour et un sandwich et un potage lors de l'autre repas, il s'estimait satisfait, or c'était ce qu'il croyait qu'elle faisait. Elle lisait le menu de la cafétéria afin de pouvoir lui raconter qu'elle avait pris les saucisses ou le steak haché, et le sandwich saumon ou œuf-crudités.

«Et comment le saurait-il, si tu sortais ? »

Nina se leva avec ce petit bruit, qui lui était personnel, exprimant le désagrément ou le plaisir, et gagna à pieds nus la fenêtre du grenier.

«Viens par ici, dit-elle. Et reste derrière le rideau. Tu vois ? »

Une auto noire, rangée pas exactement en face dans la rue mais à quelques portes de la nôtre. Un réverbère éclairait les cheveux blancs de la conductrice.

«Mrs. Winner, dit Nina. Elle va rester jusqu'à minuit. Ou plus tard, je ne sais pas. Si je sortais, elle me suivrait et attendrait, où que j'aille, avant de me suivre de nouveau à mon retour.

– Et si elle s'endormait ?

– C'est pas son genre. Ou alors, si ça lui arrivait et que je tentais quelque chose, elle se réveillerait en un éclair. »

Histoire d'occuper un peu Mrs. Winner, comme dit Nina, nous sortîmes un soir pour prendre l'autobus jusqu'à la bibliothèque municipale. Par la fenêtre, nous pouvions voir la longue auto noire contrainte de ralentir puis de s'attarder à chaque arrêt du bus, avant d'accélérer pour nous rattraper. Il nous restait la longueur d'un pâté de maisons à parcourir à pied jusqu'à la bibliothèque et Mrs. Winner nous doubla et alla se garer au-delà de l'entrée principale, nous surveillant – croyions-nous – dans son rétroviseur.

Je voulais voir s'il m'était possible d'emprunter un exemplaire de *La Lettre écarlate*, qui figurait au programme d'un de mes cours. Mes moyens ne me permettaient pas d'en acheter un et la bibliothèque de la faculté avait déjà prêté tous les siens. Je comptais aussi emprunter un ouvrage pour Nina – le genre de manuel d'histoire où l'on trouve des tableaux de synthèse chronologiques.

Nina s'était acheté les manuels des cours où elle était auditrice. Elle s'était acheté des cahiers et des stylos – les meilleurs stylos plume de l'époque – aux couleurs assorties. Rouge pour les civilisations précolombiennes d'Amérique centrale, bleu pour les poètes romantiques, vert pour les romanciers anglais des XVIIIe et XIXe siècles, jaune pour les contes de Lang à Andersen. Elle assistait à toutes les leçons, assise au dernier rang parce qu'elle estimait que c'était la place qui lui convenait. À l'entendre parler, elle semblait prendre plaisir à traverser le bâtiment de la faculté de lettres parmi la foule des autres étudiants, à prendre son siège, à ouvrir son manuel à la page indiquée, à sortir son stylo. Mais ses cahiers restaient vierges.

Le hic, me semblait-il, était qu'elle ne disposait d'aucune connaissance à laquelle se raccrocher. Le XIXe siècle n'évoquait rien pour elle, elle ne savait pas ce que signifiait romantique ou précolombien. Elle était allée au Japon, à la Barbade, et dans de nombreux pays d'Europe, mais n'aurait jamais été capable de les situer sur une carte. Elle n'aurait su dire si la Révolution française avait eu lieu avant ou après la Première Guerre mondiale.

Je me demandais comment ces cours avaient été choisis pour elle.

Était-ce leur intitulé qui l'avait séduite, ou Mr. Purvis qui avait pensé qu'elle pourrait les maîtriser, à moins qu'il ne les eût choisis cyniquement afin qu'elle se lassât bientôt d'être une étudiante?

Pendant que je cherchais l'ouvrage que je désirais, j'aperçus Stevie Potts. Il avait une brassée d'énigmes policières choisies pour une vieille amie de sa mère. Il m'avait raconté qu'il le faisait toujours, tout comme il jouait toujours aux dames le samedi matin avec un vieil ami de son père, au foyer des anciens combattants.

Je le présentai à Nina. Je lui avais parlé de son emménagement mais n'avais évidemment rien dit de son existence passée ou présente.

Il lui serra la main et dit qu'il était heureux de faire sa connaissance puis proposa aussitôt de nous raccompagner en auto.

Je m'apprêtais à le remercier en disant que nous rentrerions en autobus quand Nina lui demanda où il s'était garé.

« Derrière, dit-il.

– Y a-t-il une porte, à l'arrière?

– Oui, oui. C'est une berline.

– Non, ce n'est pas ce que je voulais dire, reprit gentiment Nina. Je pensais à la bibliothèque. Au bâtiment.

– Ah, oui. Oui, il y en a une, dit Stevie, confus et balbutiant. Pardon, j'ai cru que vous parliez de l'auto. Oui, une porte à l'arrière de la bibliothèque. C'est par là que je suis entré, d'ailleurs. Pardonnez-moi. » Voilà qu'il rougissait, et il aurait continué de s'excuser si Nina ne l'avait interrompu avec un rire gentil et même un peu flatteur.

« Alors ma foi, dit-elle, nous pouvons sortir par là. C'est réglé. Merci. »

Stevie nous raccompagna. Il demanda si nous aimerions faire un détour par chez lui pour y boire une tasse de café ou un chocolat chaud.

« Désolée, nous sommes plutôt pressées, dit Nina. Mais merci de l'avoir proposé.

– Vous devez avoir des devoirs, je pense.

– Des devoirs, oui, dit-elle. On peut le dire. »

Je songeai qu'il ne m'avait pas une fois invitée chez lui. Convenances. Une fille, non. Deux filles, ça peut aller.

Pas d'auto noire de l'autre côté de la rue quand nous le remerciâmes et lui souhaitâmes bonne nuit. Pas d'auto noire quand nous regardâmes par la fenêtre de notre grenier. Peu de temps après, le téléphone sonna, pour Nina, et je l'entendis qui disait, sur le palier du premier : « Oh non, nous sommes allées à la bibliothèque prendre un livre. Et on est rentrées tout de suite, en autobus. Il en est arrivé un immédiatement, oui. Je vais très bien. Absolument. Bonne nuit. »

Elle remonta l'escalier d'une démarche chaloupée en arborant un sourire.

« Mrs. Winner s'est mise dans le pétrin, ce soir. »

Puis elle fit un petit bond et se mit à me chatouiller, comme elle le faisait de temps en temps, sans crier gare, ayant découvert que j'étais extraordinairement chatouilleuse.

Un matin, Nina ne quitta pas son lit. Elle dit qu'elle avait mal à la gorge et de la fièvre.

« Touche-moi.

– J'ai toujours l'impression que tu es chaude.

– Aujourd'hui, je le suis encore plus. »

C'était un vendredi. Elle me demanda de téléphoner à Mr. Purvis pour lui dire qu'elle voulait passer le week-end ici.

« Il sera d'accord – il ne supporte pas la proximité des malades. Il est fêlé, là-dessus. »

Mr. Purvis devait-il envoyer un médecin ? Nina avait prévu la question, me chargeant de répondre qu'elle avait seulement besoin de repos et qu'elle l'appellerait, ou bien moi, si son état empirait. Très bien, saluez-la de ma part, dit-il, avant de me remercier d'avoir téléphoné et d'être une bonne amie pour Nina. Puis, ayant déjà commencé à dire au revoir, il me demanda si j'accepterais une invitation à dîner samedi soir. Il dit qu'il trouvait terriblement ennuyeux de manger seul.

Cela aussi, Nina l'avait prévu.

« S'il t'invite à manger avec lui demain soir, pourquoi pas ? Il y a toujours quelque chose de bon le samedi, c'est fête. »

Le samedi, la cafétéria était fermée. L'idée de faire la connaissance de Mr. Purvis me troublait et m'intéressait.

« Tu crois vraiment ? S'il m'invite ? »

Je remontai donc chez nous, ayant accepté de me joindre à Mr. Purvis – c'est ainsi qu'il l'avait formulé – pour le dîner, et demandai à Nina comment m'habiller.

« Pourquoi s'en faire maintenant ? On a jusqu'à demain soir. »

Pourquoi s'en faire, effectivement ? Je n'avais qu'une robe habillée, en crêpe turquoise, achetée avec une partie de ma bourse quand j'avais été chargée de prononcer le discours de major de promo.

« Et d'ailleurs ça n'a pas d'importance, dit Nina. Il ne le remarquera même pas. »

Mrs. Winner vint me chercher. Elle n'avait pas les cheveux blancs, mais blond platine, ce qui trahissait à coup sûr pour moi la dureté de cœur, l'immoralité, un long parcours chaotique à travers les ruelles sordides de l'existence. Je n'en actionnai pas moins la poignée de la portière avant pour m'asseoir à côté d'elle parce que j'estimais que c'était la conduite correcte et démocratique à suivre. Debout à côté de moi, elle me laissa faire, puis ouvrit prestement la portière arrière.

Je pensais que Mr. Purvis devait habiter une des demeures obèses entourées d'hectares de pelouse et de champs en jachère du nord de la ville. C'était probablement les chevaux de course qui me l'avaient fait supposer. Au lieu de quoi, nous prîmes vers l'est par des rues prospères mais pas seigneuriales, bordées de maisons de brique en faux style Tudor, leurs lumières allumées dans la nuit qui tombait tôt, les guirlandes de Noël clignotant déjà sur les buissons coiffés de neige. Nous tournâmes pour nous engager dans une allée étroite entre deux hautes haies et arrivâmes devant une maison que je reconnus pour « moderne » à cause de son toit-terrasse et des baies vitrées de sa façade et aussi parce qu'elle semblait bâtie en ciment. Là, pas de guirlandes de Noël, ni d'ailleurs d'éclairage d'aucune sorte.

Pas trace de Mr. Purvis non plus. L'auto entra silencieusement dans un sous-sol caverneux, un ascenseur nous mena un étage plus haut et nous en sortîmes dans un hall d'entrée mal éclairé et meublé comme un salon avec des fauteuils capitonnés, de petits guéridons luisants, des miroirs et des tapis. Mrs. Winner me fit signe de passer devant

elle par une des portes qui ouvraient sur ce hall, dans une pièce sans
fenêtre où il y avait un banc et des patères tout autour des murs. On
se serait cru dans le vestiaire d'une école si ce n'étaient le bois verni et
la moquette qui recouvrait le sol.

«C'est ici que vous laissez vos vêtements», dit Mrs. Winner.

J'enlevai mes caoutchoucs, fourrai mes mitaines dans les poches de
mon manteau, que j'accrochai à une patère. Mrs. Winner était restée
avec moi. Je me dis qu'il le fallait bien pour m'indiquer par où passer
ensuite. J'avais un peigne dans la poche et voulais retoucher ma coiffure
mais pas sous son regard. Et je ne voyais pas de miroir.

«Et maintenant le reste.»

Elle me regarda droit dans les yeux pour voir si je comprenais, et
comme je n'en eus pas l'air (alors qu'en un sens, oui, je comprenais,
mais en espérant me tromper), elle dit : «Ne vous en faites pas, vous
n'aurez pas froid. Toutes les pièces de la maison sont bien chauffées.»

Je ne faisais toujours pas mine d'obéir et elle me parla d'un air
détaché, comme si elle ne pouvait se donner la peine de me mépriser.

«J'espère que vous n'êtes plus un bébé.»

J'aurais pu reprendre mon manteau à cet instant-là, demander à être
reconduite jusqu'à ma pension. Si on me l'avait refusé, y retourner à
pied. Je me rappelais l'itinéraire que nous avions pris, et certes il faisait
froid mais j'en aurais eu pour moins d'une heure de marche.

Je ne crois pas que j'aurais trouvé la porte verrouillée, ni qu'on aurait
fait le moindre effort pour me retenir.

«Oh, non, dit Mrs. Winner, voyant que je n'esquissais toujours
pas le moindre geste. Vous croyez-vous faite différemment du reste
d'entre nous ? Vous croyez que je n'ai encore jamais vu ce que vous
avez à montrer ?»

Ce fut en partie ce mépris qui me fit rester. En partie. Ce mépris,
et ma fierté.

Je m'assis. J'ôtai mes chaussures. Dégrafai mes jarretelles et enlevai
mes bas. Me relevai pour ouvrir la fermeture à glissière et me libérer de
la robe dans laquelle j'avais prononcé le discours de major de promo
qui se terminait par une formule latine. *Ave atque vale.*

Encore relativement couverte par ma combinaison, je passai les mains dans le dos pour dégrafer mon soutien-gorge puis me débrouillai pour m'en dégager les bras et le ramener par-devant avant de m'en débarrasser dans le mouvement. Mon porte-jarretelles vint ensuite, puis ma petite culotte – quand les deux furent ôtés j'en fis une boule que je dissimulai sous le soutien-gorge. Je remis les pieds dans mes chaussures.

« Pieds nus », dit Mrs. Winner avec un soupir. Apparemment le simple fait de mentionner ma combinaison était trop pour elle, mais quand je me fus déchaussée une fois de plus, elle dit : « Nue. Vous connaissez la signification de ce mot ? Nue. »

Je fis passer la combinaison au-dessus de ma tête et elle me tendit un flacon de lotion en disant : « Frictionnez-vous avec ça. »

C'était l'odeur de Nina. Je m'en frictionnai les bras et les épaules, seules parties de moi-même que je pouvais toucher en présence et sous le regard de Mrs. Winner, puis nous retournâmes dans le hall d'entrée, mes yeux évitant les miroirs, elle y ouvrit une autre porte et je pénétrai seule dans la pièce attenante. L'idée ne m'avait pas effleurée que Mr. Purvis puisse m'accueillir dans la même tenue que moi, et tel n'était pas le cas. Il portait un blazer bleu foncé, une chemise blanche, un foulard Ascot (je ne savais pas qu'il s'appelait ainsi) et un pantalon gris. Il était à peine plus grand que moi, maigre et vieux, presque entièrement chauve et son front se creusait de rides quand il souriait.

L'idée ne m'avait pas effleurée non plus que ce déshabillage puisse être prélude à un viol, ni à toute autre cérémonie que le dîner. (Et de fait, rien de tel ne devait se produire à en juger par les odeurs appétissantes qui flottaient dans la pièce et les plats à couvercle d'argent disposés sur la desserte.) Pourquoi n'y avais-je pas pensé ? Pourquoi n'éprouvais-je pas plus d'appréhension ? Cela tenait à l'idée que je me faisais des vieillards. Je les croyais non seulement impuissants mais encore trop délabrés, devenus trop épris de dignité – ou trop déprimés – à la suite de tant d'épreuves et d'expériences et du déplaisant constat de leur propre décrépitude, pour avoir conservé le moindre intérêt à la chose. Je n'étais pas assez bête pour croire que le fait d'être dévêtue n'avait rien à voir avec les diverses possibilités d'utilisation sexuelle de mon corps, mais j'y voyais davantage un défi que les préliminaires à de plus amples transgressions, et j'avais accepté de jouer le jeu par un fol orgueil, comme je l'ai dit, et par une témérité un peu branlante plus que pour toute autre raison.

Me voici, aurais-je peut-être souhaité dire, nue comme la main, et sans en éprouver plus de honte que de la nudité de mes dents. Cela n'était évidemment pas vrai et je m'étais d'ailleurs mise à suer abondamment, mais pas par crainte d'un quelconque surcroît d'outrage.

Mr. Purvis me serra la main, rien n'indiquant dans son attitude qu'il avait conscience de mon absence de vêtements. Il déclara que c'était un plaisir pour lui de faire la connaissance de l'amie de Nina. Comme si cette dernière venait de rentrer de la fac en ma compagnie.

Ce qui n'était pas loin de la vérité, en un sens.

Vous êtes un modèle pour Nina, ajouta-t-il.

« Elle vous admire beaucoup. Mais vous devez avoir faim. Voulez-vous que nous regardions ce qu'on nous a préparé ? »

Soulevant les couvercles il entreprit de me servir. Des cailles, que je pris pour des poulets miniatures, du riz safrané avec des raisins secs, un assortiment de légumes finement tranchés, disposés en éventail, et dont les couleurs étaient préservées plus fidèlement que dans les légumes dont j'avais l'habitude. Une soucoupe d'achards d'un vert boueux et une autre d'un condiment rouge foncé.

« Pas trop de ces choses-là, dit Mr. Purvis en indiquant achards et condiment. Un peu trop relevé pour un début de repas. »

Il me guida jusqu'à la table, se retourna vers la desserte, se servit avec modération et s'assit.

Il y avait une carafe d'eau et une bouteille de vin. J'eus droit à l'eau. Me servir du vin sous son toit, déclara-t-il, serait probablement considéré comme un crime. Je fus vaguement déçue, n'ayant jamais eu l'occasion de boire du vin. Quand nous allions à l'Old Chelsea, Stevie exprimait toujours sa satisfaction qu'on n'y serve ni vin ni alcool le dimanche. Il ne refusait pas seulement de boire, le dimanche ou tout autre jour, mais n'aimait pas non plus le voir faire.

« Figurez-vous que Nina prétend, dit Mr. Purvis, Nina prétend que vous étudiez la philosophie anglaise, mais je pense qu'il doit s'agir de l'anglais et de la philosophie, je me trompe? Parce qu'il n'existe certainement pas de philosophes anglais en quantité suffisante, n'est-ce pas? »

Malgré sa mise en garde, j'avais pris une cuillerée d'achards verts et la langue me piquait trop pour que je réponde. Il attendit courtoisement pendant que je buvais à grands traits.

« Nous commençons par les Grecs. Ce cours est une approche historique, dis-je quand je pus parler.

— Ah oui. La Grèce. Dites-moi, là où vous en êtes arrivée, des Grecs, quel est votre préféré… Oh, non, non, attendez. Cela se sépare plus facilement de cette façon. »

Suivit une démonstration de la manière de découper les cailles et de séparer la chair des os – gentiment faite et sans condescendance, plutôt comme s'il s'agissait d'une plaisanterie que nous pouvions apprécier ensemble.

« Votre préféré?

— Nous n'en sommes pas encore à lui, nous faisons les présocratiques, dis-je. Mais c'est Platon.

— C'est Platon que vous préférez? Alors vous prenez de l'avance dans vos lectures, vous ne vous contentez pas de ce que vous êtes censée étudier? Platon. Oui, j'aurais pu m'en douter. Le mythe de la caverne vous plaît?

— Oui.

— Oui, bien sûr. La caverne. C'est beau, n'est-ce pas? »

Lorsque j'étais assise, la partie la plus flagrante de ma personne n'était pas visible. Si mes seins avaient été minuscules et décoratifs, comme ceux de Nina, et non pas pleins, avec de gros tétons et carrément fonctionnels, j'aurais pu être presque à l'aise. Je m'efforçais de le regarder quand je parlais, mais contre ma volonté, je me sentais rougir par accès. Quand cela se produisait, j'avais l'impression que sa voix changeait légèrement, devenant apaisante et poliment satisfaite. Comme après un coup gagnant, réussi dans un jeu. Mais il continuait de parler avec subtilité, me régalant du récit d'un voyage qu'il avait fait en Grèce. Delphes, l'Acropole, la célèbre lumière qu'on ne pouvait croire vraie mais qui l'était pourtant, les ossements nus du Péloponnèse.

« Et ensuite en Crète… connaissez-vous la civilisation minoenne ?
– Oui.
– Bien sûr, mais oui. Bien sûr. Et vous savez comment les Crétoises de la période minoenne étaient vêtues ?
– Oui. »

Je le regardai en face cette fois, dans les yeux, j'étais décidée à ne pas me dérober, pas même quand je sentis ma gorge devenir brûlante.

« Très jolie, cette mode, dit-il presque tristement. Très jolie. C'est bizarre, les différentes choses que l'on cache à différentes périodes. Et celles que l'on montre. »

Pour le dessert, il y avait de la crème anglaise et de la crème fouettée, avec de petits bouts de gâteaux dedans et des framboises. Il en mangea seulement quelques bouchées. Mais n'ayant pas réussi à me calmer assez pour profiter du plat de résistance, j'étais bien décidée à me rattraper sur les douceurs et concentrai donc mon appétit et mon attention sur chaque cuillerée.

Il servit le café dans de petites tasses et dit que nous irions le boire dans la bibliothèque.

Mes fesses claquèrent en se décollant de la matière lisse qui tapissait les sièges de la salle à manger. Mais ce bruit fut presque couvert par celui des tasses à café délicates qui s'entrechoquaient sur le plateau entre ses mains tremblotantes de vieillard.

Qu'il y eût des bibliothèques chez les particuliers, cela ne m'était connu que par mes lectures. Dans celle-ci on entrait par un panneau mobile dans le mur de la salle à manger. Il pivota sans un bruit quand il l'effleura du bout du pied. Il s'excusa de me précéder, contraint qu'il y était parce qu'il portait le café. Pour moi ce fut un soulagement. Je trouvais que notre face postérieure – pas seulement la mienne, mais celle de tout le monde – était la partie du corps la plus bestiale.

Quand je fus assise dans le siège qu'il m'indiqua, il me donna mon café. J'étais moins à l'aise, ici, assise sans protection, que je ne l'avais été à la table de la salle à manger. La première chaise était tapissée d'un tissu de soie lisse à rayures, mais celle-ci était recouverte d'une étoffe sombre et pelucheuse qui me picotait. Cela déclencha une agitation intime.

La lumière brillait plus dans cette pièce que dans la salle à manger et les volumes qui s'alignaient le long des murs avaient une expression plus troublante et réprobatrice que l'aspect de la salle à manger peu éclairée avec ses paysages et ses boiseries qui absorbaient la lumière.

L'espace d'un instant, tandis que nous passions d'une pièce dans l'autre, j'avais vaguement eu l'idée d'une histoire – le genre d'histoire dont j'avais entendu parler mais que peu de gens à l'époque avaient l'occasion de lire – dans laquelle la pièce évoquée sous le nom de bibliothèque s'avérait être une chambre à coucher, avec lumières tamisées, coussins moelleux, et toutes sortes d'édredons duveteux. Je n'eus pas le temps de me représenter ce que j'aurais fait dans de telles circonstances, parce que la pièce dans laquelle nous nous retrouvâmes n'était manifestement rien d'autre qu'une bibliothèque. Les lampes de lecture, les volumes sur les rayonnages, le parfum revigorant du café. Mr. Purvis prit un livre, le feuilleta, trouva ce qu'il voulait.

« Vous seriez bien gentille de me faire la lecture. J'ai les yeux fatigués le soir. Vous connaissez ce livre ? »

Un gars du Shropshire.

Je le connaissais. À vrai dire, je savais nombre des poèmes par cœur.

Je dis que je voulais bien lire.

« Et puis-je vous demander s'il vous plaît – puis-je vous demander s'il vous plaît – de ne pas croiser les jambes ? »

Mes mains tremblaient quand je lui pris le livre.

« Oui… dit-il. Oui. »

Il choisit un siège devant la bibliothèque, face à moi.

« Quand vous voudrez…

– *Les bois de Wenlock Edge endurent leur tourment*[1]… »

Les rythmes et les mots familiers me calmèrent. S'emparèrent de moi. À mesure, je commençai à m'apaiser.

1. *Un gars du Shropshire* d'A. E. Housman a été traduit par Sébastien Cagnoli. Les différents extraits du recueil cités dans cette nouvelle reprennent sa traduction, avec son aimable autorisation. Qu'il en soit ici vivement remercié.

Les bourrasques en deux reploient les jeunes plants,
Elles soufflent très haut, pour bientôt redescendre :
Car de nos jours, notre Romain et son tourment
Sous la grande Uricon, ils ne sont plus que cendres.

Où donc est Uricon? Allez savoir.

Ce n'était pas à proprement parler que j'avais oublié où j'étais ni avec qui ni dans quelle tenue. Mais j'avais fini par me sentir un peu lointaine et d'humeur philosophique. L'idée me vint que tout un chacun en ce monde était nu, en un certain sens. Mr. Purvis était nu, malgré ses vêtements. Tous, nous étions des créatures tristes, nues, doubles. La honte s'estompa. Je ne cessais de tourner les pages, de lire un poème, puis un autre, puis encore un autre. J'aimais le son de ma voix. Jusqu'à ce qu'à ma grande surprise, et presque à ma déception – il restait quelques vers célèbres à venir –, Mr. Purvis m'interrompît. Il se leva, poussa un soupir.

«Cela suffit, cela suffit, dit-il. C'était très bien. Merci. Votre accent de la campagne est parfaitement adapté. À présent, c'est l'heure de mon coucher.»

Je lâchai le livre. Il le remit à sa place sur le rayon et ferma les portes vitrées. J'avais l'accent campagnard, première nouvelle.

«Et c'est aussi, j'en ai peur, l'heure de vous renvoyer chez vous.»

Il ouvrit une autre porte donnant sur le hall d'entrée que j'avais découvert voilà si longtemps, au début de la soirée, je passai devant lui et la porte fut refermée derrière moi. Il se pourrait que j'aie dit bonne nuit. Il est même possible que je l'aie remercié pour le dîner, et qu'il m'ait adressé quelque formule laconique (Pas du tout, merci de m'avoir tenu compagnie, c'était très gentil, merci d'avoir lu Housman) d'une voix soudain fatiguée, vieille, chiffonnée et indifférente. Il ne porta pas la main sur moi.

Le même vestiaire chichement éclairé, les mêmes vêtements. Les miens, la robe turquoise, mes bas, ma combinaison. Mrs. Winner fit son apparition au moment où j'étais en train de rattacher mes bas. Elle ne me dit qu'une chose, alors que je m'apprêtais à m'en aller.

«Vous oubliez votre écharpe.»

Elle me tendait effectivement l'écharpe que j'avais tricotée au cours d'arts ménagers. La seule chose que je tricoterais jamais de ma vie. J'avais bien failli l'abandonner dans cette maison.

Quand je descendis de voiture, Mrs. Winner dit: «Mr. Purvis aimerait parler avec Nina avant de se coucher. Veuillez le lui rappeler.»

Mais pas de Nina à qui transmettre le message. Son lit était fait. Son manteau et ses caoutchoucs avaient disparu. Quelques-uns de ses autres vêtements étaient encore accrochés dans la penderie.

Beverly et Kay étaient retournées l'une et l'autre passer le week-end dans leur famille, je courus donc au rez-de-chaussée voir si Beth savait quelque chose.

«Je m'excuse, dit Beth, que je n'avais jamais vue s'excuser de quoi que ce soit, mais je ne peux pas noter la totalité de vos allées et venues.»

Puis, quand je tournai les talons, elle ajouta: «Je vous ai déjà demandé à plusieurs reprises de ne pas taper des pieds comme ça dans l'escalier. Je viens d'endormir Sally-Lou.» Je n'avais pas décidé dans mon esprit ce qu'à mon retour j'allais dire à Nina. Lui demanderais-je si on exigeait qu'elle soit nue, dans cette maison, si elle avait su à la perfection le genre de soirée qui m'y attendait? Ou me contenterais-je de ne pas dire grand-chose, attendant ses questions? Auquel cas, d'ailleurs, je pourrais toujours me contenter de dire innocemment que j'avais mangé une caille, et du riz safrané, et que c'était très bon. Que j'avais lu des extraits d'*Un gars du Shropshire*.

Je pouvais simplement la laisser dans le doute.

Maintenant qu'elle était partie, rien de tout cela n'avait plus d'importance. Le centre d'intérêt s'était déplacé. Mrs. Winner téléphona à dix heures passées – enfreignant encore une des règles de Beth – et quand je lui dis que Nina n'était pas là, elle demanda: «En êtes-vous sûre?»

De même quand je lui dis que je n'avais pas idée de l'endroit où Nina avait pu aller. «Vous êtes sûre?»

Je lui demandai de ne pas rappeler avant le lendemain matin à cause des règles établies par Beth et du sommeil des bébés, mais elle dit : « Bah. Je ne sais pas. L'affaire est grave. »

Quand je me levai le lendemain matin, l'auto était rangée de l'autre côté de la rue. Plus tard, Mrs. Winner vint sonner et dit à Beth qu'on l'envoyait inspecter la chambre de Nina. Même Beth n'était pas de taille et dut céder à Mrs. Winner, qui monta donc l'escalier sans qu'aucun reproche, aucun avertissement soient adressés. Après avoir fait tout le tour de la pièce, elle inspecta la salle de bains et la penderie, allant jusqu'à secouer deux couvertures qui étaient pliées par terre dans la penderie.

J'étais encore en pyjama, occupée à rédiger un devoir sur *Sire Gauvain et le chevalier vert* en buvant du Nescafé.

Mrs. Winner dit qu'elle avait dû téléphoner aux hôpitaux pour voir si Nina était tombée malade, et que Mr. Purvis était quant à lui allé visiter divers lieux où elle pouvait être.

« Si vous savez quelque chose, mieux vaudrait nous le dire, ajouta-t-elle. Quoi que ce soit. »

Puis, alors qu'elle commençait déjà à redescendre, elle se retourna pour dire d'une voix moins menaçante : « Y a-t-il à la faculté quelqu'un avec qui elle entretenait des relations amicales ? Quelqu'un que vous connaissez ? »

Je répondis que je ne croyais pas.

Je n'avais vu Nina que deux fois à la fac. La première, dans le couloir du rez-de-chaussée de la faculté de lettres au milieu de la cohue d'un inter-cours. La seconde, à la cafétéria. Les deux fois elle était seule. Il n'était pas particulièrement rare d'être seule quand on se hâtait d'un amphi à un autre, mais il était un peu bizarre de s'asseoir seule à la cafétéria devant une tasse de café vers quatre heures moins le quart quand l'endroit était presque désert. Elle arborait un sourire, comme pour dire combien il lui était agréable d'avoir la chance d'être là, prête à répondre de tout cœur aux exigences de cette vie, quand elle aurait compris ce qu'elles étaient.

Dans l'après-midi il se mit à neiger. L'auto, rangée de l'autre côté de la rue, dut partir afin de laisser passer le chasse-neige. J'allai à la salle de bains, mon regard tomba sur son kimono qui ondulait, accroché à son cintre, et je ressentis ce que je m'étais efforcée de réprimer jusque-là – une vraie peur pour Nina. Je la vis désorientée, sanglotant, les cheveux épars, errant dans la neige, vêtue de ses seuls sous-vêtements blancs, alors que je savais pertinemment qu'elle avait emporté son manteau en poil de chameau.

Le téléphone sonna au moment où je m'apprêtais à partir pour mon premier cours du lundi matin.

«C'est moi», s'empressa de me prévenir Nina, mais avec quelque chose qui ressemblait à du triomphe dans la voix. «Écoute. S'il te plaît. Pourrais-tu s'il te plaît me rendre un service?

– Où es-tu? Ils te cherchent.

– Qui?

– Mr. Purvis. Mrs. Winner.

– Oui, ben, faut pas leur dire. Ne leur dis rien. Je suis ici.

– Où?

– Chez Steven.

– Steven? répétai-je. Quoi, Stevie?

– Chut. Quelqu'un t'a entendue?

– Non.

– Écoute. Je t'en prie, pourrais-tu, s'il te plaît, prendre l'autobus pour m'apporter le reste de mes affaires? J'ai besoin de mon shampooing. J'ai besoin de mon kimono. Je me promène avec la robe de chambre de Steven. Je voudrais que tu me voies, j'ai l'air d'un vieux chien marron tout laineux. L'auto est toujours devant la maison?»

J'allai m'en assurer.

«Oui.

– D'accord, dans ce cas prends plutôt l'autobus jusqu'à l'université comme tu fais d'habitude. Et là, prends le bus qui revient vers le centre. Tu sais où tu dois descendre. Campbell & Howe. Et tu finis à pied jusqu'ici. Carlisle Street. Au 363. Tu connais le numéro, non?

– Stevie est là?

– Non, grosse bête. Il est au boulot. Il faut qu'il subvienne à nos besoins, tu ne crois pas?»

Nos besoins ? Stevie devait-il nous entretenir Nina et moi ?

Non. Stevie et Nina. Stevie et Nina !

Cette dernière reprit : « Oh, je t'en prie. Je n'ai personne d'autre que toi. »

Je fis ce qu'elle me disait. Je pris le bus de l'université, puis celui du centre. Je descendis à Campbell & Howe avant d'aller à pied vers l'ouest jusqu'à Carlisle Street. L'averse de neige avait cessé ; le ciel était clair. C'était une journée glaciale, lumineuse et peu ventée. La lumière me blessait les yeux et la neige fraîche crissait sous mes pas.

Une fois dans Carlisle Street, il n'y avait plus qu'une centaine de mètres à parcourir jusqu'à la maison où Stevie avait vécu avec son père et sa mère, puis avec sa mère, puis seul. Et à présent – comment était-ce possible ? – avec Nina.

La maison avait gardé son aspect du temps où j'y étais venue une ou deux fois avec ma mère. C'était un pavillon de brique auquel on accédait en traversant un jardin minuscule, et dont la fenêtre du salon avait une vitre supérieure en demi-lune de verre coloré. Étriquée mais prétentieuse.

Nina était enveloppée, ainsi qu'elle s'était décrite, dans une robe de chambre d'homme en laine marron avec une ceinture à glands, dégageant l'odeur masculine mais innocente de Stevie, mousse à raser et savonnette Lifebuoy.

Elle saisit mes mains toutes gourdes de froid sous mes gants. C'était d'avoir tenu chacune l'anse d'un sac à provisions qui les avait mises dans cet état.

« Elles sont gelées, dit-elle. Viens, on va les tremper dans l'eau chaude.

– Elles ne sont pas gelées, dis-je. Simplement glacées. »

Mais, poursuivant son idée, elle m'aida à ôter mon manteau et m'entraîna dans la cuisine où elle fit couler une bassine d'eau puis, tandis que la circulation se rétablissait douloureusement dans mes doigts, me raconta que Steven (Stevie) était venu à la pension samedi soir. Il apportait un magazine dans lequel il y avait un tas de photos de ruines et de châteaux et d'autres trucs qui, pensait-il, pourraient m'intéresser. Elle s'était levée pour descendre parce qu'il ne pouvait évidemment pas monter chez nous, et voyant qu'elle était malade, il avait dit qu'elle devait venir chez lui pour qu'il puisse la soigner. Ce qu'il avait fait si bien que son mal de gorge avait presque disparu et qu'elle n'avait plus de température du tout. Et puis ils avaient décidé qu'elle allait rester là-bas. Elle s'installerait avec lui et ne retournerait jamais là où elle avait vécu auparavant.

Apparemment elle ne voulait même plus prononcer le nom de Mr. Purvis.

« Mais il faut que ce soit un grand grand grand secret, dit-elle. Tu es la seule à le savoir. Parce que tu es notre amie et que c'est toi qui nous as fait nous rencontrer. »

Elle s'était mise à préparer du café. « Regarde, dit-elle, indiquant d'un geste le placard ouvert. Regarde comme il range les choses. Ici les chopes. Là les tasses et les soucoupes. Chaque tasse a son crochet. C'est impeccable, non ? Toute la maison est comme ça. J'adore. »

« C'est toi qui nous as fait nous rencontrer, répéta-t-elle. Si nous avons un enfant et que c'est une fille, peut-être qu'on lui donnera ton nom. »

J'entourai la chope de mes mains, ressentant encore un élancement dans les doigts. Il y avait des violettes africaines sur le rebord de la fenêtre au-dessus de l'évier. Il avait conservé l'ordre maternel dans les placards, les plantes maternelles dans la maison. La grande fougère était probablement encore devant la fenêtre du salon et les accoudoirs de dentelle sur les fauteuils. Ce qu'elle avait dit, à propos d'elle-même et de Stevie, me semblait scandaleux et – surtout quand je songeais à Stevie – de fort mauvais goût.

« Vous allez vous marier ?

– Ça…

– Tu as parlé d'avoir un enfant.

– Ben, on ne sait jamais, on pourrait avoir commencé ça sans être mariés, dit Nina en rentrant malicieusement la tête dans les épaules.

– Avec Stevie ? dis-je. Non mais, Stevie ?

– Et pourquoi pas ? Il est gentil, Stevie. Et puis d'ailleurs, je l'appelle Steven. » Elle resserra la robe de chambre autour d'elle.

« Et Mr. Purvis ?

– Oui, quoi ?

– Je sais pas, si c'est déjà commencé, l'enfant ne pourrait pas être de lui ? »

Changement complet de Nina. L'expression de son visage devint mauvaise et pleine d'aigreur. « Oh, lui, dit-elle avec mépris. Pourquoi faut-il que tu parles de lui ? Il en a jamais été capable.

– Ah tiens ? dis-je, m'apprêtant à l'interroger au sujet de Gemma mais elle m'interrompit.

– Quel besoin as-tu de parler du passé ? Tu vas me rendre malade. Tout ça est mort et enterré. Ça ne compte pas pour Steven et moi. Nous sommes ensemble, à présent. Nous nous aimons, à présent. »

Nous nous aimons. Stevie et moi. Steven. À présent.

« Bien, bien, dis-je.

– Pardon de t'avoir crié dessus. J'ai crié ? Pardon. Tu es notre amie et tu m'as apporté mes affaires et je t'en suis reconnaissante. Tu es la cousine de Steven, tu es notre famille. »

Elle se glissa derrière moi et en un éclair ses doigts furent au creux de mes aisselles où ils se mirent à me chatouiller, d'abord paresseusement puis frénétiquement tandis qu'elle disait : « Hein que tu es notre famille ? Hein que tu es notre famille ? »

Je tentai de me libérer mais sans y parvenir. Secouée d'un rire spasmodique et douloureux, je me tortillai en criant, la suppliant d'arrêter. Ce qu'elle fit, quand elle m'eut entièrement réduite à merci, et que nous fûmes toutes deux hors d'haleine.

« Tu es la personne la plus chatouilleuse que je connaisse. »

Je dus attendre longtemps l'autobus, battant la semelle sur le trottoir. Quand j'arrivai à la fac, mon deuxième cours était déjà fini et j'étais en retard pour prendre mon travail à la cafétéria. Je me changeai, mis mon uniforme de coton vert dans le réduit à balais et fourrai ma tignasse de cheveux noirs (les plus désagréables au monde à retrouver dans les aliments, m'avait avertie le gérant) sous un filet en coton.

J'étais censée disposer les sandwichs et les salades sur les présentoirs avant l'ouverture des portes à l'heure du déjeuner, mais là, je dus le faire sous les yeux d'une file d'attente impatiente et cela me rendit maladroite. J'étais beaucoup plus visible qu'au moment où je poussais le chariot entre les tables pour ramasser la vaisselle sale. Quand je le faisais, les gens se concentraient sur ce qu'ils mangeaient et sur leurs conversations. Tandis que là, j'étais au centre de tous les regards.

Je pensais à ce que Beverly et Kay m'avaient dit, que je diminuais mes chances, portais atteinte à mon image. Il me semblait à présent que c'était peut-être vrai.

Quand j'eus fini de débarrasser les tables de la cafétéria, je me changeai de nouveau pour mes vêtements ordinaires et allai à la bibliothèque travailler à ma dissert. C'était l'après-midi où je n'avais pas cours.

Un passage souterrain menait du bâtiment de la faculté de lettres à la bibliothèque et autour de l'entrée de ce souterrain étaient affichées toutes sortes d'avis, d'annonces et de réclames, pour des films, des restaurants, des bicyclettes et des machines à écrire d'occasion, des pièces de théâtre et des concerts. Le département de musique annonçait qu'un récital gratuit de chansons composées d'après les poèmes des poètes bucoliques anglais aurait lieu à une date désormais dépassée. J'avais déjà vu cette annonce et n'eut pas besoin de la regarder pour me rappeler les noms de Herrick, Housman, Tennyson. Et quelques pas plus loin dans le souterrain, les vers commencèrent à m'assaillir.

Les bois de Wenlock Edge endurent leur toument

Plus jamais je ne songerais à ces vers sans sentir les picotements de la tapisserie sur mes reins nus. La honte collante, cuisante. Honte qui semblait bien plus grande à présent que sur le moment. En définitive, il m'avait bel et bien fait quelque chose.

> *De loin, du couchant, du levant,*
> *De par les douze vents célestes,*
> *Le fil de vie en me tissant*
> *Souffle par là : et j'en atteste.*

95

Non.

Quels sont ces horizons bleu ciel,
Et ces clochers, et ces chaumières?

Non, jamais.

Longue est la route au clair de lune,
Qui me dévoie de mon amour

Non. Non. Non.

Ces vers me rappelleraient toujours ce que j'avais accepté de faire. On n'avait pas eu à m'y forcer, à m'en donner l'ordre ni même à m'en persuader. J'avais accepté de le faire.

Nina le savait et le saurait. Elle était trop préoccupée de Stevie pour dire quoi que ce soit ce matin-là, mais il viendrait un temps où elle en rirait. Sans cruauté, mais précisément comme elle riait de tant de choses, et peut-être même me taquinerait-elle à ce propos. Ses taquineries renfermeraient quelque chose de semblable à ses chatouilles, quelque chose d'insistant, d'obscène.

Nina et Stevie. Dans ma vie à jamais.

Haute de plafond, la bibliothèque de l'université était un bel espace conçu et bâti à leurs frais, par des gens convaincus que ceux qui prenaient place à ces longues tables devant des livres ouverts – et même ceux d'entre eux qui relevaient d'une cuite, somnolaient, étaient habités par le ressentiment, ou ne comprenaient pas grand-chose – devaient avoir un ample volume au-dessus de la tête, être entourés de boiseries sombres et luisantes, et de hautes fenêtres bordées de maximes latines donnant sur le ciel. Pendant quelques années, avant d'entrer dans l'enseignement, dans les affaires, ou de se mettre à élever leurs enfants, il fallait qu'ils disposent de tout cela. À présent, mon tour était venu d'en disposer aussi.

Sire Gauvain et le chevalier vert
J'étais en train de rédiger une bonne dissertation. Qui me vaudrait probablement un A. Je continuerais de rédiger des dissertations et d'avoir des A parce que c'était ce que je savais faire. Les gens qui accordaient les bourses, qui bâtissaient les universités et les bibliothèques, continueraient de verser l'argent qui me permettait de le faire.

Mais ce n'était pas ce qui comptait. Cela ne vous abritait pas du danger.

Nina ne resta pas avec Stevie ne fût-ce qu'une semaine. Un jour très proche, en rentrant chez lui, il allait découvrir qu'elle avait disparu. Disparus son manteau et ses caoutchoucs, ses vêtements ravissants et le kimono que j'avais apporté. Disparus sa chevelure caramel et ses chatouilles, la chaleur anormale de sa peau et les petits grognements qui soulignaient chacun de ses gestes. Disparu tout ça, sans une explication, sans une note sur un bout de papier. Sans un mot.

Stevie n'était toutefois pas homme à s'enfermer pour faire son deuil. Ce fut ce qu'il me dit quand il me téléphona pour m'apprendre la nouvelle et vérifier que j'étais libre pour le dîner dominical. Dans l'escalier de l'Old Chelsea, il commenta le fait que ce serait notre dernier dîner avant les vacances de Noël. Il m'aida à ôter mon manteau et je sentis l'odeur de Nina. L'avait-il encore sur la peau ?

Non. La source m'en fut révélée quand il me passa quelque chose. Une espèce de grand mouchoir.

« Mets-le dans la poche de ton manteau », dit-il.

Ce n'était pas un mouchoir. La texture en était plus épaisse, et vaguement côtelée. Un caraco.

« Je ne veux pas de ça chez moi », dit-il, et au ton de sa voix on aurait cru que c'était le sous-vêtement lui-même qu'il ne voulait pas, indépendamment du fait qu'il appartenait à Nina et sentait l'odeur de Nina.

Il commanda le rosbif qu'il découpa et mastiqua avec l'efficacité et l'appétit poli qui lui étaient ordinaires. Je lui donnai les nouvelles du pays, constituées seulement, comme d'habitude à cette époque de l'année, de la dimension des congères, du nombre de routes barrées, chaos hivernal qui nous conférait une certaine distinction.

Au bout d'un moment, Stevie dit : « Je suis allé jusqu'à sa maison. Il n'y avait personne. »

La maison de qui ?

De son oncle. Il la connaissait parce qu'avec Nina il était passé devant en voiture, un soir. Il n'y avait plus personne là-bas, à présent, me dit-il, ils avaient fait leur malle et étaient partis. Elle avait choisi, c'était son droit, après tout.

« C'est un privilège féminin, dit-il. Comme on dit, souvent femme varie. »

Ses yeux, dans lesquels je plongeai alors les miens, avaient un regard sec et affamé, et autour la peau était sombre et ridée. Il pinça les lèvres, réprimant un tremblement, puis poursuivit, de l'air de celui qui se met à la place des autres, cherchant à comprendre.

« Elle n'a pas pu quitter son vieil oncle, dit-il. Elle n'a pas eu le cœur de l'abandonner. J'avais proposé de le prendre avec nous, parce que j'ai l'habitude des personnes âgées. Mais elle disait qu'elle préférait une rupture. Et puis, je crois qu'elle n'a pas eu le cœur de le faire, en définitive. »

« Mieux vaut ne pas être trop gourmand. Je crois qu'il y a certaines choses qui ne sont pas pour nous, et puis voilà. »

Passant devant les manteaux en allant aux toilettes, je sortis le caraco de ma poche. Je le fourrai entre les serviettes sales.

Le lundi précédent, à la bibliothèque, j'avais été incapable de poursuivre avec Sire Gauvain. J'avais arraché une page de mon cahier, pris mon stylo, et étais sortie. Juste à l'extérieur des portes de la bibliothèque, il y avait un téléphone public à côté duquel était accroché un annuaire. Feuilletant l'annuaire, j'inscrivis deux numéros sur la feuille de papier que j'avais apportée. Ce n'étaient pas des numéros de téléphone mais des adresses.

1648 Henfryn Street.

Et l'autre, dont j'avais seulement besoin de vérifier le numéro, l'ayant vu récemment et aussi sur des enveloppes de cartes de Noël, était le 363 Carlisle Street.

Je regagnai le bâtiment des lettres par le souterrain et pénétrai dans la petite boutique en face du foyer. J'avais assez de monnaie dans la poche pour acheter une enveloppe et un timbre. Déchirant la partie de la feuille où était inscrite l'adresse de Carlisle Street, je la mis dans l'enveloppe. Je la fermai, et inscrivis dessus le nom de Mr. Purvis et l'adresse de Henfryn Street. Le tout en capitales d'imprimerie. Puis, l'ayant léché, j'y collai le timbre. Je pense qu'à l'époque ce devait être un timbre de quatre cents.

Au sortir de la boutique, il y avait une boîte aux lettres. J'y glissai l'enveloppe tandis que, dans le vaste corridor de l'étage inférieur du bâtiment des lettres, passaient des gens en route vers les salles de cours, ou vers le foyer pour y griller une cigarette et peut-être jouer au bridge. En route vers des actes dont ils ne se savaient pas encore capables.

Trous-Profonds

Sally mit dans le panier les œufs mimosa. Elle détestait en emporter pour les pique-niques parce qu'ils faisaient des saletés partout. Sandwichs au jambon, salade de crabe, tartes au citron – encore un problème d'emballage. Kool-Aid pour les enfants, une demi-bouteille de Mumm pour Alex et elle-même. Elle n'en boirait qu'une gorgée, parce qu'elle allaitait encore. Elle avait acheté des flûtes de plastique pour l'occasion, mais quand Alex les aperçut entre ses mains, il alla chercher les vraies – un de leurs cadeaux de mariage – dans le vaisselier. Elle protesta, mais il insista et se chargea personnellement de leur emballage et de leur transport.

« Papa est vraiment une espèce de *bourgeois gentilhomme*[1] », dirait Kent à Sally quelques années plus tard quand, adolescent, il ferait des étincelles dans toutes les matières au lycée. Si convaincu de devenir chercheur dans un quelconque domaine scientifique qu'il croirait pouvoir, la bouche en cul de poule, débiter impunément des bribes de français dans toute la maison.

« Ne te moque pas de ton père, répondrait machinalement Sally.

– Je ne me moque pas. C'est au contraire parce que la plupart des géologues sont d'une propreté douteuse. »

Le pique-nique était destiné à fêter la publication du premier article qu'Alex signait en solo dans la *Zeitschrift für Geomorphologie*. Ils se rendaient à Osler Bluff parce que le site était souvent mentionné dans l'article et que Sally et les enfants n'y étaient encore jamais allés.

Ils parcoururent deux ou trois kilomètres sur une route de campagne

1. En français dans le texte.

défoncée – après en avoir quitté une autre en bien meilleur état – et arrivèrent à un emplacement destiné aux voitures, où aucune n'était rangée pour le moment. Il y avait un avertissement grossièrement peint sur une planche qui aurait eu besoin de retouches.

ATTENTION. TROUS-PROFONDS

Pourquoi ce tiret, se demanda Sally. Mais on s'en fiche.

L'orée des bois semblait parfaitement ordinaire et pas menaçante pour un sou. Sally comprenait évidemment que ces bois occupaient le sommet d'une haute falaise et s'attendait à trouver quelque part un point de vue impressionnant. Mais elle ne s'attendait pas à ce qu'il leur fallut contourner presque aussitôt.

De profondes crevasses en fait, certaines de la taille d'un cercueil, d'autres beaucoup plus grandes, comme des chambres taillées dans la roche. Des corridors zigzaguaient entre elles, des fougères et des mousses poussaient sur leurs parois. Mais pas assez de verdure pour former un coussin digne de ce nom par-dessus les éboulis qu'on apercevait tout au fond. Le sentier serpentait entre elles, tantôt sur de la terre tassée et durcie, tantôt sur des bandes de roches à la surface un peu irrégulière.

«Ouaah!»

C'étaient les cris des garçons, Kent et Peter, neuf et six ans, qui couraient devant.

«On ne s'écarte pas du sentier, ici, lança Alex. Pas d'excentricités idiotes, on ne fait pas les malins, vous m'entendez? C'est compris? Répondez.»

Quand ils l'eurent fait, il poursuivit sa marche, portant le panier du pique-nique, apparemment convaincu qu'aucune autre mise en garde paternelle n'était nécessaire. Sally avançait en trébuchant, plus vite qu'il ne lui était facile de le faire, chargée qu'elle était du sac de couches et de la petite Savanna. Elle ne put ralentir avant d'avoir ses fils dans son champ de vision, avant de les voir trottiner en lançant des regards torves vers les crevasses noires sans cesse de pousser des cris d'horreur surjoués mais discrets. Elle pleurait presque d'épuisement et d'inquiétude, et d'une espèce de rage envahissante qu'elle connaissait bien.

Le point de vue n'apparut pas avant qu'ils aient parcouru, sur ces sentiers de terre et de roche, ce qui lui sembla une distance de près d'un kilomètre et n'en faisait probablement que la moitié. Il y eut alors un éclaircissement, l'intrusion d'un pan de ciel, et son mari fit halte devant. Il poussa un cri signifiant qu'ils étaient arrivés et qu'il fallait regarder, et les garçons s'exclamèrent, étonnés pour de bon. Émergeant des bois, Sally les trouva alignés au bord d'une avancée rocheuse surplombant la cime des arbres – ou plutôt un étagement de cimes sur plusieurs niveaux, découvrit-elle – l'été étalant ses champs loin en contrebas dans un miroitement de verts et de jaunes.

À peine déposée sur sa couverture, Savanna se mit à pleurer.

« Elle a faim », dit Sally.

Et Alex : « Je croyais qu'elle avait eu son déjeuner dans la voiture.

– C'est vrai. Mais elle a faim de nouveau. »

Attachant Savanna à l'un de ses flancs, elle ouvrit de sa main libre le panier du pique-nique. Ce n'était évidemment pas ainsi qu'Alex avait prévu les choses. Mais avec un soupir de bonne volonté, il sortit les flûtes à champagne de ses poches et les déballa puis les coucha sur l'herbe.

« Glouglou j'ai soif aussi, dit Kent aussitôt imité par Peter.

– Gouglou moi aussi glouglou.

– La ferme », dit Alex.

Kent dit : « La ferme, Peter. »

Alex s'adressa à Sally : « Qu'as-tu apporté à boire pour eux ?

– Du Kool-Aid dans le bidon bleu. Les gobelets en plastique sont dans une serviette en dessous. »

Alex était à l'évidence convaincu que Kent avait initié cette comédie non parce qu'il avait réellement soif mais parce qu'il était tout bonnement excité par la vue du sein de Sally. Il était plus que temps, jugeait-il, que Savanna soit mise au biberon – elle avait presque six mois. Et il estimait que l'attitude de Sally était bien trop désinvolte vis-à-vis de l'allaitement dans son ensemble ; elle se promenait parfois tout autour de la cuisine pour faire des choses d'une main pendant que le nourrisson tétait. Kent la lorgnant en douce, et Peter parlant des bidons de lait de maman. Cela venait de Kent, disait Alex. Kent était un sournois, un faiseur d'embrouilles et un petit vicieux.

« Bah, disait Sally, il faut que je fasse tout ça, je ne peux pas m'arrêter.

– L'allaitement ne fait pas partie de "tout ça". Tu pourrais la mettre au biberon dès demain.

– Je le ferai bientôt. Pas vraiment demain, mais bientôt. »

Mais elle en est là, elle permet encore que Savanna et les bidons de lait gâchent le pique-nique.

Le Kool-Aid est servi, puis le champagne. Sally et Alex trinquent, maladroitement à cause de Savanna. Sally avale sa gorgée, regrettant de ne pouvoir en boire plus. Elle sourit à Alex pour lui communiquer ce regret, et peut-être aussi l'idée qu'il lui serait agréable d'être seule avec lui.

Il boit son champagne et, comme si la gorgée qu'elle a bu et le sourire qu'elle lui a adressé avaient suffi à l'apaiser, il entame le pique-nique. Elle lui indique les sandwichs dans lesquels il y a la moutarde qu'il aime, ceux qui contiennent la moutarde qu'elle et Peter préfèrent, et les sandwichs destinés à Kent, qui n'en aime aucune.

Pendant ce temps, Kent s'arrange pour se glisser derrière elle et finir son champagne. Peter doit l'avoir vu faire mais, pour on ne sait quelle raison, il ne le dénonce pas. Sally découvre ce qui s'est produit un peu plus tard, et Alex l'ignore à tout jamais parce qu'il a vite fait d'oublier qu'il restait quelque chose dans la flûte de Sally, qu'il remballe avec la sienne tout en parlant de la dolomie aux garçons. On peut croire qu'ils l'écoutent en engloutissant les sandwichs, puis, dédaignant les œufs mimosa et la salade de crabe, en se jetant sur les tartes.

La dolomie, dit Alex. C'est l'épaisse couche de roche calcaire qu'on voit. En dessous, c'est de l'argile schisteuse, de l'argile transformée en roche, très fine, d'un grain très fin. L'eau s'insinue à travers la dolomie, et quand elle atteint l'argile, elle s'étale dessus ne pouvant en transpercer les minces couches, traverser le grain fin. Alors l'érosion – c'est la destruction de la dolomite – se fraye incessamment un chemin jusqu'à la source, s'ouvrant un canal jusque là, et la couche de calcaire produit des joints verticaux ; savent-ils ce que signifie vertical ?

« De haut en bas, dit négligemment Kent.

– Des joints verticaux peu résistants, qui se mettent à rétrécir, et laissent des crevasses derrière eux à mesure qu'ils disparaissent. Et au bout de millions d'années, ils se brisent pour de bon et dévalent la pente.

– Faut que j'y aille, dit Kent.

– Où ça ?

– Faire pipi.

– Non mais je te jure, vas-y !

– Moi aussi », dit Peter.

Sally serre les mâchoires avant de laisser échapper le « Faites attention ! » automatique. Alex lui lance un regard et approuve sa retenue. Ils échangent un vague sourire.

Savanna s'est endormie, les lèvres molles autour du téton. En l'absence des garçons, il est plus facile de l'en détacher. Sally peut lui faire faire son rot, l'installer sur sa couverture, sans se préoccuper du sein découvert. Si le spectacle n'est pas du goût d'Alex – elle sait que tel est le cas, qu'il n'aime pas cette conjonction de la sexualité et de l'alimentation, les seins de sa femme mués en pis –, il peut détourner les yeux, ce qu'il fait, d'ailleurs.

Elle est en train de se reboutonner quand un cri leur parvient, pas fort, mais lointain, diminuendo, et Alex, debout avant elle, court déjà dans le sentier. Puis un cri plus fort qui se rapproche. C'est Peter.

« Kent est tombé. Kent est tombé. »

Son père hurle : « J'arrive ! »

Sally sera toujours convaincue d'avoir su aussitôt, avant même d'avoir entendu la voix de Peter elle savait ce qui était arrivé. S'il y avait eu un accident, il ne pouvait être arrivé à son cadet, qui était courageux mais pas inventif, pas m'as-tu-vu. Il serait arrivé à Kent. Elle voyait précisément comment. En faisant pipi dans le trou, en équilibre sur le bord, mettant Peter au défi, se mettant lui-même au défi.

Il était vivant. Il gisait loin sur le pierrier au fond de la crevasse, mais il remuait les bras, cherchant à se relever. Mais bien faiblement. Une jambe prisonnière sous le corps, l'autre bizarrement tordue.

« Tu peux porter ta petite sœur ? demanda-t-elle à Peter. Alors retourne au pique-nique et pose-la pour la surveiller. C'est bien, ça, mon fils. Tu es fort, je sais que je peux compter sur toi. »

Alex était en train de descendre dans le trou, agrippé à la paroi, disant à Kent de ne pas s'agiter. Il était à peu près possible d'atteindre le fond sans se blesser. La difficulté serait d'en sortir Kent.

Fallait-il qu'elle coure jusqu'à la voiture pour voir s'il y avait une corde? L'enrouler autour du tronc d'un arbre. Ou peut-être autour du corps de Kent, pour pouvoir le hisser quand Alex le soulèverait vers elle.

Il n'y aurait pas de corde. Pourquoi y en aurait-il eu?

Alex était arrivé près de lui. Il se courba pour le soulever. Kent poussa un cri de douleur implorant. Alex le chargea en travers de ses épaules, la tête pendant d'un côté et les jambes inutiles – l'une formant un angle si bizarre – de l'autre. Il se releva, fit un ou deux pas titubants, puis, sans lâcher Kent, se laissa tomber sur les genoux. Il avait décidé de ramper et se dirigeait – Sally le comprenait à présent – vers l'éboulis qui comblait en partie l'autre extrémité de la crevasse. Il lui cria un ordre sans lever la tête et, sans distinguer clairement un seul mot, elle comprit. Elle se releva – pourquoi s'était-elle agenouillée? – et se fraya un chemin à travers les buissons jusqu'au bord où le pierrier arrivait à un mètre environ de la surface. Alex avançait accroupi, Kent en travers des épaules comme un gibier abattu.

Elle lança: «Je suis là. Je suis là. »

Le père allait devoir soulever Kent afin que la mère le hisse jusqu'au sol de roche dure. C'était un enfant maigre qui n'avait pas encore connu sa première poussée de croissance, mais il semblait aussi lourd qu'un sac de ciment. Sally ne put y arriver à la première tentative. Elle changea de position, s'accroupit au lieu de se mettre à plat ventre, et avec toute la puissance de ses épaules et de son torse, et le soutien d'Alex qui poussait le corps de Kent par en dessous, ils parvinrent à le hisser sur le rebord. Sally tomba en arrière avec lui dans les bras et vit ses yeux s'ouvrir, puis rouler dans leurs orbites quand il s'évanouit de nouveau.

Quand Alex eut réussi à ramper puis à se hisser hors du trou, ils récupérèrent les deux autres enfants et allèrent à l'hôpital de Collingwood.

Il n'y avait apparemment pas de lésion interne. Les deux jambes étaient cassées. Une des fractures était nette, comme le dit le médecin ; l'autre jambe était en miettes. « Il ne faut pas quitter les enfants des yeux, là-bas, dit-il à Sally qui avait accompagné Kent tandis qu'Alex s'occupait des autres enfants. Il n'y a pas de pancarte signalant le danger ? »

Avec Alex, songea-t-elle, il aurait parlé différemment, les garçons sont ainsi faits. Il suffit de tourner le dos une seconde pour qu'ils se précipitent là où ils ne devraient pas. « C'est dans leur nature. »

Sa gratitude – envers Dieu, en qui elle ne croyait pas, et Alex, en qui elle croyait – était si immense qu'elle n'éprouvait nul ressentiment.

Kent dut passer le semestre suivant loin de l'école, d'abord en extension sur un lit médicalisé de location. Sally allait chercher, puis rapportait, à son école, les devoirs qu'il achevait en un clin d'œil. Puis on l'encouragea à se lancer dans des exposés qui n'étaient pas au programme. Il y en avait un qui s'intitulait "Voyages et Explorations – Un pays de votre choix".

« Je voudrais choisir ce que personne d'autre ne choisirait », dit-il.

Sally lui parla alors de ce qu'elle n'avait jamais confié à âme qui vive. Elle lui raconta qu'elle était attirée par les îles lointaines. Pas Hawaï ni les Canaries ni les Hébrides ni les îles grecques, où tout le monde avait envie d'aller, mais des îles obscures ou minuscules dont personne ne parlait et qui n'étaient que rarement, voire jamais, visitées. L'île de l'Ascension, Tristan da Cunha, les Chatham et Christmas et l'île de la Désolation et les Féroé. Avec Kent, ils se mirent à rassembler toutes les bribes d'information concernant ces îles, sans se permettre d'inventer quoi que ce soit. Et sans jamais révéler à Alex ce qu'ils faisaient.

« Il croirait que nous sommes tombés sur la tête », dit Sally.

L'île de la Désolation avait pour principal sujet de fierté un légume extrêmement ancien, un chou qui ne pousse nulle part ailleurs. Ils imaginaient les cérémonies du culte qu'on lui vouait, des costumes, des processions en son honneur.

Et avant sa naissance, raconta Sally à son fils, elle avait vu à la télévision les habitants de Tristan da Cunha débarquer à l'aéroport de

Heathrow, ayant tous été évacués à la suite d'un violent tremblement de terre. Comme ils lui avaient semblé étranges, dociles et dignes, telles d'humaines créatures d'un autre siècle. Ils avaient dû s'adapter à Londres, plus ou moins, mais quand le volcan s'était calmé ils avaient voulu rentrer chez eux.

Lorsque Kent put retourner à l'école, les choses changèrent, évidemment, mais il continua de faire plus vieux que son âge, se montrant patient avec Savanna qui était devenue entreprenante et têtue en grandissant, et avec Peter, qui faisait toujours irruption dans la maison dans un ouragan de calamités. Et il était particulièrement courtois avec son père, lui apportant le journal, sauvé *in extremis* des menottes de Savanna et soigneusement replié, tenant sa chaise quand il s'asseyait à la table du dîner.

« Honneur à l'homme qui m'a sauvé la vie », disait-il, quand ce n'était pas : « Le héros est de retour chez lui. »

Ces proclamations avaient quelque chose de théâtral mais sans rien de sarcastique. Elles tapaient pourtant sur les nerfs d'Alex. Kent lui tapait sur les nerfs, lui tapait déjà sur les nerfs avant l'accident du trou-profond.

« Arrête, veux-tu », disait-il, et il s'en plaignait à Sally quand ils étaient en tête à tête.

« Tout ce qu'il dit, c'est que tu devais l'aimer, puisque tu l'as sauvé.

– Non mais je te jure, j'aurais sauvé n'importe qui.

– Ne le dis pas devant lui. S'il te plaît. »

Quand Kent entra au lycée, la situation s'améliora avec son père. Il choisit les études scientifiques. Les sciences dures, pas celles, moins abstraites, de la Terre, et même ce choix ne se heurta à aucune opposition de la part d'Alex. Plus ce serait dur, mieux ce serait.

Mais au bout de six mois d'université, Kent disparut. Ceux qui le connaissaient un peu – il n'y avait apparemment personne pour se prétendre son ami – dirent qu'il avait parlé de gagner la côte Ouest. Et une lettre arriva, au moment précis où ses parents allaient se décider à prévenir la police. Il travaillait chez un vendeur de pneus dans la banlieue nord de Toronto. Alex alla l'y voir pour lui enjoindre de reprendre ses études. Mais Kent refusa, disant qu'il était très content de l'emploi qu'il avait et qu'il était bien payé, ou le serait bientôt, car il attendait une promotion. Puis Sally alla le voir, sans le dire à Alex, et le trouva joyeux et grossi de quelques kilos. Il dit que c'était la bière. Il avait des amis, à présent.

« C'est une phase, dit-elle à Alex quand elle lui avoua cette visite. Il a envie de goûter un peu à l'indépendance.

– Il peut bien s'en empiffrer, si tu me demandes mon avis. »

Kent ne lui avait pas dit où il logeait, mais c'était sans importance parce que, lors de sa visite suivante, on lui dit qu'il était parti. Gênée – elle croyait avoir surpris un rictus sur le visage de l'employé qui le lui apprit –, elle ne demanda pas où Kent était allé. Elle pensait d'ailleurs qu'il reprendrait contact, sitôt qu'il serait de nouveau installé.

C'est ce qu'il fit, trois ans plus tard. Sa lettre avait été postée de Needles, en Californie, mais il leur disait de ne pas chercher à l'y retrouver – qu'il ne faisait que passer.

« Comme Blanche », écrivait-il, et Alex s'enquit : « Quoi, Blanche, c'est qui, celle-là ? »

« C'est une blague, dit Sally. Peu importe. »

Kent n'avait pas écrit ce à quoi il était employé ni par où il était passé ni s'il avait noué des liens avec quiconque. Il ne s'excusait pas de les avoir laissés si longtemps sans nouvelles et ne s'enquérait pas des leurs, pas plus que de celles de son frère et de sa sœur. Par contre il consacrait des pages et des pages à la vie qu'il menait. Non dans ses aspects pratiques mais quant à ce qu'il croyait devoir en faire et dans ce qu'il en faisait.

« Je trouve tellement dérisoire, écrivait-il, qu'on soit censé s'enfermer dans un costume. Je veux dire, dans un costume d'ingénieur, ou de médecin, ou de géologue, que la peau finit par recouvrir, le costume, je veux dire, jusqu'à ce qu'on ne puisse plus jamais le retirer. Alors qu'une chance s'offre à nous d'explorer le monde entier de la réalité intérieure et extérieure et de vivre d'une façon qui absorbe le spirituel et le matériel et toute la gamme du beau et du terrible accessible au genre humain, c'est-à-dire la souffrance aussi bien que la joie et le bouillonnement. Ma façon de m'exprimer vous semblera peut-être très emphatique mais s'il est une chose à laquelle j'ai appris à renoncer, c'est bien la fierté intellectuelle…»

«Il est drogué, dit Alex. Ça crève les yeux. Il a le cerveau détruit par les drogues.»

En pleine nuit, il dit : «Le sexe.»

Sally était allongée à côté de lui, tout à fait réveillée.

«Eh bien quoi, le sexe?

– C'est ça qui le met dans cet état. Mais faire quelque chose, n'importe quoi, pour gagner sa vie. De quoi s'offrir la satisfaction régulière de ses besoins sexuels et de leurs conséquences. Ça, il n'y pense même pas.»

Sally dit : «Eh ben dis donc, quel point de vue romantique.

– C'est jamais très romantique d'aller au fond des choses. Il n'est pas normal, c'est tout ce que j'essaie de dire.»

Plus loin dans sa lettre – ou dans son délire, comme disait Alex – Kent avait écrit qu'il avait eu plus de chance que la plupart des gens de faire ce qu'il appelait son expérience de la mort imminente, qui lui conférait une conscience plus aiguë, ce pourquoi il vouait une reconnaissance éternelle à son père qui avait fait l'effort de le ramener dans ce monde et à sa mère qui l'y avait accueilli avec amour.

«Peut-être qu'à ces instants, je suis re-né.»

Alex avait poussé un grognement.

«Non, je ne le dirai pas.

– Ne le dis pas, dit Sally. Tu ne le penses pas.

– Je ne sais pas si je le pense ou pas.»

Après cette lettre, qu'il signait en les assurant de son amour, il ne leur donna plus jamais de ses nouvelles.

Peter fit sa médecine, Savanna son droit.

Sally se prit d'intérêt pour la géologie, ce dont elle fut la première surprise. Une nuit, dans l'humeur confiante d'après l'amour, elle parla des îles à Alex – sans toutefois aller jusqu'à lui faire part de ce qu'elle s'était imaginé : que Kent vivait à présent sur l'une d'entre elles. Elle dit avoir oublié de nombreux détails qu'elle connaissait autrefois et qu'elle ferait bien de consulter à ce sujet l'encyclopédie où elle avait puisé naguère ses informations. Alex répondit que tout ce qu'elle souhaitait savoir se trouvait probablement sur Internet. Certainement pas quelque chose d'aussi obscur, dit-elle. Et il la tira du lit pour l'entraîner au rez-de-chaussée où en un rien de temps elle eut sous les yeux Tristan da Cunha, plaque verte dans l'Atlantique Sud, accompagnée d'une profusion de renseignements. Cela lui fit un coup et elle se détourna, et Alex, que ce comportement avait déçu – quoi d'étonnant –, lui en demanda la raison.

« Je ne sais pas. Maintenant, j'ai l'impression de l'avoir perdue. »

Il dit que ça n'allait pas du tout, qu'elle avait besoin d'une occupation réelle. Il venait de prendre sa retraite de l'enseignement et projetait d'écrire un livre. Il lui fallait un assistant et il ne pouvait plus faire appel aux étudiants de troisième cycle comme il en avait eu la possibilité à la fac. (Elle ne savait pas si c'était vrai.) Elle lui rappela qu'elle ignorait tout des pierres et il répondit que là n'était pas la question, qu'il pouvait l'utiliser pour l'échelle, dans les photographies.

Elle devint donc la petite silhouette vêtue de noir ou de couleurs vives qui se détachait sur une couche de roches du Silurien ou du Dévonien. Ou sur le gneiss résultant d'une intense compression, plissé et déformé par les chocs entre la plaque américaine et la plaque pacifique pour donner le continent actuel. Elle apprit peu à peu à se servir de ses yeux afin d'appliquer ses nouvelles connaissances, au point d'être en mesure, dans une quelconque rue de banlieue, de se rendre compte que loin sous ses pieds, se trouvait un cratère comblé de débris qu'on ne verrait jamais, qu'on n'avait jamais vu car il n'y avait pas d'yeux pour le voir lors de sa création ni tout au long de la longue histoire de sa formation et de son comblement et de son occultation et de sa disparition. Alex faisait à ce genre de phénomènes l'honneur de connaître leur existence, de s'appliquer à en apprendre le plus possible sur eux, et elle l'en admirait tout en s'abstenant sagement de le lui dire. Ils furent bons amis au cours de ces dernières années, dont elle ne savait pas qu'elles étaient les dernières, tandis que lui le savait peut-être. Il entra à l'hôpital pour une intervention chirurgicale, emportant ses graphiques et ses photos avec lui, et le jour prévu de son retour à la maison, il mourut.

Cela s'était passé en été et l'automne suivant il y eut un incendie spectaculaire à Toronto. Sally regarda l'incendie à la télévision pendant un bon moment. C'était dans un quartier qu'elle connaissait, ou qu'elle avait connu autrefois, à l'époque où il était habité par des hippies avec leurs tarots et leurs perles et leurs fleurs en papier de la taille d'une citrouille. Et encore quelque temps par la suite, quand les restaurants végétariens se transformaient peu à peu en bistrots coûteux et en boutiques de luxe. C'était tout un pâté de ces immeubles du XIXᵉ siècle que le feu ravageait, le reporter était en train de le déplorer, parlant des gens qui avaient peuplé ces vieux appartements au-dessus des commerces et qu'on arrachait à leurs foyers détruits pour les mettre en sécurité dans la rue.

Aucune allusion, songea Sally, aux propriétaires de ce genre d'immeubles, auxquels on ne reprocherait pas la vétusté des installations électriques ni les invasions de cafards et de punaises dont les pauvres, trompés ou craintifs, ne se plaignaient jamais.

Elle avait parfois l'impression qu'Alex parlait dans sa tête ces derniers temps, et tel était certainement le cas à cet instant. Elle éteignit le poste.

Il ne s'était pas écoulé dix minutes que le téléphone sonna. C'était Savanna.

«Maman. Ta télé est allumée? T'as vu?

– L'incendie, tu veux dire? J'ai vu, mais j'ai éteint la télé.

– Non. Est-ce que tu as vu… Je le cherche, là, en ce moment… Je l'ai vu il n'y a pas cinq minutes. Kent, maman. Je ne le vois plus, maintenant. Mais je l'ai vu.

– Il est blessé? Je rallume. Il a été blessé?

– Non, il était dans les secours. Il portait un brancard, avec un corps dessus, je ne sais pas si c'était un mort ou seulement un blessé. Mais c'était Kent. C'était lui. On voyait même qu'il boitait. Tu as mis la télé?

– Oui.

– Bon, je vais me calmer. Je parie qu'il est retourné à l'intérieur de l'immeuble.

– Mais on interdit sûrement aux…

– Peut-être qu'il est médecin, qu'est-ce qu'on en sait ? Ah merde, ils rebalancent l'interview du vieux de tout à l'heure, sa famille avait un commerce, là, depuis cent ans – bon, on raccroche et on regarde bien. Il sera sûrement de nouveau à l'image. »

Mais non. Les plans devenaient répétitifs.

Savanna rappela.

« Je vais en avoir le cœur net. Je connais un type au journal télévisé. Je peux me faire repasser ce plan, il faut qu'on sache. »

Savanna n'avait guère connu son frère – pourquoi toute cette histoire ? La mort de son père lui faisait-elle éprouver le besoin d'une famille ? Elle ferait mieux de se marier, et vite ; d'avoir des enfants. Mais elle était d'une telle obstination une fois qu'elle s'était mis quelque chose en tête – se pouvait-il qu'elle retrouve Kent ? Voyant son acharnement à pinailler, son père lui avait dit un jour, elle devait avoir dans les dix ans, qu'elle serait une excellente juriste. À partir de cet instant, elle n'avait plus cessé de répéter qu'elle ferait son droit.

Sally s'abandonna à un tremblement, où se mêlaient un désir lancinant et une profonde lassitude.

C'était Kent, et une semaine ne s'était pas écoulée que Savanna savait tout de lui. Non. Disons plutôt savait tout ce qu'il avait bien voulu lui raconter. Il vivait à Toronto depuis des années. Il était souvent passé devant l'immeuble où Savanna travaillait et l'avait aperçue deux ou trois fois dans la rue. Dont l'une où ils s'étaient trouvés nez à nez à un carrefour. Elle ne pouvait évidemment pas l'avoir reconnu parce qu'il portait une espèce de robe.

« Hare Krishna ? dit Sally.

– Oh, maman, on peut être moine sans être forcément Hare Krishna. De toute façon, il ne l'est plus aujourd'hui.

– Alors qu'est-ce qu'il est ?

– Il dit qu'il vit dans le présent. J'ai répondu qu'on en était tous là de nos jours, non ? et lui a dit qu'il parlait de la réalité présente. »

Là où ils se trouvaient pour le moment, avait-il dit, à quoi Savanna avait répondu : « Tu veux dire dans ce rade pourri ? » Parce que c'était bien ça, le snack où il lui avait donné rendez-vous était un rade pourri.

« Je ne le vois pas comme ça », avait-il dit, mais il avait ajouté qu'il ne voyait rien à objecter à sa façon à elle de le voir, ni à celle de qui que ce soit.

« Dis donc, quelle générosité », avait dit Savanna, du ton de la plaisanterie, et il avait ri vaguement jaune.

Il avait lu l'annonce du décès d'Alex dans le journal et l'avait trouvée bien. Il pensait que les références à la géologie auraient plu à Alex. Il s'était demandé si son nom serait mentionné avec celui des autres membres de la famille et avait été plutôt surpris de l'y trouver. Il s'interrogeait : était-ce son père qui leur avait donné la liste des noms qu'il souhaitait, avant de mourir ?

Savanna avait dit que non, qu'il n'avait pas prévu de mourir si vite. C'étaient les autres membres de la famille qui avaient conféré et décidé que le nom de Kent devait figurer.

« Pas papa, dit Kent. Bien sûr que non. »

« Et Sally ? » avait-il demandé ensuite.

Sally sentit comme un ballon gonfler dans sa poitrine.

« Qu'est-ce que tu lui as dit ?

– J'ai dit que ça pouvait aller, que tu étais peut-être un peu perdue, vous étiez si proches papa et toi, et tu n'as pas encore eu beaucoup le temps de t'habituer à être seule. Après, il m'a dit de te dire que tu pouvais aller le voir si tu en avais envie et j'ai répondu que je te poserais la question. »

Sally ne répondit pas.

« Tu m'écoutes, maman ?

– Il a dit quand, et où ?

– Non. En principe je dois le revoir dans une semaine au même endroit, pour le lui dire. J'ai l'impression qu'il aime plutôt avoir l'initiative. Je croyais que tu dirais oui tout de suite.

– Évidemment que je dis oui.

– Tu n'as pas peur d'y aller toute seule ?

– Sois pas bête. C'est bien lui que tu avais vu pendant l'incendie ?

– Il n'a voulu dire ni oui ni non. Mais d'après mes renseignements c'est oui. Il est très connu apparemment dans certains quartiers de la ville et par certaines personnes. »

Sally reçoit un mot. La chose est déjà exceptionnelle en soi, parce que la plupart des gens qu'elle connaît communiquent par courriel ou par téléphone. Elle est contente qu'il n'ait pas téléphoné. Peut-être n'était-elle pas encore prête à entendre sa voix. Le mot contient les instructions suivantes : elle laissera sa voiture sur le parking en bout de ligne pour prendre le métro jusqu'à telle station où il l'attendra.

Elle pensait le voir de l'autre côté du tourniquet, mais il n'y était pas. Il avait probablement voulu dire qu'il l'attendrait à l'extérieur. Elle monta les marches et sortit dans la lumière du soleil et s'arrêta, toutes sortes de gens pressés la frôlant au passage. Elle était partagée entre la consternation et la gêne. La consternation devant l'apparente absence de Kent et la gêne parce qu'elle éprouvait exactement le sentiment que semblaient éprouver souvent les habitants de sa région, elle qui n'aurait pourtant jamais dit ce qu'ils disaient. On se croirait au Congo ou en Inde ou au Vietnam, voilà ce qu'ils disaient. En tout cas pas dans l'Ontario. Partout des turbans, des saris et des dashikis, et Sally appréciait beaucoup leur élégance et leurs couleurs vives. Mais ils n'étaient pas portés comme des costumes étrangers. Ceux qui les portaient ne venaient pas d'arriver. Ils avaient dépassé la phase d'installation. Et Sally était dans leurs jambes.

Sur les marches d'une ancienne banque, juste au-delà de l'entrée du métro, plusieurs hommes étaient assis ou vautrés, certains dormaient. Ce n'était plus une banque, évidemment, alors que son nom était gravé dans la pierre. Elle regarda ce nom plutôt que les hommes, dont les postures avachies ou allongées ou abandonnées contrastaient tant avec les anciennes fonctions du bâtiment et la hâte de la foule qui sortait du métro.

« Maman. »

Un des hommes qui étaient sur les marches vint à sa rencontre sans se presser, traînant un peu la jambe, elle se rendit compte que c'était Kent et l'attendit. Elle serait aussi bien partie en courant. Mais elle vit alors que, parmi ces hommes, certains ne semblaient ni crasseux ni désespérés et qu'ils la regardaient sans hostilité ni mépris et même avec un amusement amical maintenant qu'ils savaient qu'elle était la mère de Kent.

Ce dernier ne portait pas de robe. Il avait un pantalon gris trop grand pour lui, ajusté par une ceinture, un tee-shirt sans inscription et un blouson très usé. Ses cheveux étaient coupés si court qu'on ne voyait pas ses boucles. Il était tout à fait gris, le visage marqué, il lui manquait des dents, et son corps d'une extrême maigreur le faisait paraître plus vieux que son âge.

Il ne la prit pas dans ses bras – elle ne s'y était d'ailleurs pas attendue – mais lui posa légèrement une main dans le dos pour la diriger là où il voulait aller.

«Tu fumes encore la pipe? demanda-t-elle, humant l'air et se souvenant qu'il avait commencé à la fumer au lycée.

– La pipe? Ah. Non. C'est la fumée de l'incendie que tu sens. Nous, on n'y fait plus attention. J'ai bien peur que l'odeur soit encore plus forte là où nous allons.

– On va traverser le quartier qui a brûlé?

– Non, non. Même si on voulait, on ne pourrait pas. Tous les accès sont barrés. C'est trop dangereux. Il va falloir abattre des bâtiments. Ne t'en fais pas, là où nous sommes, ça va. À plus d'une rue de distance des dégâts.

– Votre immeuble? dit-elle, consciente de ce nous.

– Si on veut. Oui. Tu verras.»

Il parlait gentiment, volontiers, et pourtant avec un effort, comme celui qui, par courtoisie, s'exprimerait dans une langue étrangère. Et il se penchait un peu pour s'assurer qu'elle l'entendait. Cet effort particulier, le rien d'application requis quand on lui parlait, comme s'il s'agissait d'une traduction scrupuleuse, était apparemment fait pour qu'elle s'en aperçoive.

Ce qu'il en coûtait.

En descendant d'un trottoir il lui effleura le bras – peut-être avait-il trébuché – et il dit: «Excuse-moi.» Elle crut qu'il avait eu l'ombre d'un frisson.

Le sida. Pourquoi n'y avait-elle encore jamais pensé?

«Non, fit-il, alors qu'elle ne l'avait certainement pas dit tout haut. Je vais très bien, à présent. Je ne suis pas séropositif ni rien de ce genre. J'ai attrapé le palu il y a des années mais je n'ai plus de crises. Je suis un peu à plat en ce moment, mais pas de quoi s'inquiéter. On tourne ici, c'est juste là, dans ce pâté de maisons, que nous sommes.»

Encore ce nous.

«Je ne suis pas médium, reprit-il. J'ai fini par comprendre une des questions que Savanna n'arrivait pas à me poser. Et je me suis dit que mieux valait vous rassurer. C'est là, nous y sommes.»

C'était une de ces maisons dont la porte principale donne directement sur le trottoir par quelques marches.

«Je vis dans le célibat, en fait», dit-il en lui tenant la porte.

Un rectangle de carton était agrafé à la place d'un des carreaux.

Le plancher nu craquait sous le pied. Une odeur complexe s'était insinuée partout. L'odeur de fumée de la rue avait éminemment pénétré mais il s'y mêlait des relents de vieille cuisine, de café brûlé, de toilettes, de maladie, de décomposition.

«Mais "célibat" n'est peut-être pas le bon mot. Ça donne à penser que ma volonté y est pour quelque chose. Je crois que j'aurais mieux fait de dire "neutralité". Je n'en fais pas un accomplissement. Ça n'en est pas un.»

Il lui fit contourner l'escalier pour aller dans la cuisine. Là, une femme gigantesque leur tournait le dos, occupée à remuer quelque chose sur la cuisinière.

Kent dit: «Salut, Marnie. Je te présente ma maman. Tu peux dire bonjour à ma maman?»

Sally remarqua un changement dans son ton. Une détente, une franchise, un respect, peut-être, différents de la légèreté forcée qu'il affectait pour s'adresser à elle.

Elle dit: «Bonjour, Marnie», et la femme se tourna à moitié, montrant un visage de poupée enserré dans une masse de chair, mais ses yeux étaient dans le vague.

« C'est Marnie qui nous fait la cuisine cette semaine, dit Kent. Ça sent pas mauvais, Marnie. »

Puis à sa mère : « On va aller s'asseoir dans mes appartements, si tu veux », et il lui fit descendre une ou deux marches et longer un corridor au fond de la maison. On s'y déplaçait difficilement à cause des paquets de journaux, de brochures et de magazines proprement ficelés qui l'encombraient.

« Va falloir sortir tout ça, dit Kent. Je l'ai dit à Steve ce matin. Risque d'incendie. Ah, bon dieu, quand je pense que je disais ça. Aujourd'hui, je sais ce que ça signifie. »

Bon dieu. Elle s'était demandé s'il appartenait à un quelconque ordre religieux en habit civil. Mais si tel était le cas, il n'aurait pas juré de cette façon, n'est-ce pas ? Certes il pouvait s'agir d'un ordre religieux, mais pas chrétien.

Pour accéder à sa chambre il fallait encore descendre quelques marches, en fait c'était à la cave. Il y avait un lit étroit, un bureau à l'ancienne, délabré, avec des compartiments, deux ou trois chaises à dossier droit auxquelles manquaient des barreaux.

« Les chaises sont tout à fait solides, dit-il. Nous récupérons presque tout notre mobilier dans la rue, mais j'interdis les chaises sur lesquelles on ne peut pas s'asseoir. »

Sally se laissa tomber sur une chaise, épuisée.

« Qu'est-ce que vous êtes ? demanda-t-elle. Qu'est-ce que vous faites ? Est-ce que c'est une de ces maisons thérapeutiques ou quelque chose dans ce genre-là ?

– Non. Rien de médical. Nous acceptons tous ceux qui se présentent.

– Même moi.

– Même toi, confirma-t-il sans sourire. Personne ne nous soutient ou ne nous subventionne, nous ne comptons que sur nous-mêmes. On fait un peu de recyclage avec ce qu'on ramasse. Ces journaux. Des bouteilles. On gagne trois sous par-ci par-là. Et on part solliciter le public à tour de rôle.

– Vous demandez la charité ?

– On mendie, fit-il.

– Dans la rue ?

– Ça paraît tout indiqué. Dans la rue. Et on va dans quelques pubs avec lesquels nous avons un accord, bien que ce soit interdit par la loi.

– Tu le fais aussi ?

– Je vois mal comment je pourrais leur demander de le faire si je ne le faisais pas moi-même. C'est quelque chose que j'ai dû surmonter. Nous avons tous quelque chose à surmonter. Ça peut être la honte. Ça peut être le concept de "à moi". Quand quelqu'un donne un billet de dix dollars, ou même seulement une pièce d'un dollar, c'est là que la propriété privée se remanifeste. C'est à qui, hein ? À moi ou – le cœur me manque – à nous ? Si la réponse est à moi, le billet est aussitôt dépensé d'ordinaire. Et ces gens nous reviennent puant l'alcool en disant : "Je ne sais pas ce que j'ai, aujourd'hui, j'ai pas dérouillé." Puis il peut leur arriver de commencer à se sentir mal par la suite, et d'avouer. Ou pas, qu'est-ce que ça peut faire. On les voit disparaître pendant des jours – des semaines – puis réapparaître ici quand l'existence devient trop dure. Et parfois, on les voit dans la rue faire la manche, tout seuls, sans jamais montrer qu'ils vous reconnaissent. Ils ne reviennent jamais. Et ça nous va. Ce sont nos diplômés, on va dire. Si on croit dans le système.

– Kent…

– Ici, on m'appelle Jonas.

– Jonas ?

– Je n'ai eu qu'à choisir. J'ai pensé à Lazare mais ça risquait d'être trop spectaculaire dans l'autoapitoiement. Appelle-moi Kent si tu veux.

– J'aimerais savoir ce qui s'est passé dans ta vie. C'est-à-dire, pas tant ces gens-là…

– Ces gens-là sont ma vie.

– Je savais que c'était ce que tu allais dire.

– D'accord, c'était un peu pour faire le malin. Mais ici… ici, c'est ce que je fais depuis… sept ans ? Neuf ans. Neuf ans. »

Elle insista. « Et avant ?

– Est-ce que je sais, moi ? Avant ? Avant. Les jours de l'homme sont comme l'herbe, hein ? L'herbe des champs, qui est aujourd'hui, et demain sera jetée au four. Non mais, écoute-moi. Je ne t'ai pas sitôt rencontrée que je recommence les simagrées. L'herbe des champs qui est aujourd'hui, demain jetée au four – ça m'intéresse pas ces choses-là. Je vis chaque jour comme il vient. Réellement. Tu peux pas comprendre. Je ne suis pas dans ton monde, tu n'es pas dans le mien – tu sais pourquoi je voulais te voir ici, aujourd'hui ?

– Non. Je n'y ai pas réfléchi. C'est-à-dire, j'ai pensé que, naturellement, le temps était peut-être venu…

– Naturellement. Quand j'ai appris la mort de mon père dans le journal, j'ai naturellement pensé : "Bon, où est l'argent ?", je me suis dit : "Elle, elle va pouvoir me le dire."

– Il m'est revenu, dit Sally, totalement déçue mais avec une parfaite maîtrise de soi. Pour l'instant. La maison aussi, si ça t'intéresse.

– Je pensais que ce serait vraisemblablement ça. Ça va.

– À ma mort, ça ira à Peter et ses fils, et à Savanna.

– Très bien.

– Il ne savait pas si tu étais encore vivant…

– Tu crois que je le demande pour moi ? Tu me crois assez idiot pour vouloir cet argent pour moi ? Mais j'ai commis l'erreur de penser à l'usage que je pourrais en faire. De penser, l'argent de la famille, oui, ça pourrait me servir. C'est ça, la tentation. Et maintenant je suis content, je suis content de ne pas pouvoir l'avoir.

– Je pourrais te…

– Le truc, tout de même, c'est que cette baraque est condamnée…

– Je pourrais t'en prêter.

– Un prêt ? On n'emprunte pas, chez nous. Le système du prêt n'a pas cours ici. Tu m'excuseras, il faut que j'aille me calmer. Tu as faim ? Tu veux de la soupe ?

– Non, merci. »

Quand il fut parti, elle songea à s'enfuir. Si elle avait trouvé une porte ouvrant sur l'arrière, une issue permettant de sortir sans passer par la cuisine. Mais elle ne pouvait pas le faire, parce que cela aurait voulu dire qu'elle ne le reverrait jamais. Et l'arrière-cour d'une maison telle que celle-là, construite avant l'époque des automobiles, ne devait pas avoir accès à la rue.

Il put bien s'écouler une demi-heure avant qu'il revienne. Elle n'avait pas pris sa montre. Ayant pensé qu'une montre ne serait peut-être pas appréciée dans l'existence qu'il menait, et en cela elle ne s'était pas trompée, semblait-il. En cela, au moins.

Il parut un peu surpris ou ébahi de la trouver encore là.

«Pardon. J'avais un truc à régler. Et après j'ai bavardé avec Marnie. Elle me calme toujours.

– Tu te souviens de cette lettre? demanda Sally. La dernière fois que nous avons eu de tes nouvelles.

– Oh, ne me rappelle pas ça.

– Mais si, elle était bien, cette lettre. C'était bien, d'essayer de nous expliquer ce que tu pensais.

– S'il te plaît. Ne me rappelle pas ça.

– Tu essayais de comprendre comment ta vie…

– Ma vie, ma vie, mes progrès, tout ce que je pouvais découvrir sur ma saloperie d'ego. À quoi j'étais destiné. Mes conneries. Ma spiritualité. Mon intellectualité. Il n'y a pas de vie secrète, Sally. Ça t'embête pas que je t'appelle Sally? Ça me vient plus facilement. Il n'y a qu'une vie, ce qu'on fait, à chaque instant de cette vie. Depuis que je m'en suis rendu compte, j'ai été heureux.

– Tu l'es? Heureux?

– Mais oui. J'ai abandonné tout ce fatras d'imbécillités sur l'ego. Je me demande: "Comment puis-je être utile?" Et c'est le seul sujet de réflexion que je m'autorise.

– Vivre dans le présent?

– Je m'en fiche, que tu me trouves banal. Je m'en fiche que tu te moques de moi.

– Je ne me…

– Je m'en fiche. Écoute. Si tu crois que j'en ai après ton argent, très bien. J'en ai après ton argent. Mais j'en ai après toi, aussi. Tu n'as pas envie d'une vie différente? Je ne dis pas que je t'aime, je ne me sers pas de ce langage imbécile. Ni que je veux te sauver. Tu sais qu'on ne peut que se sauver soi-même. Alors à quoi bon ? D'ordinaire je n'essaie pas d'aboutir à quoi que ce soit en parlant avec les gens. D'ordinaire j'essaie d'éviter les relations personnelles. Non, j'essaie pas, je les évite. C'est bien ça, je les évite. »

Les relations.

« Pourquoi tu t'empêches de sourire ? demanda-t-il. Parce que j'ai dit "relations" ? C'est un cliché ? Je fais pas de chichis pour choisir mes mots. »

Sally dit : « Je pensais à Jésus. "Femme, qu'ai-je donc à faire avec toi ?" »

L'expression qui envahit son visage était presque sauvage.

« T'en as pas marre, Sally ? T'en as pas marre d'être intelligente ? Je peux pas continuer de parler comme ça, je regrette. J'ai des choses à faire.

– Moi aussi », dit Sally. C'était un absolu mensonge. « J'espère qu'on…

– Ne le dis pas. Ne dis pas : "J'espère qu'on va se revoir."

– Peut-être qu'on se reverra. C'est mieux, comme ça ? »

Sally se perd, puis retrouve son chemin. L'immeuble de la banque de nouveau, la même bande de paumés vautrés sur les marches, mais il est possible que c'en soient d'autres. Le métro, le parking, les clés, la route, la circulation. Puis la route secondaire, le soleil qui se couche tôt, pas encore de neige, les arbres nus, et les champs qui s'enténèbrent.

Elle aime ce paysage, cette époque de l'année. Doit-elle désormais s'en juger indigne ?

Le chat est content de la voir. Il y a deux ou trois messages d'amis sur son répondeur. Elle met à chauffer la portion de lasagnes. Elle achète ces plats cuisinés pour une personne au rayon surgelés désormais. Ils sont très bons et pas trop chers puisqu'il n'y a aucun gaspillage. Elle se sert un verre de vin qu'elle sirote pendant les sept minutes d'attente.

Jonas.

Elle est secouée de colère. Qu'est-ce qu'on attend d'elle, qu'elle retourne à la maison condamnée pour récurer le linoléum pourri et faire cuire les morceaux de poulet jetés aux ordures parce qu'ils ont dépassé la date de péremption ?

Et s'entendre rappeler chaque jour qu'elle est moins bien que Marnie ou n'importe laquelle de ces autres créatures diminuées ? Tout ça pour avoir le grand honneur d'être utile à la vie que quelqu'un d'autre – Kent – a choisie.

Il est malade. Il s'épuise, il est peut-être mourant. Il ne la remercierait pas si elle lui fournissait des draps propres et une alimentation saine. Oh non. Il préférerait mourir sur ce grabat sous cette couverture trouée d'une brûlure.

Mais un chèque, elle peut remplir un chèque raisonnable. Rien d'absurde. Ni trop gros ni trop petit. Il ne s'en servira pas pour lui-même, bien sûr. Il ne cessera pas de la mépriser, bien sûr.

Mépriser. Non. Ce n'est pas la question. Rien de personnel.

Il y a quelque chose, en tout cas, dans le fait d'avoir traversé cette journée sans qu'elle soit un désastre complet. Ce qu'elle n'était pas, n'est-ce pas ? Elle avait dit peut-être. Il ne l'avait pas reprise.

Et il n'était pas impossible, non plus, que l'âge soit son allié, qui ferait d'elle quelqu'un qu'elle ne connaissait pas encore. Elle a vu cette expression sur le visage de certains vieillards – échoués sur une île déserte qu'ils ont choisie, le regard clair, satisfait.

Radicaux libres

Au début les gens téléphonaient pour s'assurer que Nita n'était pas trop déprimée, trop seule, ne mangeait pas trop peu ou ne buvait pas trop. (Elle avait pris tant de plaisir à boire du vin que beaucoup en oubliaient que l'alcool lui était désormais totalement interdit.) Elle les tenait en respect, sans se donner les airs d'une noble affliction, ni se montrer d'une gaieté forcée, lointaine ou désorientée. Elle disait qu'elle n'avait pas besoin qu'on fasse ses commissions, qu'elle n'avait pas encore épuisé ce qu'elle avait sous la main. Qu'elle ne manquait ni des médicaments qu'on lui avait prescrits, ni de timbres pour ses billets de remerciement.

Les meilleurs de ses amis soupçonnaient probablement la vérité, qu'elle ne prenait pas la peine de manger grand-chose et qu'elle jetait tous les mots de condoléances qu'elle recevait. Elle n'avait même pas écrit aux gens un peu éloignés, afin d'éviter de recevoir ce genre de correspondance. Pas même à la première épouse de Rich, en Arizona, ni au frère avec lequel il s'était à moitié brouillé, en Nouvelle-Écosse. Alors qu'ils auraient sans doute compris, peut-être mieux que les gens les plus proches, pourquoi elle avait eu recours à des non-funérailles de cette espèce.

Rich lui avait crié qu'il allait au bourg, chez le marchand de couleurs, il était autour de dix heures du matin – il avait entrepris de peindre la balustrade de la galerie. C'est-à-dire qu'il était en train de la gratter pour la préparer à recevoir la peinture et son vieux grattoir s'était cassé dans sa main.

Elle n'eut pas le temps de se demander pourquoi il était en retard. Il était mort et s'était effondré contre la pancarte qui annonçait une promotion sur les tondeuses à gazon devant la porte du magasin. Il n'avait même pas eu le temps d'y pénétrer. Il avait quatre-vingt-un ans et était en parfaite santé, en dehors d'un début de surdité du côté droit. Il était allé voir le médecin la semaine précédente. Nita n'allait pas tarder à apprendre que cette récente visite au médecin, cette assurance d'être en bonne santé, figurait dans un nombre surprenant des récits de mort subite auxquels il lui faudrait prêter l'oreille. Au point d'estimer qu'on serait bien avisé d'éviter ce genre de consultation.

Elle aurait dû tenir ce langage à ses amies les plus proches, les langues de vipères Virgie et Carol, qui n'étaient pas loin d'avoir son âge, soixante-deux ans. Les gens plus jeunes jugeaient ce style de discours peu convenable et destiné à faire diversion. Au début, ils étaient prêts à empiéter sur l'intimité de Nita. Ils n'allèrent pas tout à fait jusqu'à évoquer le travail de deuil mais elle craignit de les voir s'y mettre d'un instant à l'autre.

Sitôt qu'elle eut pris ses dispositions, tous, en dehors des vrais de vrais, s'empressèrent de disparaître. Le cercueil le moins coûteux, une mise en terre immédiate, sans la moindre cérémonie. Le croque-mort laissa entendre que c'était peut-être illégal mais Rich et elle s'étaient bien renseignés. Ils savaient leur affaire sur le bout des doigts depuis près d'un an quand le diagnostic de sa maladie à elle avait été confirmé.

« Comment aurais-je pu prévoir qu'il allait me brûler la politesse ? »

Les gens ne s'étaient pas attendus à un service traditionnel mais comptaient sur quelque chose d'un peu contemporain, une célébration de la vie, la diffusion de sa musique préférée, tout le monde se tenant par la main, racontant des anecdotes à l'avantage de Rich tout en évoquant avec humour ses petits travers et ses péchés véniels.

Le genre de trucs dont Rich disait qu'ils le faisaient gerber.

Ce fut donc aussitôt réglé et le remue-ménage, l'ambiance chaleureuse qui s'était répandue tout autour de Nita se dissipèrent, non sans que quelques personnes, imaginait-elle, continuent de dire qu'elles se faisaient du souci pour elle. Virgie et Carol n'étaient pas du nombre. Elles dirent seulement qu'elle était une fichue garce et une satanée égoïste si elle envisageait à présent de passer l'arme à gauche plus tôt qu'il n'était nécessaire. Elles reviendraient, dirent-elles, pour la ressusciter avec une bouteille de Grey Goose.

Elle déclara qu'elle ne l'envisageait pas, encore qu'elle y vît une certaine logique.

Elle connaissait pour l'heure une rémission de son cancer – quoi que cela puisse vouloir dire. Certainement pas que le mal battait en retraite. Pas pour de bon, en tout cas. Son foie est le principal théâtre d'opérations et tant qu'elle s'en tient à grignoter, il ne se manifeste pas. Cela ne ferait que déprimer ses amies de leur rappeler qu'elle ne peut pas boire de vin. Ni de vodka.

Les rayons du printemps dernier lui avaient fait du bien en définitive. Et l'on est désormais au mois d'août. Elle se trouve moins jaune à présent – mais cela veut peut-être seulement dire qu'elle s'est habituée.

Elle se lève tôt pour se laver et revêtir la première chose qui lui tombe sous la main. Mais enfin, elle s'habille, et elle se lave, et elle se brosse les dents et se peigne les cheveux, qui ont pas mal repoussé, gris autour du visage et bruns à l'arrière, comme ils étaient avant. Elle met du rouge à lèvres et se noircit les sourcils, qui sont très clairsemés à présent, et poussée par le respect qu'elle a toujours voué à la minceur de la taille et à l'étroitesse des hanches, elle vérifie où elle est arrivée dans ce domaine alors même qu'elle sait que le qualificatif qui s'applique aujourd'hui à toutes les parties de son corps est *décharné*.

Elle s'assied dans son vaste fauteuil habituel, entouré de tas de livres et de magazines qu'elle n'a pas ouverts. Elle avale précautionneusement de petites gorgées de la tisane faiblarde qui lui tient lieu de café désormais. Il fut un temps où elle croyait ne pas pouvoir vivre sans café mais il s'est avéré que c'est en réalité la chaleur de la grosse chope dont elle a besoin entre ses mains et qui l'aide à réfléchir, ou à pratiquer ce qu'on peut bien appeler comme on voudra, au long des heures, ou des jours, qui défilent.

Sa maison était celle de Rich. Il l'avait achetée quand il était avec son épouse, Bett. Elle n'était destinée qu'à être une maison de week-end, qu'on fermait en hiver. Deux chambres minuscules et une cuisine en appentis. À moins d'un kilomètre du bourg. Mais il n'avait pas tardé à se mettre au travail dessus, à apprendre la charpenterie, à bâtir une aile pour deux chambres avec salle de bains, une autre pour son bureau, et à abattre les cloisons de la maison originale pour en faire une cuisine-salon-salle à manger d'un seul tenant. Bett commença à s'y intéresser – elle avait dit au début qu'elle ne comprenait pas pourquoi il avait acheté cette cabane, mais les opérations d'aménagement l'avaient toujours séduite et elle acheta des tabliers de menuisier assortis. Elle avait besoin de se lancer dans quelque chose, ayant terminé et publié le livre de cuisine qui l'avait occupée pendant plusieurs années. Ils n'avaient pas d'enfants.

Et au moment même où Bett racontait aux gens qu'elle s'était trouvé un rôle dans la vie en devenant l'arpette d'un charpentier, et combien cela les avait rapprochés l'un de l'autre, elle et Rich, ce dernier était en train de tomber amoureux de Nita. Elle travaillait au bureau des archives de l'université où il enseignait la littérature médiévale. La première fois qu'ils avaient fait l'amour, c'était au milieu des copeaux et de la sciure de bois de ce qui allait devenir la pièce principale avec son plafond en plein cintre. Nita avait oublié ses lunettes de soleil – sans le faire exprès, ce que Bett, qui n'oubliait jamais rien, ne parvint pas à croire. Il s'ensuivit le tohu-bohu habituel, banal et douloureux, qui aboutit au départ de Bett pour la Californie, puis l'Arizona, au renvoi de Nita par le directeur des archives et au renoncement définitif de Rich à devenir doyen de la fac de lettres. Il prit une retraite anticipée et vendit la maison qu'il avait en ville. Nita n'hérita pas du plus petit des deux tabliers de menuisier mais se mit à lire ses livres avec bonne humeur au milieu du désordre, à préparer des repas rudimentaires sur un petit réchaud, à faire de longues promenades exploratoires dont elle rentrait avec des bouquets de lys tigrés et de carottes sauvages qu'elle fourrait dans des boîtes de peinture vides. Par la suite, quand Rich et elle furent un peu installés, elle se sentit plutôt gênée de la facilité avec laquelle elle avait accepté le rôle de la femme plus jeune, de l'insouciante briseuse de ménage, de l'agile ingénue rieuse et gaffeuse. En réalité, elle était une femme plutôt sérieuse, physiquement gauche, assez mal dans sa peau – pas du tout juvénile – qui pouvait réciter par cœur la liste des reines, pas seulement des rois mais des reines, d'Angleterre, et connaissait la guerre de Trente Ans sur le bout des doigts, mais qu'intimidait l'idée de danser en public et qui n'allait jamais apprendre, contrairement à Bett, à se tenir sur un escabeau.

Leur maison était flanquée d'une rangée de cèdres d'un côté et d'un talus de chemin de fer de l'autre. Le trafic ferroviaire n'avait jamais été important et ne devait guère à présent excéder deux trains par mois. Une végétation luxuriante avait envahi les voies. Un jour, alors qu'elle était aux abords de la ménopause, Nita avait taquiné Rich pour qu'ils aillent faire l'amour là-haut – pas sur les traverses, bien sûr, mais sur l'étroite bande d'herbe qu'il y avait entre elles, et ils en étaient redescendus fort contents d'eux-mêmes.

Elle pensait avec application, tous les matins en s'asseyant dans son fauteuil pour la première fois, aux endroits où Rich n'était pas. Il n'était pas dans la plus petite des deux salles de bains, où ses ustensiles de rasage se trouvaient encore, ainsi que les médicaments, prescrits pour diverses affections gênantes mais pas graves, qu'il se refusait à jeter. Il n'était pas non plus dans la chambre, où elle venait de mettre de l'ordre avant d'en sortir. Ni dans l'autre salle de bains, dans laquelle il n'avait jamais pénétré que pour prendre un bain. Ni dans la cuisine, qui était devenue surtout son domaine à lui, au cours de l'année écoulée. Il n'était évidemment pas dehors sur la galerie à moitié grattée, prêt à jeter un regard blagueur par la fenêtre – derrière laquelle, au début, il lui arrivait de faire mine d'entamer un strip-tease.

Ni dans le bureau. C'était là plus que dans toute autre pièce qu'il fallait établir le plus fermement son absence. Dans les premiers temps, elle avait éprouvé la nécessité d'aller jusqu'à la porte et de l'ouvrir et de se tenir sur le seuil, parcourant du regard les tas de papiers, l'ordinateur moribond, les dossiers qui répandaient leur contenu, les livres ouverts ou retournés, ainsi que ceux qui s'entassaient sur les étagères. À présent, elle pouvait se contenter de se représenter les choses en imagination.

Un de ces jours, il lui faudrait y entrer. Cela lui semblait une intrusion. Elle devrait faire intrusion dans l'esprit de son mari mort. C'était une chose qu'elle n'avait jamais envisagée. Rich lui avait paru un tel monument d'efficacité et de compétence, une présence si ferme et si vigoureuse, qu'elle avait toujours cru, contre toute raison, qu'il lui survivrait. Puis, au cours de la dernière année, cela avait entièrement cessé d'être une pensée un peu sotte pour devenir dans leur esprit à l'un comme à l'autre, ainsi qu'elle le pensait, une certitude.

Elle s'occuperait d'abord du cellier. C'était un vrai cellier, pas une cave. On y suivait un chemin de planches posé sur la terre battue, et les petites fenêtres en hauteur étaient drapées de toiles d'araignées poussiéreuses. Jamais elle n'avait eu besoin de ce qui était remisé là-dedans. Ce n'étaient que les boîtes de peinture à moitié vides de Rich, des planches de diverses longueurs qui pourraient servir un jour, des outils peut-être utilisables ou prêts pour la ferraille. Elle n'avait ouvert la porte et descendu les marches qu'une seule fois, pour vérifier qu'aucune lumière n'était restée allumée et s'assurer que tous les interrupteurs étaient là, étiquetés afin de lui dire ce qui commandait quoi. En remontant elle avait tiré le verrou sur la porte, selon son habitude, du côté de la cuisine. Rich se moquait de cette habitude chez elle, lui demandant ce qui pourrait bien s'introduire, à son idée, à travers les murs de pierre et les minuscules fenêtres, pour venir les menacer.

N'empêche que le cellier ferait un point de départ plus facile ; cent fois plus facile que le bureau. Certes, elle faisait le lit et nettoyait après son passage dans la cuisine ou la salle de bains, mais en général, l'élan pour entreprendre un grand ménage de toute la maison était au-delà de ses forces. C'était tout juste si elle pouvait jeter un trombone tordu ou un magnet de réfrigérateur qui avait perdu son aimantation, sans parler de la soucoupe de pièces de monnaie irlandaises qu'elle et Rich avaient rapportées d'un voyage quinze ans auparavant. Chaque objet semblait avoir acquis un poids et une étrangeté qui lui étaient propres.

Carol ou Virgie téléphonaient tous les jours, d'ordinaire vers l'heure du dîner, quand elles pensaient sans doute que sa solitude risquait d'être le moins supportable. Elle disait qu'elle allait bien, qu'elle sortirait de son repaire bientôt, qu'il lui fallait seulement un peu de temps, qu'elle le passait à réfléchir et à lire. Et qu'elle mangeait bien, et qu'elle dormait.

C'était vrai, d'ailleurs, sauf pour la lecture. Assise sur son fauteuil entourée de ses livres elle n'en ouvrait pas un seul. Elle qui avait toujours été une si grande lectrice – c'était une des raisons, disait Rich, pour lesquelles elle était la femme qu'il lui fallait, capable de s'asseoir pour lire et de lui fiche la paix – elle ne pouvait pour l'heure même pas tenir plus d'une demi-page.

Et elle n'était pas non plus du genre à se satisfaire d'une seule lecture. *Les Frères Karamazov*, *Le Moulin sur la Floss*, *Les Ailes de la colombe*, *La Montagne magique*, elle les avait lus et relus, et lus encore. Elle en prenait un, pensant y relire seulement tel passage particulier – et se découvrait incapable de s'arrêter avant d'avoir redigéré le tout. Elle lisait aussi des romans modernes. Toujours des romans. Elle détestait entendre le mot «évasion» appliqué à la fiction. Elle aurait pu soutenir, et pas seulement pour rire, que c'était la vraie vie qui était l'évasion. Mais c'était trop important pour en discuter.

Et voilà, quelle étrangeté, que tout cela avait disparu. Pas seulement avec la mort de Rich. Mais avec son immersion à elle dans la maladie. Elle avait alors songé que ce changement était provisoire et que la magie réapparaîtrait, une fois qu'elle aurait cessé de prendre certains médicaments et de suivre des traitements épuisants.

Apparemment pas.

Parfois elle tentait de s'en expliquer face à un inquisiteur imaginaire.

«Je suis trop occupée.

– C'est ce que tout le monde dit. Occupée à faire quoi?

– À faire attention.

– À quoi?

– Je veux dire à réfléchir.

– À quel sujet?

– Qu'importe.»

Un matin, après avoir passé un moment sur son fauteuil, elle jugea que la journée s'annonçait très chaude. Il allait falloir qu'elle se lève pour allumer les ventilateurs. Ou alors, avec plus de respect pour l'environnement, essayer d'ouvrir la porte d'entrée et celle de derrière afin que le vent circule, s'il y en avait, dans toute la maison.

Elle ouvrit la porte d'entrée d'abord. Et avant même d'avoir laissé le temps de se montrer à deux centimètres de lumière matinale, elle perçut une bande sombre qui bloquait cette lumière.

Un jeune homme se tenait devant la porte moustiquaire dont le crochet était mis.

« Je ne voulais pas vous faire peur, dit-il. Je cherchais, une sonnette, un truc, je sais pas. J'ai frappé sur le cadre, là, mais vous avez pas dû m'entendre.

– Pardon, dit-elle.

– Je viens jeter un œil à votre boîte de fusibles. Pourriez-vous me dire où elle est ? »

Elle s'écarta pour qu'il entre. Il lui fallut un instant avant de se rappeler.

« Oui. À la cave, dit-elle. Je vais allumer la lumière. Vous la verrez. »

Il ferma la porte derrière lui et se courba pour ôter ses chaussures.

« Ce n'est pas la peine, dit-elle. Ce n'est pas comme s'il pleuvait.

– Autant le faire quand même. C'est mon habitude. Je risquerais de salir même s'il y a pas de boue. »

Elle alla à la cuisine, incapable de s'asseoir tant qu'il serait dans la maison.

Elle lui ouvrit la porte quand il remonta les marches.

« Alors ? s'enquit-elle. Vous n'avez pas eu de mal à la trouver ?

– Tout baigne. »

Elle le reconduisit vers l'entrée, puis se rendit compte de l'absence de bruits de pas derrière elle. Elle se retourna et le vit debout dans la cuisine.

« Vous ne pourriez pas me préparer un petit quelque chose à manger, par hasard ? »

Sa voix avait changé – une fêlure, une tonalité plus aiguë, qui lui rappela les accents geignards qu'affectent les comédiens de la télévision quand ils jouent un paysan. Sous le Velux de la cuisine, elle vit qu'il n'était pas si jeune que ça. Quand elle lui avait ouvert, elle n'avait perçu que sa maigreur et un visage obscurci par le contre-jour. Ce corps, elle le voyait à présent, était certes maigre, mais plus hâve que juvénile, affectant une décontraction qui se voulait sympathique.

Le visage était long et caoutchouteux, avec des yeux bleu pâle proéminents. L'air rigolard, mais avec quelque chose d'opiniâtre, comme s'il obtenait généralement ce qu'il voulait.

«Vous comprenez, c'est que je suis diabétique, dit-il. Je sais pas si vous en connaissez, des diabétiques, mais le fait est que dès qu'on a faim faut qu'on mange, sans quoi c'est tout l'organisme qui devient bizarre. Si j'aurais mangé avant de venir, mais j'étais à la bourre. Ça vous dérange pas que je m'assoye?»

Il était déjà en train de s'asseoir à table.

«Vous avez du café?

– J'ai de la tisane. Ça vous dirait, de la tisane?

– Tout à fait. Tout à fait.»

Elle mit une dose de tisane dans une tasse, brancha la bouilloire et ouvrit le réfrigérateur.

«Je n'ai pas grand-chose, dit-elle. J'ai des œufs. De temps en temps, je me fais un œuf brouillé arrosé de ketchup. Ça vous irait? J'ai des petits pains à l'anglaise que je peux faire griller.

– À l'anglaise, à l'irlandaise, à l'urcranienne, je m'en fiche.»

Elle cassa deux œufs dans la poêle, creva les jaunes et remua le tout avec une fourchette de cuisine puis trancha un petit pain qu'elle mit à griller. Elle prit une assiette dans le placard, la posa devant lui. Puis un couteau et une fourchette dans le tiroir à couverts.

«Jolie assiette», dit-il en la tenant devant lui comme pour y voir son reflet. À l'instant où elle reportait son attention sur les œufs, elle l'entendit se fracasser par terre.

«Oh mince alors, dit-il d'une voix nouvelle, nasillarde et indiscutablement malveillante. Visez un peu ce que j'ai fait.

– Ce n'est rien, tout va bien, dit-elle, convaincue désormais que tout allait mal.

– L'a dû me glisser entre les doigts.»

Elle prit une autre assiette, la déposa sur le comptoir en attendant d'y mettre les deux tranches du petit pain grillé puis les œufs aspergés de ketchup.

Il s'était baissé, pendant ce temps-là, pour ramasser les morceaux de porcelaine. Il en brandit un qui s'était brisé en pointe aiguë. Alors qu'elle posait le repas sur la table, il gratta légèrement de cette pointe son avant-bras nu. De minuscules gouttes de sang y perlèrent, d'abord séparées, puis qui se joignirent et formèrent un filet.

«C'est rien, dit-il. C'est juste pour rigoler. Je sais le faire rien que pour rigoler. Si j'avais voulu le faire pour de vrai, on aurait pu se passer du ketchup, hein?»

Il restait encore sur le plancher quelques éclats qu'il avait négligés. Elle se détourna, songeant à aller chercher le balai dans un placard près de la porte de derrière. Il la saisit par le bras en un éclair.

«Asseyez-vous. Asseyez-vous là pendant que je mange.» Il souleva son bras ensanglanté pour le lui montrer de nouveau. Puis avec les œufs et le petit pain il se fit un sandwich, qu'il eut bientôt avalé en quelques bouchées. Il mangeait la bouche ouverte. L'eau bouillait dans la bouilloire. «Le sachet est dans la tasse? demanda-t-il.

– Oui. Enfin, c'est de la tisane en vrac.

– Bougez pas. Je tiens pas à ce que vous preniez cette bouilloire, vous pigez?»

Il versa de l'eau bouillante dans la tasse.

«On dirait du foin. C'est tout ce que vous avez?

– Oui, je m'excuse.

– Arrêtez de vous excuser. Si c'est tout ce qu'y a c'est tout ce qu'y a. Vous avez pas cru une seconde que je venais jeter un œil à vos fusibles.

– Ma foi si, dit Nita. Je l'ai cru.

– Plus maintenant.

– Non.

– Z'avez peur?»

Elle choisit de considérer qu'il ne s'agissait pas d'une moquerie mais d'une question sérieuse.

«Je ne sais pas. Je suis plus surprise qu'effrayée, il me semble. Je ne sais pas.

– Un truc. Y a un truc que vous devez pas avoir peur. Je vais pas vous violer.

– Je dois dire que je n'y pensais pas.

– On peut jamais savoir. » Il aspira une gorgée de tisane et fit la grimace. « Juste parce que vous êtes vieille. On voit de tout dans le coin, y en a qui sauteraient n'importe quoi. Des bébés, ou des chiens ou des chats ou des vieilles. Des vieux. Y font pas la fine bouche. Eh ben moi, si. Ça m'intéresse pas de le faire si c'est pas normal et avec une jolie personne qui me plaît et qui m'a à la bonne. Alors soyez tranquille. »

Et Nita : « Je suis tranquille. Merci en tout cas de me le dire. »

Il haussa les épaules, mais parut content de lui.

« C'est votre bagnole, là, devant ?

– Celle de mon mari.

– Votre mari ? Où qu'il est ?

– Il est mort. Je ne conduis pas. Je compte la vendre mais ce n'est pas encore fait. »

Quelle idiote, quelle idiote de lui raconter ça.

« Elle est de 2004 ?

– Je crois. Oui.

– J'ai cru une minute que vous alliez m'enfumer avec cette histoire de mari. Ça aurait pas pris, d'ailleurs. Je les renifle, moi, les femmes seules. Je le sais à la minute que j'entre dans une maison. À la minute qu'elles ouvrent la porte. L'instinct. Et alors, elle marche bien ? Vous savez la dernière fois qu'il a roulé avec ?

– Le 17 juin. Le jour où il est mort.

– Y a de l'essence, dedans ?

– Normalement, oui.

– Ce serait chouette qu'il ait fait le plein juste avant. Z'avez les clés ?

– Pas sur moi. Je sais où elles sont.

– Bon. » Il poussa sa chaise en arrière, elle heurta un des éclats de porcelaine. Il se leva, secoua la tête comme si quelque chose l'avait surpris, se rassit.

« Je suis lessivé. Faut que je m'assoye une minute. J'ai cru que ça irait mieux après manger. C'était du baratin mon histoire de diabétique. »

Elle repoussa son siège et il bondit.

« Restez où vous êtes. Quand je dis lessivé, pas au point de pas pouvoir vous rattraper. C'est juste parce que j'ai marché toute la nuit.

– C'était pour aller chercher les clés.

– Attendez que je vous le dise. J'ai longé la voie du chemin de fer. J'ai fait tout le trajet jusqu'ici sans voir un seul train.

– Il n'y en a pour ainsi dire jamais.

– Ouais. Tant mieux. Je descendais sur le côté pour contourner certaines de ces petites villes à la manque. Après il a fait jour et ça pouvait encore aller sauf quand la voie traversait la route et que je devais courir. Après j'ai jeté un coup d'œil par ici, j'ai vu la maison et la bagnole et je me suis dit : "Ça y est." J'aurais pu prendre la bagnole à mon vieux mais j'ai quand même encore un peu de cervelle. »

Elle savait qu'il avait envie qu'elle lui demande ce qu'il avait fait. Elle était sûre en même temps que moins elle en saurait, mieux cela vaudrait pour elle.

Puis pour la première fois depuis qu'il était entré dans la maison, elle pensa à son cancer. À quel point il la libérait, la mettait hors de danger.

« Qu'est-ce que vous avez à sourire ?

– Je ne sais pas. Je souriais ?

– Je parie que vous aimez entendre des histoires. Vous voulez que je vous en raconte une ?

– J'aimerais peut-être mieux que vous partiez.

– Je vais partir. D'abord, je vous raconte une histoire. »

Il mit la main dans une poche arrière. « Tenez. Vous voulez voir une photo ? Tenez. »

C'était la photo de trois personnes, prise dans un salon dont les rideaux à fleurs fermés formaient la toile de fond. Un vieil homme – pas vraiment vieux, peut-être sexagénaire – et une femme du même âge étaient assis sur un canapé. Une énorme femme plus jeune était installée dans un fauteuil roulant collé contre une des extrémités du canapé, un peu en avant de celui-ci. Le vieux était lourd, les cheveux gris, les yeux un peu rétrécis, et la bouche entrouverte comme s'il avait les bronches congestionnées, mais il souriait de son mieux. La sexagénaire était beaucoup plus petite, elle avait les cheveux teints en brun, du rouge à lèvres et ce qu'on appelait autrefois une chemise paysanne, avec de petits nœuds rouges aux poignets et au col. Elle souriait avec détermination, voire un rien de frénésie, ses lèvres étirées cachant peut-être de mauvaises dents.

Mais c'était la femme plus jeune qui monopolisait la photo. Bien distincte et monstrueuse dans son boubou de couleur vive. Sa chevelure brune coiffée en une série de bouclettes tout autour du front, les joues affaissées jusque dans le cou. Et malgré toute cette chair boursouflée, une expression rusée trahissant une certaine satisfaction.

«C'est ma mère et c'est mon père. Et ça, c'est ma sœur Madelaine. Dans le fauteuil roulant.

«Elle est née comme ça. Y a pas un docteur ni personne qu'aurait pu quelque chose pour elle. Et elle bouffait comme un porc. On a jamais pu se blairer tous les deux aussi loin que je m'en rappelle. Elle avait cinq ans de plus que moi et elle avait décidé de me torturer, voilà. Elle me balançait tout ce qui lui passait sous la main et elle me renversait et essayait de me rouler dessus avec son putain de fauteuil à roulettes. Si vous escusez l'espression.

– Ça a dû être dur pour vous. Et dur pour vos parents.

– Tu parles. Ils ont pris les choses par le bon bout. Ils allaient à une église, vous voyez, où que le pasteur leur disait qu'elle était un don de Dieu. Ils l'emmenaient avec eux à l'église. Alors elle, elle se mettait à hurler, putain, des miaulements comme une saloperie de chatte en chaleur dans la cour et ils disaient : "Oh, elle essaye de chanter, oh, Dieu la bénisse", putain! Je m'escuse, hein, encore une fois, d'être grossier.

«Alors j'ai jamais trop cherché à rester à la maison, vous voyez, je suis parti faire ma vie dehors. Ça baigne, je me disais, je vais pas traîner dans cette merde. J'ai fait ma vie. J'avais du boulot. J'ai presque toujours eu du boulot. Je suis jamais resté sur mon cul à picoler aux frais de l'État. Sur mon derrière, pardon. Jamais j'ai demandé un sou à mon vieux. Je te goudronnais un toit par des trente-cinq degrés à l'ombre ou j'allais laver par terre dans des vieux restaus pourris ou faire le mécano pour une saleté d'escroc de garagiste. Je le faisais. Mais j'étais quand même pas prêt à me laisser toujours marcher sur les pieds, alors je restais jamais longtemps dans un emploi. La façon que les gens ont de marcher sur les pieds des personnes comme moi, je pouvais pas supporter. Je suis d'une famille respectable. Mon père a bossé jusqu'à ce qu'y devienne trop malade pour continuer, il était chauffeur de car. On m'a pas appris à me laisser marcher sur les pieds. Mais bref… oublions ça. Ce que mes parents m'avaient toujours dit, c'est : "La maison est à toi. Entièrement payée et en bon état et elle est à toi." Voilà ce qu'ils me disaient. "On sait que t'en as bavé ici quand t'étais jeune et que si t'en avais pas tellement bavé, t'aurais pu faire des études, alors on veut rattraper le coup pour toi du mieux qu'on pourra." Et puis voilà qu'y a pas longtemps, j'ai mon père au téléphone et il me dit : "Je suis sûr que tu comprends le marché." Alors moi : "Quel marché ?" Et lui : "C'est un marché à la seule condition que tu signes les papiers pour dire que tu t'occuperas de ta sœur tant qu'elle vivra. C'est chez toi seulement si c'est aussi chez elle", qu'il me dit.

« Bon Dieu de merde. J'avais encore jamais entendu ça. J'avais jamais entendu dire qu'y aurait un marché. J'avais toujours cru que l'idée c'était qu'à leur mort elle irait dans un foyer. Et sûrement pas dans le mien.

« Alors j'ai dit à mon vieux que c'était pas comme ça que j'avais compris les choses. Et lui, il répond que tout est finalisé aux petits oignons, que j'ai plus qu'à signer et que si je veux pas, je suis pas obligé. "Ta tante Rennie sera là pour t'avoir à l'œil, et que quand on sera plus là tu comprends tu respectes tes engagements."

« Ben voyons, ma tante Rennie. C'est la plus jeune sœur de ma mère. Et c'est une vraie peau de vache.

« En tout cas c'est ce qu'il dit : "Ta tante Rennie t'aura à l'œil", et là je change d'un seul coup. Je dis : "Bon, c'est comme ça quoi et après tout je trouve que c'est juste. D'accord. D'accord, ça vous va que je vienne déjeuner avec vous dimanche ?"

« Bien sûr, qu'il dit. Je suis content que tu voies les choses comme ça. Tu démarres toujours au quart de tour, qu'il dit, à ton âge il serait temps que tu deviennes raisonnable.

« C'est drôle que tu dises ça, que je me dis en moi-même.

« Et donc j'y vais et maman avait fait du poulet. Ça sent bon quand j'entre. Et puis je sens l'odeur de Madelaine, toujours cette même odeur dégueulasse que je sais pas ce que c'est mais que même si maman la lave tous les jours ça change rien. N'empêche, je fais celui qu'est bien gentil. Je dis : "C'est un grand moment, faut faire une photo." Je leur explique que j'ai un nouvel appareil formidable qui développe tout de suite et qu'y pourront voir la photo. Comme ça tout de suite, instantané, tu peux te voir. Qu'est-ce que vous dites de ça ? Et je les fais tous asseoir au salon comme je vous ai montré. Maman elle dit : "Dépêche-toi faut que je retourne à la cuisine." Y en a pour une seconde, que je dis. Alors je prends la photo et elle dit : "Allez, montre-nous voir de quoi qu'on a l'air", et je fais : "Attends, un peu de patience, y en a pour une minute." Et pendant qu'ils attendent de voir de quoi ils ont l'air, je sors mon joli petit flingue et pim-pam-poum vas-y que je te les dégomme. Et puis je prends une autre photo et je vais à la cuisine et je bouffe un peu de poulet et je les regarde plus du tout. Je m'étais un peu attendu à ce que tante Rennie soit là aussi. Mais maman avait dit qu'elle avait un truc à faire à l'église. Je l'aurais dégommée aussi, à l'aise. Alors visez un peu. Avant et après. »

La tête du vieux était tombée sur le côté, celle de la vieille en arrière. Les coups de feu avaient effacé leur expression. La sœur était tombée en avant de sorte qu'on ne voyait plus son visage, seulement ses gros genoux sous le tissu à fleurs et sa tête brune avec cette coiffure compliquée et démodée.

« J'étais si jouasse que j'aurais aussi bien pu rester là une semaine. Tellement que j'étais détendu. Mais j'ai seulement attendu qu'il fasse noir. J'ai vérifié que je m'étais bien nettoyé et j'ai fini le poulet et je me suis dit que j'avais intérêt à me tirer. J'étais prêt à ce que tante Rennie s'amène mais mon humeur avait changé par rapport à avant et je savais que je devrais me remotiver pour la dégommer. J'en avais plus envie quoi. D'abord et d'une j'avais l'estomac trop plein, c'était un gros poulet. Je l'avais bouffé en entier au lieu d'en envelopper une partie pour l'emporter parce que j'avais peur que les chiens le flairent et se mettent à aboyer quand je repartirais par les petites rues de derrière comme j'avais prévu. Je pensais qu'avec tout le poulet que j'avais avalé j'étais paré pour une semaine. Et puis vous avez vu comme j'avais les crocs quand je suis arrivé chez vous. »

Il jeta un regard circulaire sur la cuisine. « Je pense pas que vous ayez quoi que ce soit à boire, ici, hein ? Cette tisane était dégueulasse.

— Il y a peut-être du vin, dit-elle. Je ne sais pas, je ne bois plus…

— Vous êtes aux Alcooliques Anonymes ?

— Non. Ça me réussit plus, c'est tout. »

Elle se leva et constata que ses jambes tremblaient. Pas étonnant.

« Je me suis occupé de la ligne téléphonique avant d'entrer, dit-il. Autant vous le dire tout de suite. »

Deviendrait-il plus insouciant et plus tranquille à mesure qu'il boirait, ou au contraire plus méchant et plus fou ? Comment l'aurait-elle su ? Elle trouva le vin sans avoir à quitter la cuisine. Elle et Rich buvaient du vin rouge tous les jours, avec modération, parce que c'était censé être bon pour le cœur. Ou mauvais pour quelque chose qui n'était pas bon pour le cœur. Dans sa frayeur et son trouble, elle fut incapable de se rappeler comment ça s'appelait.

Parce qu'elle avait peur. Sans aucun doute. L'idée de son cancer ne lui était d'aucun secours en l'occurrence, absolument aucun. Le fait qu'elle allait mourir d'ici un an refusait d'annuler le fait qu'elle risquait de mourir dans l'immédiat.

Il dit : « Dites donc, c'est du bon. Pas du capsulé. Vous avez pas de tire-bouchon ? »

Elle se dirigea vers un tiroir mais il se leva d'un bond pour l'écarter, pas trop brutalement.

« Non, non, je vais le prendre. Vous approchez pas de ce tiroir. Ben mince, y en a des bons ustensiles là-dedans. » Il posa les couteaux sur sa chaise, où elle n'avait aucune chance de les saisir, et se servit du tire-bouchon. Elle ne manqua pas de noter quel fâcheux instrument il pouvait devenir entre les mains de ce type mais il n'existait pas la moindre possibilité qu'elle fût elle-même capable de s'en servir.

« Je me lève seulement pour aller chercher des verres », dit-elle, mais lui dit que non.

« Pas de verre. Vous avez des gobelets en plastique ?

— Non.

— Des tasses, alors. Je vous ai à l'œil. »

Elle posa les deux tasses sur la table et dit : « Un tout petit peu seulement pour moi.

— Moi pareil, fit-il avec le plus grand sérieux. Je conduis. » Mais il emplit sa tasse à ras bord. « Je tiens pas à ce qu'un flic me regarde sous le nez pour voir comment je me sens.

— Les radicaux libres, dit-elle.

— Quoi, qu'est-ce que vous racontez ?

— C'est à propos du vin rouge. Soit il les détruit parce qu'ils sont mauvais, soit il les augmente parce qu'ils sont bons, je ne me rappelle plus. »

Elle aspira une gorgée de vin et cela ne lui donna pas la nausée, contrairement à ce à quoi elle s'attendait. Il but, toujours debout. Elle dit : « Faites attention à ces couteaux en vous asseyant.

— Essayez pas de rigoler avec moi. »

Il reprit les couteaux, les remit dans le tiroir et s'assit.

« Vous me prenez pour un con ? Vous croyez que je suis inquiet ? »

Elle prit un grand risque. Elle dit : « Je crois seulement que vous n'aviez encore jamais fait une chose pareille.

— Bien sûr que non. Vous me prenez pour un assassin ? D'accord, je les ai tués, mais je suis pas un assassin.

— Nuance, dit-elle.

— Et comment.

— Je connais ça. Je sais ce que ça fait de se débarrasser d'une personne qui vous a fait du tort.

— Ah ouais ?

— J'ai fait la même chose que vous.

— Mon œil. »

Il repoussa sa chaise mais ne se leva pas.

« Vous n'êtes pas obligé de me croire, dit-elle. Mais je l'ai fait.

— Ben voyons. Et comment que vous vous y êtes prise ?

— Du poison.

— Qu'est-ce que vous me chantez ? En leur refilant de votre putain de tisane, ou quoi ?

— En lui refilant, c'était une femme. Ça n'a rien à voir avec la tisane. Elle est censée prolonger la vie.

– J'ai aucune envie de la prolonger si c'est pour boire encore de cette foutue saloperie. On peut détecter le poison dans un cadavre après la mort, de toute manière.

– Je ne suis pas sûre que ce soit vrai de tous les poisons végétaux. De toute façon, personne ne se serait avisé d'en chercher. C'était une de ces femmes qui ont fait du rhumatisme articulaire dans leur enfance et traînent les séquelles toute leur vie, incapables de faire du sport ou quoi que ce soit d'autre, d'ailleurs. Toujours obligée de s'asseoir pour se reposer. Sa mort ne surprendrait pas grand monde.

– Qu'est-ce qu'elle avait bien pu vous faire ?

– C'était la femme dont mon mari était amoureux. Il allait me quitter pour l'épouser. Il me l'avait dit. J'avais tout fait pour lui. On travaillait à cette maison ensemble, il était tout ce que j'avais. Nous n'avions pas eu d'enfants parce qu'il n'en voulait pas. J'ai appris la charpenterie alors que j'avais peur de monter à l'échelle mais je l'ai fait. Il était toute ma vie. Et il allait me larguer pour cette pleurnicheuse sans intérêt qui travaillait aux archives. Le résultat de toute une vie de travail, c'était elle qui allait le récolter. Vous trouvez ça juste ?

– Comment qu'on pourrait se procurer du poison ?

– Je n'ai pas eu à m'en procurer. Il était là dans le jardin. Juste là, derrière. Il y avait un carré de rhubarbe depuis des années. Il y a un poison parfait dans les veines des feuilles de rhubarbe. Pas dans les tiges. Ce sont les tiges que nous mangeons. Elles sont très bonnes. Mais les minces veines rouges qu'il y a dans les grandes feuilles de rhubarbe sont vénéneuses. Je le savais, mais je dois avouer que je ne savais pas exactement ce qui était nécessaire pour que ce soit efficace, de sorte que ce que j'ai fait tenait plutôt d'une espèce d'expérience. La chance m'a souri de plusieurs façons. D'abord, mon mari était parti pour un congrès à Minneapolis. Il aurait pu l'emmener, bien sûr, mais c'étaient les vacances d'été et, étant la plus récemment engagée, elle devait assurer la permanence au bureau en l'absence de ses collègues. Autre chose, elle aurait pu ne pas y être absolument seule, quelqu'un d'autre aurait pu rester aussi. Sans compter qu'elle aurait pu se méfier de moi. J'ai dû supposer qu'elle ne savait pas que je savais et me croyait encore son amie. Elle avait été invitée chez nous, nos rapports étaient amicaux. Mon mari était du genre à remettre toujours les choses au lendemain, j'ai dû parier sur l'idée qu'il m'en avait parlé pour voir comment je le prenais mais sans lui dire à elle qu'il l'avait fait. Mais alors, vous me direz, pourquoi se débarrasser d'elle? Peut-être qu'il hésitait encore entre nous deux?

« Non. Il aurait continué avec elle d'une façon ou d'une autre. Et même s'il n'en faisait rien, elle avait empoisonné notre vie. Elle avait empoisonné ma vie alors il fallait que j'empoisonne la sienne.

« J'ai confectionné deux tartelettes. L'une contenait les veines empoisonnées et l'autre pas. J'avais évidemment marqué celle-là. Je suis allée à l'université en voiture, j'ai pris deux gobelets de café et je suis allée dans son bureau. Personne, elle était seule. Je lui ai raconté que j'avais eu à faire en ville et qu'en passant devant le campus, j'avais vu la bonne petite boulangerie dont mon mari vantait toujours le café et les gâteaux, et que j'y étais donc allée pour acheter deux tartelettes et deux tasses de café. En pensant qu'elle était toute seule alors que les autres étaient en vacances et moi toute seule parce que mon mari était à Minneapolis. Elle a été très gentille et reconnaissante. Elle a dit qu'elle s'ennuyait beaucoup, que la cafète était fermée de sorte qu'il fallait aller jusqu'au bâtiment des sciences chercher un café, qui était d'ailleurs fait à l'acide chlorhydrique. Hi, hi. On a donc pris notre petit goûter.

– Je déteste la rhubarbe, dit-il. Ç'aurait pas marché avec moi.

– Ça a marché avec elle. J'ai dû prendre le risque que ça agisse vite, avant qu'elle se rende compte de ce qui n'allait pas et se fasse faire un lavage d'estomac. Mais pas assez vite pour qu'elle associe la chose avec moi. Il fallait que je disparaisse et c'est ce que j'ai fait. Le bâtiment était désert et autant que je sache, personne ne m'avait vue arriver et ne me vit repartir. Évidemment, je connaissais un certain nombre de sorties discrètes.

– Vous vous trouvez maligne. Vous vous en êtes tirée à bon compte.

– Mais vous aussi.

– Moi, ce que j'ai fait, c'était moins par en dessous que vous.

– C'était une nécessité pour vous.

— Et comment !

— Et moi, c'était une nécessité pour moi. J'ai sauvé mon ménage. Il a fini par comprendre que ça n'aurait jamais marché avec elle de toute manière. Elle serait tombée malade et il l'aurait eue sur les bras, c'est presque certain. C'était bien le genre. Elle n'aurait été qu'un fardeau pour lui. Il s'en est rendu compte.

— Faudrait mieux pas que vous ayez mis quelque chose dans les œufs, dit-il. Parce que vous risqueriez de le regretter.

— Bien sûr que non. Je n'ai aucune envie de faire ça. C'est pas une chose qu'on recommence régulièrement. En fait je n'y connais rien aux poisons, c'est le hasard qui a voulu que je connaisse ce détail. »

Il se leva si brusquement qu'il renversa la chaise sur laquelle il était assis. Elle remarqua qu'il ne restait plus guère de vin dans la bouteille.

« Il me faut les clés de la bagnole. »

L'espace d'un instant elle fut incapable de penser.

« Les clés de la bagnole. Où vous les avez mises ? »

Ça pouvait arriver. Dès qu'elle lui aurait donné les clés ça pouvait arriver. Cela arrangerait-il un peu les choses de lui dire qu'elle était en train de mourir d'un cancer ? Idiote. Ça n'arrangerait rien du tout. Sa mort d'un cancer dans l'avenir ne l'empêcherait pas de parler le jour même.

« Personne ne sait ce que je vous ai raconté, dit-elle. Vous êtes la seule personne à qui je l'aie raconté. »

Pour ce que ça allait changer ! La totalité de cet avantage qu'elle venait de lui offrir lui était probablement passée au-dessus de la tête.

« Personne ne le sait pour l'instant », dit-il. Et elle songea, Dieu soit loué. Il est sur la bonne voie. Il se rend compte. Est-ce qu'il se rend compte ?

Dieu soit loué, peut-être.

« Les clés sont dans la théière bleue.

— Où ? Où qu'elle est, cette putain de théière bleue ?

— Au bout du comptoir… le couvercle a été cassé, alors on s'en servait comme vide-poche…

— Ta gueule ! Fermez-la où je vous la fais fermer pour de bon. » Il essaya d'enfoncer le poing dans la théière bleue mais il n'entrait pas.

«Putain de putain de merde!» cria-t-il, et retournant la théière, il la cogna sur le comptoir de sorte que ce ne furent pas seulement les clés de la voiture et celles de la maison et diverses pièces de monnaie et une liasse de coupons des magasins Canadian Tire qui tombèrent sur le plancher mais encore des morceaux de faïence bleue.

«Celles qui sont attachées avec un cordon rouge», dit-elle d'une voix étranglée.

Il balança des coups de pied à gauche et à droite pendant un moment avant de ramasser les bonnes clés.

«Alors qu'est-ce que vous allez dire pour la bagnole? demanda-t-il. Que vous l'avez vendue à un inconnu? Pas vrai?»

L'importance de ces derniers mots ne lui apparut pas aussitôt. Après quoi la pièce trembla. «Merci», dit-elle, mais elle avait la bouche si sèche qu'elle douta d'avoir proféré le moindre son. Si, pourtant, puisqu'il dit: «Me remerciez pas encore.»

«J'ai une bonne mémoire, dit-il. Ma mémoire est bonne et elle dure longtemps. Arrangez-vous pour que cet inconnu me ressemble pas du tout. Vous voudriez pas qu'ils s'avisent d'aller dans un cimetière déterrer un cadavre? Rappelez-vous bien, si vous dites un seul mot de trop, je dirai un mot, moi aussi.»

Elle garda les yeux baissés. Sans remuer ni parler, se contentant de fixer des yeux les objets qui jonchaient le plancher.

Parti. La porte refermée. Mais elle restait figée sur place. Elle avait envie de fermer la porte à clé mais ne put esquisser un geste. Elle entendit le moteur démarrer, puis s'arrêter. Quoi, encore? Il était si agité qu'il devait tout faire de travers. Puis de nouveau le démarreur, le moteur, un demi-tour. Les pneus sur le gravier. Elle alla en tremblant jusqu'au téléphone pour constater qu'il avait dit la vérité: pas de tonalité. À côté du téléphone, il y avait une de leurs nombreuses bibliothèques. Celle-là renfermait surtout de vieux volumes, des volumes qui n'avaient pas été ouverts depuis des années. Il y avait *L'Autre Avant-Guerre*. Albert Speer. Des livres de Rich.

Célébration des fruits et des légumes les plus connus. Petits plats roboratifs et élégants et surprises fraîcheur, assemblés, goûtés et créés par Bett Underhill.

Une fois qu'ils eurent terminé la cuisine, Nita avait pendant un certain temps commis l'erreur d'essayer d'imiter les talents de cuisinière de Bett. Pas très longtemps, parce qu'il s'était avéré que Rich n'avait pas envie qu'on lui rappelle tous ces chichis, et qu'elle-même n'avait pas assez de patience pour émincer et mitonner tant de produits. Mais elle avait appris deux ou trois choses qui la surprenaient. Comme les poisons que renfermaient certaines plantes familières et généralement inoffensives.

Elle aurait dû écrire à Bett.

Chère Bett, Rich est mort et j'ai sauvé ma propre vie en devenant toi.

Qu'est-ce que cela peut faire à Bett qu'elle ait sauvé sa vie ? Il n'y a qu'une personne à qui cela vaudrait vraiment le coup de le raconter.

Rich. Rich. Voilà qu'à présent il lui manque pour de bon, voilà qu'elle sait ce que ça fait. Comme si le ciel se vidait d'un coup de tout son air.

Elle aurait dû aller au village. Il y a un poste de police à l'arrière de la mairie.

Elle aurait dû se procurer un téléphone portable.

Elle était si secouée, si profondément fatiguée qu'elle pouvait à peine remuer le pied. Il fallait avant tout qu'elle se repose.

Elle fut éveillée par des coups frappés à sa porte qui n'était toujours pas fermée à clé. C'était un policier, pas celui du village mais un agent de la police de la route. Il lui demanda si elle savait où était sa voiture.

Elle regarda le rectangle de gravier sur lequel elle avait été garée.

« Elle n'est plus là, dit-elle. C'est là, qu'elle était.

— Vous ne saviez pas qu'on vous l'avait volée ? Quand l'avez-vous vue pour la dernière fois ?

— Ça devait être hier soir.

— Les clés étaient dessus ?

— J'imagine que oui.

— Je dois vous dire qu'elle a eu un grave accident, un accident n'impliquant aucun autre véhicule, entre ici et Wallenstein. Le conducteur est tombé dans le fossé et l'a complètement détruite. Et ce n'est pas tout. Il est recherché pour un triple meurtre. En tout cas, c'est la dernière chose que nous ayons apprise. Un triple meurtre à Mitchellston. Vous avez eu de la chance de ne pas le rencontrer.

– Il est blessé ?

– Mort. Sur le coup. Il a eu ce qu'il méritait. »

Après quoi, il lui fit la leçon, fermement mais non sans gentillesse. Laisser les clés sur le tableau de bord. Une femme qui vit seule. De nos jours on ne sait jamais.

On ne sait jamais.

Visage

Je suis convaincu que mon père ne m'a regardé, ne m'a dévisagé, ne m'a vu, qu'une seule fois. Après quoi, il a pu tenir pour acquis ce qu'il y avait là.

À l'époque, les pères n'avaient pas accès au théâtre violemment éclairé où naissaient les enfants, ni à la pièce où les femmes en travail étouffaient leurs cris ou souffraient à grand bruit. Les papas ne posaient les yeux sur les mamans qu'après qu'on les avait lavées et rafraîchies puis bordées, conscientes, dans les couvertures pastel de la salle commune ou des chambres semi-individuelles et individuelles. Ma mère avait une chambre individuelle, ainsi qu'il convenait à son statut social, et cela valait mieux, à vrai dire, vu la tournure des événements.

Je ne sais pas si ce fut avant ou après son premier regard sur ma mère que mon père vint se planter devant la vitre de la pouponnière pour m'apercevoir. J'ai tendance à croire que ce fut après, et que lorsqu'elle entendit ses pas devant sa porte, puis traversant sa chambre, elle y perçut de la colère sans savoir encore ce qui avait pu la causer. Ne venait-elle pas de lui donner un fils, ce qui est censé être le désir de tout homme?

Je sais ce qu'il dit. Ou ce qu'elle m'a raconté qu'il dit.

« Une portion de steak haché. »

Puis : « Ne compte pas rapporter ça à la maison. »

Un côté de mon visage était – est – normal. Et mon corps entier était normal des orteils aux épaules. Je mesurais cinquante-trois centimètres et je pesais trois kilos sept. Robuste petit homme, la peau claire bien qu'encore rouge, probablement des suites du voyage banal que je venais d'accomplir.

Ma tache de naissance n'était pas rouge mais violette, foncée pendant ma petite enfance, puis s'estompant un peu avec l'âge, mais jamais au point de devenir négligeable, ne cessant jamais d'être la première chose que l'on remarque chez moi lorsqu'on m'aborde de face, ou que l'on sursaute de découvrir quand on m'a abordé par la gauche – mon bon côté. On dirait qu'on a renversé du jus de raisin ou de la peinture sur moi. Une grosse éclaboussure, formant une tache épaisse qui ne se résout en gouttelettes qu'en atteignant mon cou. Mais qui contourne assez bien mon nez, alors qu'elle recouvre entièrement ma paupière.

« Cela rend le blanc de cet œil-là d'autant plus joli et clair », fut l'une des sottises excusables que disait ma mère dans l'espoir de m'amener à m'admirer moi-même. Et il se produisit quelque chose de singulier. Protégé comme je l'étais, j'avais tendance à la croire.

Mon père ne put évidemment rien faire pour prévenir mon arrivée dans la maison. Et ma présence, mon existence ouvrirent évidemment une faille monstrueuse entre mon père et ma mère. Encore qu'il me soit difficile de croire qu'une faille n'ait pas existé de tout temps, à tout le moins une certaine incompréhension, ou une déception glaciale.

Mon père était le fils d'un homme sans instruction, propriétaire d'une tannerie puis d'une fabrique de gants. La prospérité déclinait à mesure qu'avançait le XXᵉ siècle, mais la vaste demeure était encore là, comme la cuisinière et le jardinier. Mon père alla à l'université, devint membre d'une fraternité étudiante, et mena ce qu'on appelle la belle vie avant de se lancer dans les assurances quand la fabrique de gants périclita. Il jouissait dans notre ville d'une popularité égale à celle qu'il avait connue à la fac. Il était bon au golf, excellait à la voile. (J'ai oublié de dire que nous vivions sur les falaises qui surplombent le lac Huron, dans la demeure victorienne que mon grand-père avait fait bâtir face au soleil couchant.)

Chez nous, la qualité la plus frappante que manifestait mon père était une capacité de haine et de dégoût. De fait, les deux allaient souvent de pair. Il n'avait que haine et dégoût pour certains aliments, certaines marques automobiles, certaines musiques, certaines tournures de langage et certaines modes vestimentaires. Des comiques de la radio et plus tard des vedettes de la télévision, aussi bien que l'assortiment habituel de races et de classes pour lesquelles il était de son temps coutumier d'éprouver (moins violemment, peut-être, que lui) haine et dégoût. La plupart de ses opinions n'auraient d'ailleurs pas soulevé la moindre controverse hors de chez nous, dans notre ville, avec ses compagnons de voile ou ses anciens condisciples de la fraternité. C'était sa véhémence, je crois, qui suscitait un vague malaise, lequel pouvait aussi aboutir à de l'admiration.

Il n'y va pas par quatre chemins. C'était ce qu'on disait de lui.

Et bien sûr, un rejeton tel que moi était une insulte qu'il devait affronter chaque fois qu'il sortait de chez lui. Il prenait seul son petit déjeuner et ne rentrait pas à midi. Ma mère, elle, prenait ces deux repas avec moi ainsi qu'une partie de son dîner, et le reste avec lui. Puis je crois qu'il y eut une sorte de querelle à ce sujet et elle se mit à assister à mon repas mais à manger avec lui.

On aura compris que je ne pouvais guère contribuer à l'harmonie du ménage.

Mais comment avaient-ils pu en constituer un ? Elle n'était pas allée à l'université, et avait dû contracter un emprunt pour s'inscrire dans une école de formation des institutrices. Elle avait peur de faire de la voile, était maladroite au golf, et si elle était belle, ainsi que plusieurs personnes me l'ont affirmé (il est difficile de former ce genre de jugement sur sa propre mère), son physique ne devait pas être du genre que mon père admirait. À propos de certaines femmes il disait : « C'est une beauté », et, plus tard dans sa vie, parlait de pépées. Ma mère ne mettait pas de rouge à lèvres, ses soutiens-gorge étaient discrets, sa coiffure, faite de nattes serrées qu'elle portait en couronne, accentuait encore son vaste front blanc. Ses vêtements, plutôt désuets, avaient quelque chose de vague et de royal – c'était le genre de femme qu'on pouvait imaginer portant un sautoir de perles fines, je pense pourtant qu'elle ne le fit jamais.

Ce que j'ai l'air de dire, me semble-t-il, c'est que j'ai pu être un prétexte, et même une bénédiction, en cela que je leur fournissais une querelle toute faite, un problème insoluble, qui les renvoyait à leurs différences naturelles, lesquelles s'en trouvaient peut-être plus supportables. Au long des années que j'ai passées dans cette ville, je n'ai jamais rencontré de divorcés. On peut donc tenir pour assuré qu'il existait d'autres couples menant des vies séparées sous le même toit, d'autres hommes et d'autres femmes qui avaient accepté le fait qu'il existait des différences irréconciliables, des paroles et des actes impardonnables, des barrières indestructibles.

Il s'ensuit, sans surprise dans ce genre d'histoire, que mon père fumait et buvait trop – encore que la plupart de ses amis en fissent autant, quelle que fût leur situation. Il eut une attaque avant d'avoir atteint la soixantaine, s'alita, et mourut quelques mois après. Il n'est pas surprenant non plus que ma mère l'ait soigné jusqu'au bout, refusant de l'envoyer à l'hôpital, et qu'au lieu de s'en montrer tendre et reconnaissant, il se mit à l'abreuver de qualificatifs parfaitement orduriers, d'une élocution rendue pâteuse par son accident mais qu'elle parvenait toujours à déchiffrer et qui lui procurait apparemment, à lui, une profonde satisfaction.

Aux obsèques une dame me dit : « Votre mère est une sainte. » Je me rappelle très bien sa personne, mais pas son nom. Boucles blanches, rouge à joues, traits délicats. Murmure larmoyant. Elle me fut aussitôt antipathique. Je fronçai les sourcils. C'était ma deuxième année de fac. Je n'avais pas rejoint, et n'avais pas été invité à rejoindre, les rangs de la fraternité de mon père. Je fréquentais des jeunes gens qui aspiraient à devenir écrivains ou acteurs, et qui en attendant faisaient assaut d'esprit, passaient leur temps à le perdre, critiquaient férocement l'ordre social et professaient un athéisme tout neuf. Je n'avais aucun respect pour les gens qui se comportaient comme des saints. Et à vrai dire, la sainteté n'était pas ce que visait ma mère. Elle était suffisamment éloignée de la notion de piété pour ne m'avoir jamais demandé, lors de mes retours à la maison, d'aller dans la chambre de mon père afin de tenter une réconciliation avec lui. Et je n'y étais jamais allé. Il n'était pas question de réconciliation, ou d'une quelconque bénédiction. Ma mère ne s'en laissait pas compter.

Elle s'était tout entière dévouée à moi – expression que nous n'aurions utilisée ni l'un ni l'autre mais que je crois adéquate – jusqu'à mes neuf ans. Auparavant, elle m'avait fait la classe elle-même, mais ce fut à cet âge qu'elle m'inscrivit à l'école. Voilà qui pourrait passer pour une recette de catastrophe. Le fiston au visage violet couvé par sa maman soudain livré aux quolibets et aux cruelles agressions d'une bande de jeunes sauvages. Mais ce ne fut pas dur pour moi, et à ce jour je ne suis pas sûr d'être parvenu à me l'expliquer. J'étais grand et fort pour mon âge et cela m'aida peut-être. Mais je crois que l'atmosphère de notre foyer, ce climat de mauvaise humeur, de férocité et de dégoût – même venant d'un père rarement vu –, pourrait bien avoir conféré à tout autre lieu une apparence raisonnable, presque accueillante, encore que d'une manière négative, pas positive. Ce n'était pas en effet que quiconque fasse des efforts, me traite avec gentillesse. J'avais un surnom – Bet'rave. Mais tout le monde ou presque avait un sobriquet désobligeant. Un garçon aux pieds particulièrement malodorants et qui ne semblait pas bénéficier d'une douche quotidienne s'accommodait gaiement du surnom de Pudep'. Je m'en tirais. J'écrivais à ma mère des lettres comiques. Elle me répondait à peu près dans le même esprit, adoptant un ton gentiment satirique à propos de ce qui se passait en ville et à l'église – je me rappelle sa description d'une grande dispute au sujet de la façon dont il convenait de trancher les canapés pour la réception d'une de ces dames – et parvenant même à évoquer avec humour mais sans colère la figure de mon père qu'elle appelait Sa Grâce.

J'ai fait jusqu'ici de mon père le méchant de mon récit tout en présentant ma mère comme secourable et protectrice et je crois que c'est conforme à la vérité. Mais ils ne sont pas les deux seuls personnages de mon histoire et l'atmosphère de la maison n'était pas la seule que je connaissais. (Je parle maintenant d'un temps qui préa mon inscription à l'école.) Ce que j'en suis venu à considérer comme le Grand Drame de ma vie avait déjà eu lieu en dehors de cette maison.

Le Grand Drame. Je suis gêné d'avoir écrit cela. Je me demande si la formule évoque une piteuse ironie ou une fastidieuse théâtralisation de mon être. Puis je me dis : N'est-il pas naturel pour moi de voir ma vie de cette façon, d'en parler de cette façon, si l'on pense à la manière dont je la gagnais ?

Je devins en effet acteur. Surprenant ? Certes, à l'université, j'avais fréquenté des gens actifs dans le théâtre et, pendant ma dernière année, j'avais mis en scène une pièce. Une plaisanterie récurrente, dont j'avais été l'initiateur, consistait à dire que pour jouer je n'aurais qu'à présenter toujours mon bon profil au public et marcher à reculons sur la scène quand cela serait nécessaire. Nécessaires, ces manœuvres extrêmes ne le furent jamais.

À l'époque, les chaînes de radio publique diffusaient régulièrement des dramatiques. Il y avait un programme fort ambitieux le dimanche soir. Des adaptations de romans. Shakespeare. Ibsen. Naturellement souple, ma voix s'améliora avec un peu de pratique. On m'engagea. Pour de petits rôles d'abord. Mais quand la télévision vint mettre fin à toute l'affaire, je jouais presque une fois par semaine, et mon nom était connu d'un public jamais très nombreux mais fidèle. Il y eut bien quelques lettres de protestation contre des grossièretés de langage et certaines évocations de l'inceste (nous donnâmes aussi quelques-unes des tragédies grecques). Mais dans l'ensemble il ne s'abattit pas sur moi la pluie de reproches que redoutait ma mère quand elle s'installait dans son fauteuil près du poste de radio, fidèle et pleine d'appréhension, tous les dimanches soir.

Avènement de la télévision, et fini la comédie, en tout cas pour moi. Mais ma voix continua de jouer en ma faveur et je pus obtenir un emploi de présentateur, d'abord à Winnipeg, puis de nouveau à Toronto. Et pendant les vingt dernières années de ma vie professionnelle, je fus animateur d'une émission musicale éclectique, diffusée tous les après-midi en semaine. Ce n'était pas moi qui choisissais les morceaux programmés, contrairement à ce que croyaient beaucoup de gens. Mon discernement musical est assez limité. Mais j'avais su composer une personnalité radiophonique plaisante, un peu décalée, et fort viable. L'émission recevait un courrier abondant. Lettres de pensionnaires de maisons de retraite, de foyers d'aveugles, de gens que leur métier mettait sur la route pour des trajets longs ou monotones, de ménagères qui n'avaient au milieu de la journée pour seule compagnie que leur four et leur fer à repasser, et de paysans qui nous écoutaient dans

la cabine de leur tracteur en labourant ou en hersant de vastes super-
ficies. À travers tout le pays.

Avec une recrudescence flatteuse quand je pris enfin ma retraite.
Les gens écrivaient pour dire leur affliction, ayant le sentiment d'avoir
perdu un ami proche ou un membre de leur famille. Ce qu'ils exprimaient ainsi, c'est qu'un certain temps avait été empli pour eux cinq
jours par semaine. Du temps avait été rempli, fidèlement, agréablement,
ils n'avaient pas été abandonnés à la dérive, et ils en éprouvaient une
gratitude véritable au point de m'inspirer un peu de gêne. Et à ma
surprise, je partageais leur émotion. Je dus faire attention à ma voix
afin d'éviter de m'étrangler en donnant lecture de certaines de leurs
lettres à l'antenne.

Pourtant le souvenir de l'émission et de moi, son animateur, s'estompa
rapidement. De nouvelles allégeances se formèrent. J'avais rompu net,
refusant de présider des ventes de charité ou de prononcer des allocutions nostalgiques. Ma mère était morte à un âge très avancé mais
je n'avais pas vendu la maison, me contentant de la louer. À présent,
je me préparais à la vendre, et signifiai leur congé aux locataires. Je
comptais m'y installer moi-même le temps qu'il faudrait pour remettre
les lieux – en particulier le jardin – en état.

Ce n'avait pas été pour moi des années de solitude. Outre mes auditeurs, j'avais eu des amis. Et des femmes aussi. Il en est certes qui se
spécialisent dans les hommes qu'elles imaginent en manque de soutien
moral – elles tiennent à s'afficher partout avec vous pour faire étalage
de leur générosité. Mais j'étais sur mes gardes. La femme dont j'étais le
plus proche dans ces années-là était réceptionniste de la station de radio,
c'était une personne gentille et raisonnable qui s'était retrouvée seule avec
quatre enfants. On était portés à croire qu'on emménagerait ensemble
quand sa benjamine quitterait le foyer familial. Mais cette dernière s'arrangea pour avoir elle-même un enfant en continuant de vivre chez sa
mère et, sans qu'on sache trop pourquoi, nos espérances et nos sentiments
s'étiolèrent. Nous gardâmes le contact par courriel une fois qu'ayant pris
ma retraite, je m'en retournai vivre dans la maison de mon enfance. Je
l'invitai à venir m'y voir. Puis il y eut cette soudaine annonce de son

mariage et de son départ pour l'Irlande. J'en fus trop surpris, tombant peut-être de trop haut, pour demander si la fille et le bébé partaient aussi.

Le jardin est en très mauvais état. Mais je m'y sens plus à l'aise que dans la maison, dont l'apparence extérieure n'a pas changé mais qui a subi des transformations radicales à l'intérieur. Ma mère a fait convertir le salon du fond en chambre à coucher et le garde-manger en salle de bains, et par la suite les plafonds ont été abaissés, on a installé des portes de mauvaise qualité et des papiers peints aux motifs géométriques criards afin de loger des locataires. Le jardin n'a pas souffert ce genre de modification mais simplement d'une négligence à grande échelle. De vieilles plantes vivaces luttent encore dans l'enchevêtrement de mauvaises herbes, des feuilles déchiquetées plus vastes que des parapluies marquent l'emplacement d'un carré de rhubarbe vieux de soixante ou soixante-dix ans et il subsiste une demi-douzaine de pommiers portant de petites pommes véreuses d'une variété dont je ne me rappelle plus le nom. Les espaces que je défriche semblent minuscules, alors que les tas d'herbes et de broussailles que j'ai accumulés ont des apparences de montagnes. Sans compter qu'il faut les faire enlever à mes frais, la municipalité interdisant désormais de les brûler sur place.

Tout cela faisait autrefois l'objet des soins d'un jardinier du nom de Pete. Son nom de famille m'échappe. Il traînait la jambe et portait la tête penchée sur le côté. J'ignore s'il avait été accidenté ou victime d'une attaque. Il travaillait lentement mais avec zèle et était pour ainsi dire toujours de méchante humeur. Ma mère s'adressait à lui d'un ton doux et respectueux mais proposait – et obtenait – pour les massifs de fleurs certains changements dont il ne pensait guère de bien. Il m'avait pris en grippe parce que je passais constamment avec mon tricycle là où je n'aurais pas dû, que j'aménageais des cachettes sous les pommiers et aussi parce qu'il savait probablement que je l'appelais Pete la Fouine entre mes dents. Je ne sais d'où m'était venue cette idée. Était-ce d'un illustré?

Une autre raison de cette antipathie bougonne vient de m'apparaître et il est bizarre que je ne m'en sois pas avisé plus tôt. Nous étions tous deux handicapés, victimes manifestes d'une disgrâce physique. On pourrait croire que cela constitue une raison de faire cause commune mais c'est souvent le contraire qui se produit, chacun risquant de se voir rappeler par l'autre ce qu'il préférerait oublier.

Mais je n'en suis pas sûr. Ma mère avait organisé les choses de telle sorte que la plupart du temps je n'avais apparemment aucune conscience de mon état. Elle prétendait qu'elle me faisait la classe à la maison à cause d'une maladie des bronches et de la nécessité de me protéger de l'agression des germes qui se produit pendant les deux premières années d'école. Je ne sais si quiconque s'avisait de la croire. Quant à l'hostilité de mon père, elle avait un champ d'action si vaste sous notre toit que je ne crois vraiment pas m'être senti visé par elle.

Et ici, au risque de me répéter, il me faut dire que ma mère avait, je le crois, agi comme il convenait. L'accent mis sur un défaut visible, les moqueries d'une bande hostile m'auraient affecté à un âge trop tendre sans que j'aie nulle part où me cacher. Les choses ont changé aujourd'hui et le danger qui guette un enfant handicapé comme je l'étais serait de susciter trop d'attention et de bonté ostentatoire, plutôt que d'entraîner brimades et solitude. C'est du moins ce qu'il me semble. La vie de cette époque tirait en grande partie, ainsi que ma mère le savait probablement, son animation, son humour et son folklore, d'une pure et simple méchanceté.

Voilà une vingtaine d'années – plus peut-être –, une autre construction existait encore dans la propriété. Je l'ai connue comme une petite grange ou une vaste cabane en bois où Pete rangeait ses outils et où divers objets dont nous avions cessé d'avoir l'usage étaient remisés le temps de décider ce qu'il convenait d'en faire. Cette construction fut abattue peu après le remplacement de Pete par un jeune couple débordant d'énergie, Ginny et Franz, qui apportaient leur propre outillage dernier cri dans leur camionnette. Par la suite, ils cessèrent d'être disponibles, s'étant lancés dans le maraîchage, mais ils pouvaient envoyer leurs enfants devenus adolescents tondre les pelouses, et ma mère avait perdu tout intérêt pour ce qu'on pouvait faire d'autre dans le jardin.

« J'ai laissé filer, voilà, disait-elle. C'est surprenant la facilité avec laquelle on peut laisser filer les choses. »

Pour en revenir à cette construction – que de circonlocutions et de digressions de ma part avant d'aborder ce sujet –, il y eut un temps, avant qu'elle devienne une simple remise, où des gens l'avaient habitée. Un couple, les Bell, gouvernante-cuisinière et chauffeur-jardinier de mes grands-parents. Mon grand-père possédait une Packard mais n'avait jamais appris à conduire. De mon temps, les Bell et la Packard avaient disparu mais on appelait encore la construction le pavillon des Bell.

Pendant quelques années de mon enfance, le pavillon des Bell fut loué à une certaine Sharon Suttles. Elle y demeurait avec sa fille Nancy. Elle était arrivée en ville avec son mari, un médecin qui ouvrait son premier cabinet et qui, moins d'un an plus tard, succomba à une septicémie. Elle demeura sur place avec sa petite, n'ayant pas d'argent et, disait-on, personne. Ce qui devait signifier personne qui pût l'aider ou qui eût offert de l'héberger. À un moment donné elle trouva un emploi dans le cabinet d'assurances de mon père et emménagea dans le pavillon des Bell. Je ne sais trop quand tout cela se produisit. Je ne garde aucun souvenir de son emménagement ni du pavillon quand il était vide. Il était peint, à l'époque, d'un rose fané, et j'ai toujours cru que c'était le choix de Mrs. Suttles, comme si elle n'avait pu habiter une maison d'une autre couleur.

Je l'appelais Mrs. Suttles, bien sûr. Mais j'avais de son prénom une conscience aiguë, ce qui m'arrivait rarement avec les autres femmes adultes de ma connaissance. Sharon était un prénom inhabituel à l'époque et il était lié avec une hymne apprise à l'école du dimanche à laquelle ma mère me permettait d'assister parce qu'on y était surveillé de près et qu'il n'y avait pas de récréation. Nous chantions des hymnes dont les paroles étaient projetées sur un écran et je crois que la plupart d'entre nous, avant même d'avoir appris à lire, se faisaient une idée des couplets d'après la forme que nous avions sous les yeux.

À l'ombre fraîche de la source de Siloé
Comme il est doux le parfum des lys.
Comme elle est douce l'haleine, au creux de la vallée,
Des roses de Sharon dans la rosée

Je n'arrive pas à croire qu'il y avait réellement une rose dans un coin de l'écran, et pourtant j'en voyais une, j'en vois une, d'un rose fané, dont l'aura se transportait à ce prénom, Sharon.

Je ne veux pas dire que j'étais tombé amoureux de Sharon Suttles. J'avais été amoureux, à peine sorti de la petite enfance, d'une jeune bonne, garçon manqué prénommée Bessie, qui m'emmenait pour de longues promenades dans ma poussette et me propulsait si haut sur les balançoires du parc que je faisais presque le tour complet. Et un peu plus tard d'une amie de ma mère, qui avait un col de velours à son manteau et une voix qui semblait mystérieusement en rapport avec ce col. Sharon Suttles n'était pas du genre à inspirer l'amour de cette façon. Elle n'avait pas une voix de velours et ne se souciait pas de me distraire et m'amuser. Grande et très mince, elle n'avait rien d'une mère – pas la moindre courbe. Sa chevelure était caramel avec des pointes dorées et à l'époque de la Seconde Guerre mondiale elle la portait encore coupée à la garçonne. Son rouge à lèvres était éclatant et semblait épais, comme celui des stars de cinéma que j'avais vues sur les affiches, et chez elle, elle portait d'ordinaire un kimono, lequel s'ornait je crois d'oiseaux pâles – des cigognes ? – dont les pattes me rappelaient ses jambes. Elle passait beaucoup de temps à fumer, étendue sur le canapé, et parfois, pour nous amuser, ou s'amuser elle-même, lançait brusquement en l'air ces jambes de cigogne, l'une après l'autre, faisant ainsi voler une pantoufle légère comme une plume. Quand elle ne s'emportait pas contre nous, elle avait une voix de gorge exaspérée, pas inamicale mais nullement empreinte de la sagesse, ou de la tendresse, ou de la réprobation, et des accents profonds, de la vague tristesse, que j'attendais d'une mère.

Elle nous traitait de niquedouilles.

« Sortez d'ici et fichez-moi la paix, espèces de niquedouilles. »

Elle était déjà étendue sur le canapé, un cendrier sur l'estomac, tandis que nous faisions rouler les petites autos de Nancy sur le plancher. N'était-ce pas jouir d'une paix royale ?

Elle et Nancy consommaient de curieux aliments à n'importe quelle heure, et quand elle allait à la cuisine se confectionner un en-cas, elle n'en rapportait jamais de chocolat chaud ni de biscuits pour nous. D'autre part, elle n'interdisait jamais à Nancy de manger à la cuillère, directement de la boîte, une soupe de légumes épaisse comme un pudding, ou de tirer de leur carton de pleines poignées de Rice Krispies.

Sharon Suttles était-elle la maîtresse de mon père ? Lui avait-il fourni son emploi, et le pavillon rose sans loyer ?

Ma mère parlait d'elle avec bonté et d'assez fréquentes allusions au malheur qu'elle avait eu de perdre son jeune mari. Notre bonne de l'époque était envoyée chez elle pour lui porter des framboises ou des pommes de terre nouvelles ou des petits pois écossés de notre potager. Si j'ai oublié la bonne, je me souviens en particulier des petits pois, je me souviens que Sharon Suttles, toujours allongée sur le canapé, les projetait en l'air d'une pichenette en disant : « Qu'est-ce que je suis censée faire de ça ?

— On les fait cuire à l'eau sur le gaz, disais-je secourablement.

— Sans blague ? »

Quant à mon père, je ne le vis jamais avec elle. Il partait assez tard pour des journées de travail qui se terminaient tôt afin de lui permettre de se livrer à ses diverses activités sportives. Il y avait des week-ends pendant lesquels Sharon allait en train à Toronto, mais elle emmenait toujours Nancy avec elle. Et au retour, Nancy avait toujours des tas de choses à raconter sur ses aventures, et les spectacles auxquels elle avait assisté, comme la grande parade du Père Noël.

Il existait certainement des moments où la mère de Nancy n'était pas chez elle, en kimono sur le canapé, et il faut croire qu'elle ne les passait pas à fumer ou à se reposer mais à travailler normalement dans le cabinet de mon père, ce lieu légendaire que je n'avais jamais vu et où je n'aurais certainement pas été le bienvenu.

C'était alors – quand la mère de Nancy devait aller travailler et que Nancy devait rester à la maison – qu'une ronchonne du nom de Mrs. Codd venait s'installer dans la cuisine où elle écoutait des feuilletons radiophoniques à l'eau de rose, prête à nous en chasser lorsqu'elle y mangeait tout ce qui lui tombait sous la main. Il ne me vint jamais à l'esprit, alors que nous passions d'ordinaire tout notre temps ensemble, que ma mère aurait pu proposer de nous garder, Nancy et moi, ou de demander à notre bonne de s'en charger, afin de se passer des services de Mrs. Codd.

J'ai bien l'impression aujourd'hui que nous jouions ensemble du matin au soir. Cela doit remonter à l'époque de mes cinq ans et dura plus ou moins jusqu'à mes huit ans et demi, Nancy ayant six mois de moins que moi. Nous jouions surtout à l'extérieur – ce que j'ai rapporté devait avoir lieu les jours de pluie puisque ce dont j'ai gardé le souvenir se passait chez Nancy, où notre présence agaçait sa mère. Le potager nous était interdit et nous devions respecter les fleurs mais nous faisions d'incessantes visites aux massifs des framboisiers quand nous n'étions pas sous les pommiers ou dans la friche retournée à une complète sauvagerie derrière le pavillon, où nous construisions nos abris antiaériens et les refuges où nous nous cachions pour échapper aux Allemands.

Il y avait d'ailleurs un camp d'entraînement au nord de notre ville et des avions bien réels ne cessaient de nous survoler. Il y en eut un qui tomba mais à notre grande déception l'appareil en chute libre termina sa course dans le lac. Grâce à tout ce qui nous rappelait sans cesse la guerre, nous pûmes faire de Pete plus qu'un simple ennemi local, un vrai nazi, et de sa tondeuse à gazon un char d'assaut. De temps à autre, nous le bombardions des petites pommes sauvages du pommier qui abritait notre bivouac. Il s'en plaignit une fois à ma mère, ce qui nous valut d'être privés d'une sortie à la plage.

Elle emmenait souvent Nancy quand nous allions à la plage. Pas celle qui était équipée d'un toboggan, juste au bas de la falaise devant notre maison, mais une plage plus petite, où l'on allait en voiture, et où il n'y avait pas de baigneurs turbulents. Et de fait, ce fut elle qui nous apprit à nager à tous deux. Moins sujette à la peur, Nancy était plus téméraire que moi et cela me contrariait. Si bien qu'un jour, l'ayant enfoncée sous une vague qui déferlait, je m'assis sur sa tête. Elle lançait des coups de pied en retenant sa respiration et se débattit pour se libérer.

« Nancy est une petite fille, me gronda ma mère. C'est une petite fille et tu devrais la traiter comme ta petite sœur. »

C'était précisément ce que je faisais. Je ne la considérais pas comme plus faible que moi. Plus petite, oui, mais ça constituait parfois un avantage. Quand nous grimpions aux arbres, elle pouvait se pendre comme un singe à des branches qui n'auraient pas supporté mon poids. Et un jour que nous en étions venus aux mains – je n'arrive à me rappeler le sujet d'aucune de nos disputes –, elle mordit jusqu'au sang le bras dont je l'enserrais. Cette fois, on nous sépara. La punition était censée durer une semaine. Mais les regards meurtriers que nous échangions par la fenêtre se muèrent bientôt en regrets et, à force d'implorer, nous obtînmes la levée de l'interdit.

En hiver toute la propriété nous était ouverte et nous y bâtissions des fortins de neige meublés de bouts de bois prélevés sur le bûcher et approvisionnés d'un arsenal de boules à lancer sur les passants. Qui n'étaient guère nombreux puisque notre rue était sans issue. Il nous fallait faire un bonhomme de neige pour pouvoir le bombarder.

Quand une grosse tempête nous confinait à l'intérieur, chez moi c'était ma mère qui nous surveillait. Il fallait nous empêcher de faire du bruit quand mon père était à la maison, cloué au lit par une migraine, elle nous faisait donc la lecture. *Alice au pays des merveilles*, je m'en souviens. Nous nous inquiétions tous deux quand Alice boit la potion qui la rend si grande qu'elle reste coincée dans le terrier du lapin.

On se demandera peut-être si nous avions aussi des jeux sexuels. Et la réponse est oui. Je me rappelle que nous nous étions cachés, par un jour d'extrême chaleur, sous une tente qui avait été plantée – pourquoi, je n'en ai aucune idée – derrière le pavillon. Nous nous y étions faufilés dans le but de nous explorer mutuellement. La toile dégageait une odeur qui avait quelque chose d'à la fois érotique et enfantin, comme les sous-vêtements que nous ôtâmes. Diverses chatouilles nous excitèrent mais ne tardèrent pas à nous fâcher et nous nous retrouvâmes trempés de sueur, parcourus de démangeaisons et bientôt honteux. Quand nous nous extirpâmes de là, nous nous sentions plus séparés l'un de l'autre que d'ordinaire et habités d'une étrange méfiance réciproque. Je ne me rappelle pas si la chose se reproduisit avec le même résultat, mais je ne serais pas surpris qu'il en fût ainsi.

Je ne parviens pas à me rappeler le visage de Nancy aussi clairement que celui de sa mère. Je crois que sa complexion était, ou deviendrait avec le temps, assez semblable. Une chevelure blonde virant naturellement au châtain, mais pour l'heure éclaircie par tout le temps passé au soleil. Très rose de peau, et même un peu rougeaude. Oui. Je lui vois les joues rouges, presque comme si elle était fardée. Cela aussi dû à tout ce temps passé en plein air pendant l'été et à son énergie si décidée.

Chez moi, il va sans dire que toutes les pièces nous étaient interdites en dehors de celles qu'on nous allouait. Nous ne nous serions jamais avisés de mettre les pieds à l'étage, de descendre à la cave ou de nous aventurer dans le grand salon ou la salle à manger. Mais dans le pavillon, nous avions le droit d'aller partout, sauf là où la mère de Nancy souhaitait qu'on lui fiche un peu la paix, et là où Mrs. Codd était soudée à la radio. La cave était un endroit bien choisi quand nous finissions, même nous, par nous fatiguer de la chaleur des après-midi. Il n'y avait pas de rampe dans l'escalier et nous pouvions faire des sauts de plus en plus audacieux pour atterrir sur le sol de terre battue. Et quand nous nous lassions de ce jeu, nous pouvions, juchés sur un vieux lit de camp, rebondir sur le matelas en cravachant un cheval imaginaire. Une fois nous essayâmes de fumer une cigarette chipée dans le paquet de la mère de Nancy. (Nous n'aurions pas osé en prendre plus d'une.) Nancy s'en tira mieux que moi, ayant eu plus d'entraînement.

Il y avait aussi dans la cave un vieux buffet de bois, sur lequel étaient posées plusieurs boîtes de peinture et de vernis, pour la plupart desséchés, un assortiment de pinceaux durcis, de baguettes qui avaient servi à remuer la peinture et de planches sur lesquelles on avait fait des essais de couleur ou essuyé des pinceaux. Quelques boîtes avaient encore un couvercle bien ajusté et nous les ouvrîmes non sans difficulté pour y découvrir de la peinture que nous refluidifiâmes en la remuant. Puis nous passâmes un certain temps à ramollir les pinceaux en les plongeant dans la peinture avant de les frapper contre les planches du buffet, faisant un beau gâchis sans guère obtenir de résultat. Il s'avéra ensuite qu'une des boîtes renfermait de la térébenthine, nettement plus efficace. Nous nous mîmes alors à peindre avec les brosses redevenues utilisables. Je savais à peu près lire et écrire grâce à ma mère, et Nancy aussi parce qu'elle allait à l'école depuis deux ans.

«Regarde pas avant que j'aie fini», lui dis-je en la poussant pour qu'elle s'écarte un peu. Elle-même était d'ailleurs très affairée, écrasant son pinceau dans une boîte de peinture rouge.

J'écrivis: LE NAZI ÉTAIT DANS SETE CAV.

«Regarde maintenant», dis-je.

Elle me tournait le dos mais je vis qu'elle maniait le pinceau sur sa propre personne.

Elle dit: «Je suis occupée.»

Quand elle tourna son visage vers moi, il était entièrement badigeonné de peinture rouge.

«Maintenant je suis comme toi, dit-elle en se passant le pinceau sur le cou. Je suis comme toi maintenant.» Elle débordait d'enthousiasme et je crus qu'elle se moquait de moi alors qu'en fait sa voix était pleine d'une immense satisfaction, comme si elle avait atteint le but de toute une vie.

Je dois à présent m'efforcer d'expliquer ce qui se passa pendant les minutes qui suivirent.

Tout d'abord, je la trouvai affreuse.

Je ne croyais pas qu'une partie de mon visage fût rouge. Et d'ailleurs elle ne l'était pas. Le côté coloré avait la teinte habituelle des taches de vin qui, comme je crois l'avoir dit, s'est un peu estompée avec l'âge.

Mais je ne la voyais pas ainsi dans mon esprit. Je croyais que ma tache de naissance était gris-brun comme le pelage d'une souris.

Ma mère s'était gardée du geste bêtement spectaculaire qui aurait consisté à bannir les miroirs de notre foyer. Mais les miroirs peuvent être accrochés assez haut pour qu'un jeune enfant ne puisse s'y voir. Tel était sans aucun doute le cas à la salle de bains. Le seul dans lequel je voyais mon reflet sans difficulté était accroché dans le vestibule, sombre pendant la journée et peu éclairé le soir. C'est sans doute là que je m'étais forgé l'idée qu'une moitié de mon visage était de ce genre de couleur feutrée, à peine une ombre, presque semblable au pelage d'une souris.

Telle était l'idée à laquelle je m'étais habitué et qui faisait de la peinture de Nancy un tel outrage, une plaisanterie sarcastique. Je la repoussai de toutes mes forces contre le buffet et me ruai dans l'escalier. Je crois que je courais pour trouver un miroir ou même quelqu'un qui pourrait me dire qu'elle avait tort et qu'une fois cela confirmé je pourrais mordre à belles dents dans la haine qu'elle m'inspirait. J'allais la châtier. Sur l'instant, je ne savais comment et n'avais pas le temps d'y réfléchir.

Toujours courant, je traversai le pavillon – sans y voir la mère de Nancy nulle part, alors que c'était un samedi – et j'en claquai derrière moi la porte à moustiquaire. Je courus sur le gravier puis sur le chemin dallé entre deux rangées de glaïeuls dressés comme des hallebardiers. Je vis ma mère se lever du fauteuil d'osier où elle était en train de lire sur la galerie derrière la maison.

« Pas rouge, hurlai-je en hoquetant des larmes de colère. Je ne suis pas rouge. »

Elle descendit les marches, ses traits altérés par le choc n'exprimant encore aucune compréhension. Puis Nancy sortit en courant du pavillon derrière moi, bouleversée, le visage peinturluré.

Ma mère comprit.

« Sale petite peste », cria-t-elle à Nancy d'une voix que je n'avais jamais entendue. Retentissante, folle, tremblante. « Ne nous approche pas. Je te préviens. Tu es mauvaise, tu es une méchante fille. Vraiment sans vergogne, sans une once de bonté, d'humanité, en toi. On ne t'a jamais appris… »

La mère de Nancy sortit du pavillon, sa chevelure mouillée lui retombait ruisselante sur les yeux. Elle tenait une serviette de toilette.

« Merde alors, je ne peux même plus me laver les cheveux dans ce… »

Ma mère l'interrompit en criant.

« Je vous interdis ce langage ordurier devant mon fils et moi…

– Ta ta ta, répliqua aussitôt la mère de Nancy. Vous ne vous êtes pas entendue brailler comme une folle… »

Ma mère prit une profonde inspiration.

« Je ne… braille… pas… comme une… folle. Je dis seulement à votre fille qu'elle est cruelle et qu'elle ne mettra plus les pieds chez nous. Il faut qu'elle ait un fond de méchanceté et de cruauté pour se moquer de mon petit garçon qui n'y peut rien. Vous l'avez mal élevée, vous ne lui avez rien appris. Elle n'est même pas capable de me remercier quand je l'emmène à la plage, elle ne sait dire ni s'il vous plaît ni merci, pas étonnant avec une mère qui se promène toute la journée en peignoir… »

Tout cela se déversait de ma mère comme un torrent de rage, de douleur et d'absurdité intarissable. Alors même que je m'étais mis à tirer sur sa robe en lui disant : « Arrête, arrête. »

Puis les choses empirèrent encore quand ses larmes montèrent et engloutirent ses paroles, et qu'elle s'étrangla, secouée de tremblements.

La mère de Nancy avait écarté de ses yeux ses cheveux mouillés et l'observait, immobile.

« Je vais vous dire une bonne chose, déclara-t-elle. Continuez comme ça et vous allez vous retrouver chez les dingues. Qu'est-ce que j'y peux, moi, si vous avez un mari qui vous déteste et un gamin défiguré ? »

Ma mère se prit la tête à deux mains. Elle poussait des « Oh, oh », comme dévorée de douleur. La dame qui travaillait chez nous à l'époque – Velma – était sortie sur la galerie et disait : « Madame, venez, madame. » Puis, élevant la voix, elle s'adressa à la mère de Nancy :

« Allez-vous-en. Rentrez chez vous. Allez, ouste.

– Oh, j'y vais, ne vous inquiétez pas, j'y vais. Pour qui vous prenez-vous de me dire ce que j'ai à faire ? Ça vous plaît de travailler pour cette vieille sorcière qui perd la boule ? » Puis elle s'en prit à Nancy.

« Au nom du ciel, comment je vais faire pour te nettoyer ? »

Après quoi elle éleva de nouveau la voix pour s'assurer que je l'entendais.

« C'est une mauviette. Regarde-le s'accrocher aux jupons de sa mère. Tu n'iras plus jamais jouer avec lui. La petite mauviette à sa maman. »

Velma d'un côté et moi de l'autre, nous nous efforçâmes de ramener en douceur ma mère à la maison. Elle avait cessé d'émettre des sons désarticulés. Elle se redressa et prit la parole avec un enjouement artificiel d'une voix qui portait jusqu'au pavillon.

« Apportez-moi mon sécateur, s'il vous plaît, Velma. Pendant que j'y suis, autant en profiter pour soigner un peu les glaïeuls. Il y en a qui sont complètement fanés. »

Mais quand elle eut fini, le sentier en était jonché, il n'en restait plus un seul debout, fané ou pas.

Tout cela dut avoir lieu un samedi, comme je l'ai dit, parce que la mère de Nancy était chez elle et que Velma était présente alors qu'elle ne venait pas le dimanche. Dès le lundi, et peut-être même plus tôt, je suis sûr que le pavillon était vide. Peut-être que Velma avait retrouvé mon père dans son club ou sur les greens ou là où il pouvait bien être et il rentra, impatient et grossier mais bientôt convaincu. C'est-à-dire convaincu que Nancy et sa mère devaient décamper. Je n'avais aucune idée du moment où elles étaient parties. Peut-être les installa-t-il à l'hôtel en attendant de leur trouver un autre logement. Je ne crois pas que la mère de Nancy eût fait la moindre histoire pour s'en aller.

L'idée que je n'allais plus jamais revoir Nancy se fit peu à peu jour dans mon esprit. Au début, encore irrité contre elle, je ne m'en souciais guère. Puis quand je finis par m'en enquérir auprès de ma mère, elle m'éconduisit sans doute d'une réponse vague, voulant nous épargner, à elle comme à moi, le rappel de cette scène pénible. Ce fut à coup sûr à ce moment-là qu'elle se mit à envisager sérieusement de me mettre en pension. De fait, je crois que je fus inscrit à Lakefield dès l'automne. Elle se disait probablement qu'une fois accoutumé à la vie dans une école de garçons, le souvenir d'avoir eu une fille pour petite camarade de jeux s'estomperait et finirait par me sembler sans intérêt, voire ridicule.

Le lendemain des obsèques de mon père, ma mère me surprit en me demandant si je voulais bien l'emmener dîner (c'était évidemment elle qui m'emmènerait) dans un restaurant à quelques kilomètres de chez nous sur la rive du lac, où elle espérait qu'il n'y aurait personne de notre connaissance.

« J'ai l'impression d'avoir passé une éternité confinée dans cette maison, dit-elle. J'ai besoin d'air. »

Au restaurant, elle regarda discrètement à la ronde avant de déclarer qu'il n'y avait personne de sa connaissance.

« Veux-tu que nous buvions un verre de vin ? »

Avait-elle fait tout ce trajet à seule fin de pouvoir boire du vin en public ?

Quand on nous eut servi le vin et que nous eûmes passé commande, elle dit : « Il y a quelque chose qu'il faut, me semble-t-il, que tu saches. »

Cette phrase compte sans doute parmi les plus désagréables qu'on puisse entendre. Il existe de fortes chances pour que ce qu'on devrait savoir se mette à peser douloureusement sur nous, nous faisant comprendre que d'autres s'étaient longtemps chargés de ce fardeau pour nous l'épargner.

« Mon père n'est pas mon père ? dis-je. Chic.

– Ne sois pas bête. Tu te rappelles ta petite copine Nancy ? »

De fait, je ne me la rappelai pas, pendant un moment. Puis je dis : « Vaguement. »

À cette époque, toutes mes conversations avec ma mère semblaient requérir une démarche stratégique. Je devais faire montre d'une humeur légère, plaisanter, ne pas m'émouvoir. Sa voix comme son visage étaient empreints d'un chagrin voilé. Elle ne se plaignait jamais de son sort, mais il y avait tant d'innocents maltraités dans les histoires qu'elle me racontait, et tant de malheurs, que l'idée était certainement et à tout le moins de me faire repartir le cœur plus lourd pour rejoindre mes amis et ma bienheureuse existence.

Je refusais de coopérer. Peut-être cherchait-elle seulement un signe de sympathie, voire de tendresse physique. Je n'étais pas prêt à lui accorder cela. Très soignée de sa personne, elle n'avait pas encore subi les atteintes de l'âge mais je me gardais d'elle comme si sa tristesse récurrente constituait un danger, une moisissure infectieuse. Je me gardais en particulier de toute allusion à mon imperfection physique, qu'elle chérissait me semblait-il, tout particulièrement – les fers dont je ne pouvais me libérer, dont j'étais contraint de reconnaître l'existence, qui m'attachaient à elle depuis la matrice.

« Tu l'aurais probablement appris si tu étais resté à la maison, dit-elle. Mais c'est arrivé peu après qu'on t'a mis en pension. »

Nancy et sa mère avaient emménagé dans un appartement que mon père possédait place de l'Hôtel-de-ville. Là, par un beau matin de ce début d'automne, la mère de Nancy avait trouvé sa fille à la salle de bains, occupée à se taillader la joue à l'aide d'une lame de rasoir. Il y avait du sang par terre et dans le lavabo et un peu partout sur Nancy. Mais elle continuait de s'acharner sans un seul cri de douleur.

Comment ma mère savait-elle tout cela? Je ne puis qu'imaginer que c'était une de ces tragédies qu'on est censé cacher dans les villes de province mais trop saignantes – au sens littéral du mot – pour ne pas être rapportées en détail.

La mère de Nancy l'avait enveloppée dans une serviette de bain et avait trouvé le moyen de l'emmener à l'hôpital. Il n'y avait pas d'ambulances à l'époque. Elle avait probablement arrêté une auto dans la rue. Pourquoi n'avait-elle pas téléphoné à mon père? Qu'importe – elle ne l'avait pas fait. Les entailles n'étaient pas profondes et elle n'avait pas perdu trop de sang en dépit des éclaboussures – aucun vaisseau important n'était touché. La mère de Nancy n'avait pas cessé de gronder sa fille et de lui demander si elle avait perdu la tête.

«C'est bien ma veine, répétait-elle. Une gamine comme toi.»

«S'il y avait eu des assistantes sociales à l'époque, dit ma mère, il ne fait aucun doute que cette pauvre petite aurait été confiée à l'Aide à l'Enfance.»

«C'était la même joue, dit-elle. Comme la tienne.»

Je m'efforçai de garder le silence, comme si je ne savais pas de quoi elle parlait. Mais ce fut plus fort que moi.

«La peinture, elle s'en était mis sur tout le visage, dis-je.

– Oui. Mais elle a fait plus attention, cette fois-là, elle ne s'est tailladé qu'une seule joue, elle a fait tout ce qu'elle pouvait pour te ressembler.»

Cette fois je parvins à rester coi.

«Si c'était un garçon, ce ne serait pas pareil. Mais quelle horreur pour une fille.

– La chirurgie esthétique fait des choses remarquables de nos jours.

– Bah, c'est possible.»

Après un temps, elle dit: «Cette profondeur de sentiments. Chez les enfants.

– Ils s'en remettent. »

Elle dit qu'elle ne savait pas ce qu'elles étaient devenues, la fille ni la mère. Elle dit encore qu'elle était contente que je ne lui aie jamais posé de questions, parce qu'elle aurait détesté avoir à me raconter une chose aussi troublante quand j'étais encore tout jeune.

J'ignore si cela a le moindre rapport avec quoi que ce soit, mais je dois dire que ma mère changea du tout au tout quand elle eut atteint un âge avancé, elle se dévergonda et devint fantasque. Elle prétendait que mon père était un amant exceptionnel et qu'elle-même avait été « une vraie coquine ». Elle proclamait que j'aurais dû épouser « cette fille qui s'était tailladé la figure » parce que nous n'aurions pu ni l'un ni l'autre nous targuer d'une quelconque générosité à l'égard de notre conjoint. Chacun de nous, ricanait-elle, aurait été aussi moche que l'autre.

J'étais bien d'accord. Je la préférais nettement comme ça.

Voilà quelques jours j'ai été piqué par une guêpe en ramassant les pommes pourries sous un des vieux arbres. Elle m'avait piqué la paupière, qui n'a pas tardé à se fermer. Je suis allé en voiture à l'hôpital en me servant de l'autre œil (celui qui était enflé était du « bon » côté de mon visage) et fus surpris d'apprendre qu'on allait m'hospitaliser pour la nuit. On m'expliqua qu'après m'avoir fait une injection, il faudrait me bander les deux yeux afin d'éviter le stress de celui qui voyait encore. Je passai ce qu'on appelle une nuit agitée, me réveillant souvent. Certes, le silence n'est jamais total dans les hôpitaux. Et cette brève interruption de ma vision suffit sembla-t-il à aiguiser mon ouïe. En entendant des pas dans ma chambre, je sus que c'étaient ceux d'une femme et j'eus le sentiment qu'elle n'était pas infirmière.

Mais quand elle dit : « Bien, vous êtes réveillé. Je viens pour la lecture », je me dis que j'avais dû me tromper et que c'était bien une infirmière en définitive. Je tendis le bras, croyant qu'elle était venue lire les résultats d'un quelconque appareil qu'on m'avait posé.

« Non, non, dit-elle de sa petite voix insistante. Je viens vous faire la lecture, si vous en avez envie. Il y a des gens à qui ça fait plaisir ; ils s'ennuient de rester couchés là les yeux fermés.

– Ce sont eux qui choisissent, ou vous ?

– Eux, mais il m'arrive de les mettre sur la voie. Il m'arrive d'essayer de leur rappeler un récit biblique, un passage de la Bible dont ils se souviennent. Ou une histoire de leur enfance. J'apporte tout un tas de choses avec moi.

– J'aime bien la poésie, dis-je.

– Vous n'avez pas l'air très enthousiaste. »

Je me rendis compte que c'était vrai et je savais pourquoi. J'ai une certaine expérience dans le domaine des lectures poétiques à la radio et j'ai écouté d'autres professionnels qui lisaient, et s'il est des styles de lecture qui me conviennent, il en est d'autres que j'abhorre.

« Alors nous pourrions jouer à un jeu, dit-elle comme si je lui avais expliqué ce qui précède, quand il n'en était rien. Je pourrais vous lire un vers ou deux, puis m'interrompre pour voir si vous connaissez le vers suivant, d'accord ? »

L'idée me frappa qu'il s'agissait peut-être d'une toute jeune femme désireuse de trouver des amateurs, afin de réussir dans son travail.

Je dis d'accord. Mais pas d'anglais médiéval, ajoutai-je.

« "Le roi trônait à Dunfermline"… commença-t-elle d'une voix interrogative.

– "Buvant un vin rouge comme le sang" », poursuivis-je, et nous continuâmes avec entrain. Elle lisait assez bien, encore qu'à une vitesse d'enfant cabotine. Je me mis à goûter le son de ma propre voix non sans tomber moi-même par-ci par-là dans un rien de cabotinage.

« Joli, disait-elle.

– "Et te montrer où pousse le lys,/ Sur les rives d'Italie…"

– "Pousse" ou "croît" ? demanda-t-elle. Je n'ai pas de livre pour le vérifier. Je devrais me le rappeler, pourtant. Ça ne fait rien, c'est ravissant. J'ai toujours aimé votre voix à la radio.

– Vraiment ? Vous m'écoutiez ?

– Bien sûr. Comme beaucoup de gens. »

Elle cessa de me fournir des vers pour me laisser continuer seul. On imagine. « La plage de Douvres » et « Kubla Khan » et l'« Ode au vent d'ouest » et « Les cygnes sauvages » et l'« Hymne à la jeunesse condamnée », enfin peut-être pas tous et peut-être pas dans leur intégralité.

« Vous commencez à vous essouffler », dit-elle. Sa petite main preste se posa sur ma bouche. Et puis son visage ou le côté de son visage s'appuya contre le mien. « Il faut que j'y aille. En voici un dernier juste avant de partir. Pour rendre les choses plus difficiles je ne vais pas commencer au début. "On ne portera pas/ Longtemps ton deuil/ Priant pour toi/ Blessé de ton absence/ Ta place vide…"

– Je n'ai jamais entendu ça, dis-je.

– Vous êtes sûr ?

– Certain. Vous avez gagné. »

À présent, mes soupçons s'étaient éveillés. Elle semblait malheureuse, un peu fâchée. J'entendis l'appel des oies qui survolaient l'hôpital. Elles faisaient des vols d'entraînement à cette époque de l'année, puis chacun de leur vol s'allonge et un beau jour elles s'en vont. J'étais en train de m'éveiller, dans cet état de surprise indignée qui suit un rêve convaincant. Je voulais y retourner pour qu'elle pose de nouveau son visage sur le mien. Sa joue sur la mienne. Mais les rêves n'ont pas cette obligeance.

Quand j'eus retrouvé la vue et que je fus rentré chez moi, je me mis à chercher les vers sur lesquels elle m'avait quitté dans mon rêve. Je parcourus deux ou trois anthologies sans les y trouver. Le soupçon se fit jour en moi qu'il ne s'agissait pas du tout d'une vraie citation mais que ces vers avaient été conçus dans mon rêve dans le seul but de me confondre.

Conçus par qui ?

Mais plus tard cet automne, tandis que je préparais quelques vieux livres pour en faire don à une vente de charité, une feuille de papier jaunie en tomba sur laquelle on avait tracé des lignes au crayon. Ce n'était pas l'écriture de ma mère et je ne crois vraiment pas que cela pouvait être celle de mon père. De qui, alors ? En tout cas, on avait écrit le nom de l'auteur à la fin. Walter de la Mare. Pas de titre. Ce n'est pas un auteur dont je connais particulièrement l'œuvre mais je dois avoir vu ce poème à un moment donné, peut-être pas sur la feuille en question, plutôt dans un manuel. Puis j'ai dû enfouir ces vers dans un recoin de mon esprit. Et pourquoi? Simplement pour qu'ils reviennent me taquiner ou plutôt pour que le fantôme de certaine fillette vienne me taquiner en rêve?

Nulle peine
Que temps n'apaise
Nulle perte, nulle trahison
Insurmontables
Baume pour l'âme donc
Malgré la tombe qui tranche
L'amant de l'aimée
Et de tout leur partage
Vois luire le soleil
Après l'averse
Les fleurs parader
Et le jour radieux
Ne t'appesantis pas
Sur l'amour, le devoir
Des amis oubliés
T'attendent peut-être là où
La vie avec la mort
Résout toute chose
On ne portera pas
Longtemps ton deuil
Priant pour toi
Blessé de ton absence
Ta place oubliée
Tu n'y seras plus.

La lecture du poème ne me déprima pas. Bizarrement, elle sembla au contraire renforcer la décision que j'avais déjà arrêtée à l'époque, de ne pas vendre la propriété mais de m'y installer.

Il s'est passé quelque chose ici. Dans la vie il y a peu d'endroits, et parfois peut-être un unique endroit, où il s'est passé quelque chose, et puis il y a tous les autres.

Je sais bien que si j'avais distingué Nancy – dans le métro, par exemple, à Toronto – avec notre marque bien reconnaissable à tous les deux, nous aurions selon toute probabilité réussi à avoir une de ces conversations gênées et insignifiantes, dressant à la hâte une liste inepte de données autobiographiques. J'aurais remarqué la joue réparée, presque normale, ou les cicatrices encore bien visibles, mais cela ne serait probablement pas entré dans la conversation. On aurait peut-être mentionné des enfants. Pas invraisemblable, qu'elle ait été réparée ou non. Et des petits-enfants. Des métiers. Peut-être n'aurais-je pas eu besoin de lui dire quel était le mien. Nous aurions été stupéfaits, enjoués, impatients de déguerpir.

Croyez-vous que cela aurait changé les choses ?

La réponse est *bien sûr*, et *pendant quelque temps*, et *pas du tout*.

Des femmes

Il m'arrive d'être effarée de penser que je suis si vieille. Je me rappelle le temps où les rues de ma ville étaient arrosées en été pour faire tomber la poussière et où les jeunes femmes portaient des tournures et des crinolines qui tenaient debout toutes seules et où on n'avait guère de recours contre la polio et la leucémie, entre autres. Quand on attrapait la polio, on s'en remettait parfois, avec ou sans séquelles, mais atteint d'une leucémie, on s'alitait, et après quelques semaines ou quelques mois de déclin dans une atmosphère tragique, on mourait.

Ce fut à cette dernière maladie que je dus mon premier emploi, pendant les vacances d'été de mes treize ans. Le jeune Mr. Crozier (Bruce) était revenu sain et sauf de la guerre, qu'il avait faite comme pilote de chasse, était allé à l'université étudier l'histoire, avait obtenu son diplôme, s'était marié, et voilà qu'il avait une leucémie. Avec son épouse, il était revenu s'installer chez sa mère, la vieille Mrs. Crozier. La jeune Mrs. Crozier (Sylvia) se rendait deux fois par semaine donner des cours d'été à la faculté où ils s'étaient rencontrés, à une soixantaine de kilomètres de notre ville. Je fus engagée pour veiller sur le jeune Mr. Crozier pendant ces absences. Il gardait le lit dans la grande chambre d'angle du premier étage et pouvait encore aller aux toilettes sans aide. Tout ce que j'avais à faire était de lui apporter de l'eau fraîche, d'abaisser ou de relever les stores et de m'enquérir de ce qu'il voulait quand il agitait la clochette posée sur sa table de chevet. D'ordinaire, ce qu'il voulait c'était qu'on déplace le ventilateur. Il aimait la brise qu'il créait mais son bruit le dérangeait. Il voulait donc le ventilateur dans la pièce pendant quelque temps puis dans le couloir, mais près de sa porte ouverte.

Quand ma mère l'apprit, elle se demanda pourquoi on ne lui avait pas mis un lit au rez-de-chaussée, où les plafonds certainement plus hauts lui auraient assuré plus de fraîcheur.

Je lui dis qu'ils n'avaient pas de chambre à coucher au rez-de-chaussée. Mais, grands dieux, ils ne pourraient pas en installer une ? Provisoirement ?

Cela montrait l'étendue de son ignorance sur la maisonnée Crozier et le règne de la vieille Mrs. Crozier. La vieille Mrs. Crozier s'appuyait sur une canne pour marcher. Elle montait une seule fois l'escalier, lentement, avec un bruit lourd de menace, pour venir voir son beau-fils, les après-midi où j'étais là, et j'imagine qu'elle n'en faisait pas plus les après-midi où je n'étais pas là, puis une autre fois, nécessairement, quand elle allait se coucher. Mais l'idée d'une chambre au rez-de-chaussée l'aurait scandalisée tout autant que l'idée de toilettes dans un salon. Heureusement, il y avait déjà des toilettes au rez-de-chaussée, derrière la cuisine, mais j'étais sûre que, s'il n'y en avait eu qu'à l'étage, elle aurait gravi l'escalier aussi souvent et aussi laborieusement qu'il l'eût fallu, plutôt que de voir un changement si radical et si déconcertant.

Ma mère caressait l'idée de devenir antiquaire et était donc fort intéressée par cet intérieur. Elle réussit à y entrer, une seule fois, au cours de mon premier après-midi. J'étais à la cuisine et demeurai pétrifiée sur place en l'entendant crier « hou, hou » et, joyeusement, mon nom. Puis je l'entendis, ayant frappé pour la forme, monter les marches de la cuisine. Et la vieille Mrs. Crozier sortit du solarium, cognant le sol de sa canne.

Ma mère dit qu'elle ne faisait que passer pour voir comment sa fille s'en tirait.

« Tout va très bien », dit la vieille Mrs. Crozier qui se tenait dans l'encadrement de la porte du couloir, bloquant la vue sur les antiquités.

Ma mère fit encore quelques remarques mortifiantes avant de s'en aller. Ce soir-là elle dit que la vieille Mrs. Crozier était mal élevée parce que ce n'était qu'une seconde épouse ramassée lors d'un voyage d'affaires à Detroit, ce qui expliquait qu'elle fume et se teigne les cheveux aussi noir que le goudron et se barbouille de rouge à lèvres comme de confiture. Elle n'était même pas la mère de l'invalide du premier étage. Elle n'aurait pas eu assez de cervelle pour ça.

(C'était au cours d'une de nos disputes, celle-là en rapport avec sa visite, mais c'est une autre histoire.)

Aux yeux de la vieille Mrs. Crozier, je devais être une intruse aussi indiscrète que ma mère, aussi allègrement persuadée de mon bon droit. Lors de mon tout premier après-midi, j'étais allée au petit salon et, ouvrant la bibliothèque, j'avais considéré la collection des Harvard Classics dans leur parfait alignement. La plupart étaient trop rébarbatifs mais j'en pris un qui pouvait être un roman, en dépit de son titre en langue étrangère, *I Promessi Sposi*. Apparemment il s'agissait bien d'un roman, et en anglais.

Je devais obéir à l'idée que les livres sont à la libre disposition de chacun, où qu'on les trouve. Comme l'eau d'une fontaine publique.

Quand la vieille Mrs. Crozier me vit avec le volume, elle me demanda où je l'avais trouvé et ce que j'en faisais. Dans la bibliothèque, répondis-je, et aussi que je l'avais emporté à l'étage pour le lire. Ce qui la troublait le plus, me sembla-t-il, c'était que, l'ayant pris au rez-de-chaussée, je l'avais emporté à l'étage. Quant à la lecture elle n'en dit rien, à croire que cette activité lui était trop étrangère pour qu'elle daigne s'en préoccuper. Elle conclut en me disant que si je voulais un livre il me faudrait en apporter un de chez moi.

De toute manière, *I Promessi Sposi* était indigeste. Je ne vis guère d'inconvénient à le remettre dans la bibliothèque.

Il y avait bien entendu des livres dans la chambre du malade. Apparemment la lecture y était acceptable. Mais ils étaient pour la plupart ouverts et retournés, comme si Mr. Crozier se contentait de lire un peu par-ci par-là avant de les reposer. Et leurs titres ne me tentaient pas. *La Civilisation à l'épreuve*. *La Grande Conspiration contre la Russie*.

Et ma grand-mère m'avait mise en garde : je devais autant que possible éviter de toucher à ce que le patient avait touché, à cause des germes, et toujours interposer une serviette entre mes doigts et son verre d'eau.

Ma mère avait dit que la leucémie n'était pas causée par des germes. « Ah oui, et par quoi est-elle causée ? avait dit ma grand-mère.
– La médecine ne le sait pas.
– Pfff. »

C'était la jeune Mrs. Crozier qui venait me chercher et me reconduisait chez moi, en auto, alors que la distance était seulement celle qui séparait un bout de notre petite ville de l'autre. Elle était grande, mince, blonde, et avait le teint changeant. Des marbrures rouges apparaissaient de temps en temps sur ses joues comme si elle les avait grattées. La rumeur publique la disait plus vieille que son mari, qui avait été son élève à l'université. Selon ma mère, personne ne s'était donné la peine de réfléchir au fait qu'étant ancien combattant, il pouvait très bien avoir été son élève sans qu'elle fût forcément plus vieille que lui. Les gens lui en voulaient tout simplement parce qu'elle était instruite.

On racontait aussi qu'elle aurait pu rester chez elle pour veiller sur lui, ainsi qu'on en fait vœu en se mariant, au lieu d'aller enseigner. Là encore ma mère prenait sa défense, arguant que ce n'étaient que deux après-midi par semaine et qu'il lui fallait bien préserver son activité professionnelle, attendu qu'elle n'allait pas tarder à se retrouver seule. Et si elle ne pouvait pas, une fois de temps en temps, s'évader du domaine de la vieille dame, vous ne pensez pas qu'elle deviendrait folle ? Ma mère prenait toujours la défense des femmes qui travaillaient et ma grand-mère le lui reprochait toujours.

Un jour j'essayai d'engager la conversation avec la jeune Mrs. Crozier, Sylvia. C'était la seule universitaire de ma connaissance et, bien sûr, la seule enseignante. En dehors de son mari, évidemment, mais il ne comptait plus.

« Est-ce que Toynbee écrivait des livres d'histoire ?
– Pardon ? Mmh. Oui. »

Aucun d'entre nous ne comptait pour elle, ni moi ni ceux qui la critiquaient ni ceux qui la défendaient. Pas plus que des insectes sur un abat-jour.

Pour la vieille Mrs. Crozier, ce qui comptait vraiment c'étaient les fleurs de son jardin. Elle avait un aide, à peu près aussi vieux qu'elle mais plus valide. Il demeurait dans notre rue et c'était d'ailleurs par lui qu'elle avait entendu parler de moi comme d'une employée possible. Chez lui, il se contentait de dire du mal des gens pendant que croissaient les mauvaises herbes, mais chez la vieille Mrs. Crozier il s'activait, arrachait et paillait, tandis qu'elle le suivait, appuyée sur sa canne à l'ombre de son grand chapeau de paille. Par moments elle s'asseyait sur son banc, sans cesser de commenter et de donner des ordres, pour fumer une cigarette. Un des premiers jours, j'osai m'aventurer entre les haies impeccables pour demander si elle ou son aide désiraient un verre d'eau et elle avait crié: «Attention à mes plates-bandes», avant de dire non.

On n'apportait pas de fleurs dans la maison. Des pavots s'étaient évadés et poussaient en sauvageons au-delà de la haie, presque sur la rue, et je demandai donc si je pouvais en cueillir un bouquet pour égayer la chambre du malade.

«Ils vont mourir», dit-elle sans se rendre compte, apparemment, que sa remarque était à double tranchant, vu les circonstances.

Certaines suggestions, certaines idées, avaient le pouvoir de faire tressaillir les muscles de son maigre visage tavelé, et alors son regard devenait noir et aigu, et sa bouche semblait remâcher un goût répugnant. Elle pouvait vous bloquer net dans votre élan, comme un féroce buisson de ronces.

Mes deux journées de travail n'étaient pas consécutives. Nous dirons que c'était le mardi et le jeudi. Le premier jour, j'étais seule avec le malade et la vieille Mrs. Crozier. Le deuxième il arriva quelqu'un dont on ne m'avait pas parlé. J'entendis la voiture dans l'allée, un pas rapide sur les marches derrière la maison et une personne entra dans la cuisine sans frapper. Puis une voix appela «Dorothy». J'ignorais encore que c'était le nom de la vieille Mrs. Crozier. C'était une voix de femme ou de jeune fille, à la fois assurée et taquine, au point qu'on avait presque l'impression que sa propriétaire était en train de vous chatouiller.

Je descendis l'escalier du fond en courant, annonçant : « Je crois qu'elle est au solarium.

– Nom d'un chien mais qui c'est, celle-là ? »

Je lui dis qui j'étais et ce que je faisais là et cette jeune femme déclara s'appeler Roxanne.

« Je suis la masseuse. »

Je n'aimais pas être prise en flagrant délit d'ignorance quand je ne connaissais pas un mot. Je restai coite mais elle vit de quoi il retournait.

« Ça vous la coupe, hein ? Je fais des massages. Vous n'en avez jamais entendu parler ? »

Elle se mit à vider le sac qu'elle avait apporté. Divers tampons, serviettes et brosses recouvertes de velours synthétique firent leur apparition.

« Il me faut de l'eau chaude pour réchauffer tout ça, dit-elle. Vous pouvez m'en faire chauffer dans la bouilloire. »

C'était une belle demeure mais il n'y avait que de l'eau froide au robinet, comme chez moi.

Selon toute apparence, m'ayant jaugée elle voyait en moi une personne disposée à recevoir des ordres – particulièrement, peut-être, des ordres donnés d'une voix aussi câline. Et elle avait vu juste. Sans forcément comprendre que ma docilité venait plutôt de ma curiosité que de son charme.

Elle était déjà hâlée en ce début d'été et sa chevelure brillante, coupée au bol, avait des reflets cuivrés – du genre qu'on peut facilement se procurer en flacon aujourd'hui, mais qui était peu courants et enviables à l'époque. Les yeux marron, une fossette dans une joue, si souriante et taquine qu'on n'arrivait jamais à la regarder suffisamment pour voir si elle était vraiment jolie, ou juger de son âge.

Les courbes de son derrière rebondi ne s'étalaient pas sur le côté.

J'appris aussitôt qu'elle venait d'arriver en ville, qu'elle était mariée au mécanicien de la station Esso, et qu'elle avait deux petits garçons, de quatre et trois ans. « C'est le temps qu'il m'a fallu pour comprendre comment on les attrape », dit-elle avec un de ses clins d'œil de conspiratrice.

Elle avait appris le métier de masseuse à Hamilton où ils habitaient avant et elle s'était révélée particulièrement douée pour ce genre d'activités.

« Do-rothiii ?

– Elle est au solarium, lui dis-je de nouveau.

– Je sais, je la taquine, c'est tout. Car vous ne savez peut-être pas que, pour un massage, on doit ôter tous ses habits. Pas trop difficile quand on est jeune, mais quand on est plus vieux, vous savez, ça peut être très gênant. »

Elle se trompait sur un point, du moins en ce qui me concernait. Que ce ne soit pas trop difficile d'ôter tous ses habits quand on est jeune.

« Alors vous devriez peut-être filer. »

Cette fois, je remontai par le grand escalier pendant qu'elle s'affairait avec l'eau chaude. De cette façon je pus jeter un coup d'œil par la porte ouverte du solarium – qui ne méritait plus guère ce nom parce que ses fenêtres étaient sur trois côtés complètement envahies par le feuillage dense des catalpas.

J'y vis le corps maigrichon de la vieille Mrs. Crozier étendue à plat ventre sur un lit de repos, la tête tournée vers l'extérieur, nue comme la main. Un éclair de chair pâle. Chair qui ne semblait pas aussi vieille que les parties d'elle qu'elle exposait tous les jours – ses mains et ses avant-bras semés de taches brunes et parcourus de veines sombres, ses joues tavelées. Cette partie de son corps que les vêtements recouvraient d'ordinaire était d'un blanc jaunâtre, comme le bois qu'on vient de débarrasser de son écorce.

Je m'assis sur la plus haute marche pour écouter les bruits du massage. Chocs sourds et grognements. La voix de Roxanne, impérieuse à présent, enjouée mais pleine d'exhortations.

« C'est dur, là, c'est noué. Hou là là. Je vais devoir vous flanquer un bon coup. Je blague. Allez, quoi, détendez-vous un peu. Vous en avez une jolie peau, là, vous savez. Au creux des reins, comment dit-on, déjà, comme des fesses de bébé. Là il va falloir que j'appuie un peu, vous allez le sentir passer. Pour relâcher la tension. Là, c'est bien. »

La vieille Mrs. Crozier émettait de petits jappements. Pour se plaindre ou exprimer sa gratitude. Cela se prolongea un certain temps et je finis par m'ennuyer. Je retournai lire quelques vieux exemplaires du *Canadian Home Journal* que j'avais trouvés dans l'armoire du couloir. Je lus des recettes et parcourus des images de mode surannées jusqu'à ce que j'entende Roxanne dire : « Il faut que j'aille nettoyer ces choses-là et puis on ira à l'étage comme vous l'avez décidé. »

À l'étage. Je remis les magazines en place dans l'armoire qui aurait rendu ma mère envieuse et passai dans la chambre de Mr. Crozier. Il dormait, ou du moins avait les yeux fermés. Je déplaçai le ventilateur de quelques centimètres, lissai sa couverture et allai me planter devant la fenêtre dont je tripotai le store.

Effectivement, un bruit ne tarda pas à me parvenir de l'escalier du fond, le pas lent et menaçant de la vieille Mrs. Crozier et de sa canne, précédé de celui de Roxanne, qui avait couru devant en criant : « Coucou ! C'est nous ! Coucou ! Où vous cachez-vous ? »

Mr. Crozier avait ouvert les yeux à présent. Son habituelle lassitude se teintait d'une vague expression d'alarme. Mais avant qu'il ait pu de nouveau feindre de dormir, Roxanne fit irruption dans la chambre.

« C'est donc là que vous vous cachiez. Je viens de dire à votre belle-maman que d'après moi il était temps de faire les présentations. »

Mr. Crozier dit : « Enchanté, Roxanne.

— Comment savez-vous mon nom ?

— Les nouvelles vont vite.

— C'est un coquin que vous avez là, dit Roxanne à la vieille Mrs. Crozier qui entrait à son tour en martelant le sol.

— Au lieu de tripoter bêtement ce store, me dit la vieille Mrs. Crozier, allez donc me chercher un verre d'eau fraîche, ça vous occupera. Je dis bien : fraîche, pas glacée.

— Vous n'êtes pas présentable, dit Roxanne à Mr. Crozier. Qui a pu vous raser comme ça ? Et ça remonte à quand ?

— À hier, répondit-il. Je m'en charge personnellement et je fais de mon mieux.

— Je me disais aussi », fit Roxanne. Puis tournée vers moi : « En allant chercher son eau, vous voulez bien en mettre un peu à chauffer pour moi, que j'essaie de le raser convenablement ? »

Ce fut ainsi que Roxanne s'investit de cette autre fonction, une fois par semaine, après le massage. Le premier jour, elle dit à Mr. Crozier de ne pas s'inquiéter.

« Je ne vais pas vous tomber dessus à bras raccourcis comme vous avez dû m'entendre faire sur cette pauvre Mémé Dorothy à l'étage en dessous. Avant de suivre ma formation de masseuse, j'étais infirmière, enfin, aide-soignante. Une de celles qui font tout le travail en attendant que les infirmières viennent inspecter les travaux finis. Bref, j'ai appris à veiller sur le confort des gens. »

Mémé Dorothy ? Mr. Crozier sourit. Mais chose étrange, la vieille Mrs. Crozier s'était contentée de sourire aussi.

Roxanne le rasa adroitement. Elle lui passa une éponge sur le visage, le cou, le torse, les bras et les mains, tira sur ses draps pour les lisser en se débrouillant pour ne pas le déranger, et tapa sur ses oreillers avant de les redresser. Le tout sans cesser de débiter un tissu de plaisanteries taquines et ineptes.

« Dorothy, vous êtes une menteuse. Vous disiez qu'il y avait un malade à l'étage, donc moi j'entre ici et je me dis : Où peut-il bien être, ce malade ? Je ne vois pas de malade dans le coin. Sans blague ? »

Alors Mr. Crozier : « Qu'est-ce que je suis, dans ce cas ?

— Un convalescent. Voilà ce que je dirais. Oh, je ne dis pas que vous devriez vous lever pour courir partout, je ne suis pas complètement idiote, je sais que vous avez besoin de repos au lit. Mais je dis que vous êtes convalescent. Jamais personne d'aussi malade que vous êtes censé l'être n'a dû avoir aussi bonne mine que vous. »

Ces agaceries gazouillées me semblaient insultantes. Mr. Crozier avait une mine épouvantable. C'était un homme de haute taille, et quand elle l'avait découvert pour sa toilette, ses côtes saillaient comme celles des victimes d'une famine, il était chauve et sa peau ressemblait à celle d'un poulet plumé, de gros tendons lui faisaient un cou de vieillard. Chaque fois que j'avais eu d'une manière ou d'une autre à m'occuper de lui, j'avais évité de le regarder. Et ce n'était d'ailleurs pas réellement parce qu'il était malade et hideux. Mais parce qu'il était mourant.

J'aurais éprouvé quelque chose de la même retenue quand bien même il aurait été d'une beauté angélique. J'avais conscience d'une atmosphère de mort qui régnait dans la maison, qui s'épaississait à mesure qu'on s'approchait de cette chambre et dont il occupait le centre comme le Saint-Esprit que les catholiques conservent dans une boîte qui porte le nom formidable de Tabernacle. C'était lui que la maladie avait frappé, lui qui était marqué, distinct du lot, et Roxanne se permettait de faire intrusion dans son domaine avec ses plaisanteries, ses minauderies et sa conception du divertissement.

S'enquérant, par exemple, de la présence éventuelle d'un jeu de dames chinoises.

Ce fut peut-être lors de sa deuxième visite, quand elle lui demanda ce qu'il faisait toute la journée.

« Je lis de temps en temps. Je dors. »

Et comment dormait-il la nuit ?

« Quand je n'arrive pas à dormir, je reste couché, éveillé. Je réfléchis. De temps en temps je lis.

– Ça ne dérange pas votre femme ?

– Elle couche dans la chambre du fond.

– Mm-mmh. Vous avez besoin qu'on vous distraie.

– Vous allez me faire un numéro de music-hall ? »

Je vis la vieille Mrs. Crozier détourner la tête avec son drôle de petit sourire machinal.

« Faites pas le malin, dit Roxanne. Vous jouez aux cartes ?

– J'ai horreur de ça.

– Bon, alors vous avez un jeu de dames chinoises ? »

Roxanne avait posé la question à la vieille Mrs. Crozier, qui dit d'abord n'en avoir pas la moindre idée puis se demanda s'il n'y avait pas un damier dans un tiroir du buffet de la salle à manger.

On m'envoya donc vérifier et je revins, portant le damier en étoile et le bocal de billes.

Roxanne installa le damier sur les jambes de Mr. Crozier et ce dernier, elle et moi nous mîmes à jouer, la vieille Mrs. Crozier disant qu'elle n'avait jamais rien compris à ce jeu et ne touchait pas sa bille.

(Je fus surprise de la découvrir capable de cette plaisanterie.) Il arrivait à Roxanne de pousser un petit cri aigu quand elle déplaçait une bille ou un grognement quand on lui en soufflait une mais elle prenait garde à ne pas déranger le patient. Elle veillait à demeurer immobile et à déposer ses billes comme des plumes. Je m'efforçais d'en faire autant, parce qu'elle me lançait un regard de mise en garde en écarquillant les yeux chaque fois que je faisais autrement. Le tout sans jamais perdre sa fossette.

Je me souvenais que la jeune Mrs. Crozier, Sylvia, m'avait dit dans la voiture que son mari n'appréciait pas la conversation. Cela le fatiguait, avait-elle dit, et quand il était fatigué, il risquait de devenir irritable. Je me dis donc : S'il y a un moment pour qu'il devienne irritable, c'est maintenant. Contraint de jouer à un jeu idiot sur son lit de mort, alors que sa fièvre imprègne les draps.

Mais Sylvia devait se tromper. Il avait acquis plus de patience et de courtoisie qu'elle ne s'en rendait peut-être compte. Avec les infé-rieurs – Roxanne était certainement une inférieure – il avait appris à se montrer gentil et tolérant. Alors que sa seule envie devait être de méditer sur les sentiers de son existence en se fortifiant pour l'avenir.

Roxanne tamponna la sueur qui perlait au front du malade en disant : « Du calme, vous n'avez pas encore gagné.

– Roxanne, dit-il. Roxanne. Savez-vous qui s'appelait Roxanne ?

– Mmm ? » fit-elle, et j'intervins. Ce fut plus fort que moi.

« La femme d'Alexandre le Grand. »

Ma tête était un nid de pie, que je tapissais de bribes de connais-sances chatoyantes comme celle-là.

« Voyez vous ça, dit Roxanne. Et qui c'était, celui-là ? L'grand Alexandre ? »

Je compris quelque chose en regardant Mr. Crozier à cet instant-là. Et j'en fus frappée, attristée.

Cela lui faisait plaisir qu'elle ne sache pas. Je le voyais bien. Cela lui faisait plaisir. Son ignorance éveillait un plaisir qui lui fondait sur la langue, comme un caramel délectable.

Le premier jour elle était en short, comme moi. Mais la fois suivante et toujours par la suite Roxanne portait une robe d'un tissu vert pâle, raide et brillant. On entendait son froissement quand elle montait l'escalier en courant. Elle apporta un coussin ouatiné pour que Mr. Crozier n'ait pas d'escarres. Elle trouvait à redire à la disposition de ses draps et de ses couvertures, toujours, et devait y remettre de l'ordre. Mais elle pouvait lui faire autant de remontrances qu'elle voulait, jamais ses gestes n'irritaient Mr. Crozier, et force était à ce dernier de reconnaître que son lit était plus confortable après son intervention.

Elle n'était jamais prise de court. Elle arrivait avec plus d'un tour dans son sac. C'étaient tantôt des énigmes. Tantôt des blagues. Certaines de ces blagues étaient d'un genre que ma mère aurait appelé grivois et qu'elle ne tolérait pas chez nous, sauf quand elles provenaient de certains des parents de mon père qui n'avaient pour ainsi dire pas d'autre forme de conversation.

Elles avaient d'ordinaire pour début une question d'apparence sérieuse mais absurde.

Avez-vous entendu parler de la bonne sœur qui voulait acheter un hachoir à viande ?

Savez-vous quel dessert les jeunes mariés ont commandé le soir de leurs noces ?

La réponse avait toujours un double sens qui permettait au narrateur de jouer les vertus offensées et d'accuser son auditoire d'avoir l'esprit mal tourné.

Puis quand elle eut accoutumé tout le monde à l'entendre raconter ces blagues, Roxanne passa à un autre genre dont je crois que ma mère ignorait jusqu'à l'existence, et qui tournait souvent autour de rapports sexuels avec des moutons, des poules ou des cadavres.

« Épouvantable, non ? » disait-elle toujours à la fin. Ajoutant qu'elle n'aurait jamais connu ces choses-là si son mari ne les avait rapportées du garage.

Les gloussements de la vieille Mrs. Crozier me choquaient autant que les blagues elles-mêmes. Je me disais qu'elle ne les comprenait peut-être pas mais prenait plaisir à écouter Roxanne raconter, quoi qu'elle racontât. Elle souriait un peu à regret et pourtant distraitement, comme si elle venait de recevoir un cadeau dont elle savait qu'il lui ferait plaisir avant même d'avoir ouvert le paquet.

Mr. Crozier ne riait pas, mais il ne riait jamais, à vrai dire. Il levait les sourcils, affectant la réprobation, comme si Roxanne le scandalisait mais n'en était pas moins attachante. Peut-être se montrait-il seulement bien élevé, à moins qu'il ne lui fût reconnaissant des efforts, quels qu'ils fussent, qu'elle déployait.

Quant à moi, je m'appliquais à rire afin que Roxanne ne me juge pas bégueule parce que innocente.

Une autre de ses ressources pour mettre un peu d'animation consistait à raconter sa vie. Elle était venue, d'une petite bourgade perdue du nord de l'Ontario, à Toronto en visite chez sa sœur aînée puis avait trouvé un emploi aux grands magasins Eatons, d'abord pour faire le ménage à la cafétéria, suite à quoi, ayant été remarquée par un des directeurs parce qu'elle travaillait vite et était toujours de bonne humeur, elle s'était soudain retrouvée vendeuse au rayon ganterie. (À l'entendre, me disais-je, on aurait cru qu'elle avait été découverte par la Warner Bros.) Et qui n'avait-elle pas vu un jour, sinon Barbara Ann Scott, la célèbre patineuse, venue acheter une paire de gants de chevreau blanc montant jusqu'au coude. Pendant ce temps, sa grande sœur avait tant de petits amis qu'elle tirait presque tous les soirs à pile ou face celui d'entre eux avec lequel elle sortirait, et employait Roxanne à accueillir les candidats malheureux d'un air navré devant la porte de leur meublé, pendant qu'elle-même et l'heureux élu filaient par la porte de derrière. C'était peut-être de là, disait Roxanne, que lui venait son bagout. Et bientôt certains des garçons qu'elle rencontrait ainsi s'étaient mis à sortir avec elle plutôt qu'avec sa sœur. Ils ignoraient son âge réel.

« Qu'est-ce que j'ai pu m'amuser », disait-elle.

Je commençais à comprendre qu'il existe des causeuses que les gens aiment écouter, non pour ce qu'elles racontent, mais bien à cause du délice qu'elles se font de le raconter. Elles se délectent d'elles-mêmes, le visage illuminé, convaincues que tout ce dont elles parlent est remarquable et qu'elles ne peuvent s'empêcher de donner du plaisir. Il se peut qu'il existe d'autres gens – des gens comme moi – qui ne sont pas disposés à le leur concéder. Mais ce sont eux qui y perdent. Et de toute façon, les gens comme moi ne sont jamais l'auditoire que ces jeunes femmes recherchent.

Assis dans son lit, adossé à ses oreillers, Mr. Crozier semblait ma foi parfaitement heureux. Heureux de fermer les yeux pour l'écouter parler, pour les rouvrir et la trouver là, comme un lapin en chocolat le matin de Pâques. Et puis les yeux ouverts, de suivre chaque tressaillement de ses lèvres en sucre d'orge et le roulis de son somptueux derrière.

La vieille Mrs. Crozier se balançait à peine d'avant en arrière, dans un état d'étrange satisfaction.

Roxanne passait autant de temps à l'étage qu'au rez-de-chaussée à dispenser son massage. Je me demandais si elle était rétribuée. Si elle ne l'était pas, comment pouvait-elle se permettre de prendre tout ce temps ? Et qui pouvait bien la rétribuer sinon la vieille Mrs. Crozier ?

Pourquoi ?

Pour le confort et le contentement de son beau-fils ? J'en doutais.

Pour s'offrir un étrange divertissement ?

Un après-midi, quand Roxanne eut quitté sa chambre, Mr. Crozier dit qu'il avait plus soif que d'ordinaire. Je descendis lui chercher de l'eau dans la cruche qui était toujours au réfrigérateur. Roxanne était en train de remballer ses affaires pour rentrer chez elle.

« Je n'avais aucune intention de rester si tard, dit-elle. Je n'ai pas envie de tomber sur l'autre institutrice. »

Je ne compris pas d'emblée.

« Vous savez. Syl-vi-a. Elle ne doit pas trop me porter dans son cœur non plus, hein ? Elle parle de moi des fois quand elle vous raccompagne en voiture ? »

Je répondis que Sylvia n'avait jamais prononcé le nom de Roxanne quand elle me raccompagnait. Mais pourquoi l'eût-elle fait ?

« D'après Dorothy, elle ne sait pas s'occuper de lui. Elle dit que je le rends beaucoup plus heureux qu'elle. C'est Dorothy qui le dit. Ça ne m'étonnerait même pas qu'elle le lui ait dit en face. »

Je songeai à cette façon qu'avait Sylvia de se précipiter à l'étage dans la chambre de son mari chaque fois qu'elle rentrait dans l'après-midi, avant même de nous avoir adressé la parole, à moi ou à sa belle-mère, le visage brûlé d'impatience et de désespoir. J'avais envie d'en dire quelque chose – de prendre sa défense en somme, mais comment faire ? Et d'ailleurs les gens qui débordaient de confiance comme Roxanne l'emportaient souvent sur moi, ne serait-ce qu'en ne m'écoutant pas.

« Vous êtes sûre qu'elle n'a jamais parlé de moi ? »

Je répétai que non, jamais. « Elle est fatiguée quand elle rentre.

– C'est ça. Tout le monde est fatigué. Seulement il y en a certains qui apprennent à agir comme s'ils ne l'étaient pas. »

Je répliquai alors dans le seul but de la contrarier. « Je la trouve plutôt sympa.

– Plutôt sympaaâ ? » répéta-t-elle, moqueuse.

Taquine, elle tira vivement sur une mèche de la frange que je m'étais faite récemment en me coupant moi-même les cheveux.

« Vous devriez arranger un peu cette coiffure. »

D'après Dorothy.

Si Roxanne avait besoin d'être admirée, ce qui était dans sa nature, de quoi donc Dorothy avait-elle besoin ? J'avais le sentiment qu'il se mijotait quelque mauvais coup, mais je n'arrivais pas à préciser. Peut-être était-ce seulement le désir d'avoir Roxanne chez elle, la vie qu'elle mettait dans la maison, deux fois plus longtemps.

L'été avançait. Le niveau de l'eau baissait dans les puits. La voiture arroseuse ne passait plus et certaines boutiques avaient leurs vitrines tendues d'une espèce de cellophane jaune afin d'éviter que les couleurs de leurs marchandises fanent. Les feuilles étaient couvertes de taches, l'herbe sèche.

La vieille Mrs. Crozier faisait sans cesse passer la houe par son jardinier. C'est ce qu'on fait pendant les périodes de sécheresse, on multiplie les binages pour faire monter en surface tout ce que le sol recèle encore d'humidité.

Les cours d'été de l'université prendraient fin après la deuxième semaine d'août et Sylvia Crozier serait chez elle tous les jours.

Mr. Crozier était toujours content de voir Roxanne mais il s'assoupissait fréquemment. Il lui arrivait de s'endormir sans laisser retomber la tête en arrière, pendant qu'elle racontait une de ses blagues ou de ses anecdotes. Puis au bout d'un moment il s'éveillait et demandait où il était.

« Ici, voyons, espèce d'andouille roupilleuse. Vous êtes censé m'écouter. Je devrais vous en retourner une. Ou si j'essayais plutôt de vous chatouiller ? »

N'importe qui pouvait voir qu'il déclinait. Il avait les joues creuses comme celles d'un vieillard et le haut de ses oreilles était devenu translucide comme s'il n'était plus fait de chair mais de plastique (nous ne disions pas « plastique » à l'époque, nous disions « celluloïd »).

Mon dernier jour chez les Crozier, lors du dernier cours de Sylvia, était un jour de massage. Sylvia avait dû partir tôt à cause d'une cérémonie à l'université, je traversai donc la ville à pied et arrivai quand Roxanne était déjà là. La vieille Mrs. Crozier était à la cuisine elle aussi et toutes deux me regardèrent comme si elles avaient oublié que je devais venir, comme si je les interrompais.

« Je les ai commandés spécialement », dit la vieille Mrs. Crozier.

Elle devait parler des macarons qui étaient sur la table dans une boîte de la boulangerie.

« D'accord mais, comme je vous l'ai dit, répondit Roxanne, je ne peux pas manger ces trucs-là. C'est totalement hors de question.

– J'ai envoyé Hervey les chercher chez le boulanger. »

C'était le nom de notre voisin, son jardinier.

« Bon, alors Hervey n'a qu'à les manger. Ce n'est pas de la blague, je me couvre d'urticaire quelque chose d'affreux.

– J'ai voulu nous offrir une gâterie, pour marquer le coup, dit la vieille Mrs. Crozier. Étant donné que c'est le dernier jour qui nous reste avant…

– Le dernier jour avant qu'elle vienne poser ses fesses ici en permanence, oui, je sais. C'est pas ça qui m'empêcherait de me couvrir de boutons comme une hyène tachetée. »

De qui – de quelles fesses posées ici en permanence – s'agissait-il ? Des fesses de Sylvia. De Sylvia elle-même.

La vieille Mrs. Crozier portait un beau kimono de soie noire, imprimé d'oies et de nénuphars. Elle dit : « Pas question de s'offrir quoi que ce soit avec elle dans les parages. Vous verrez. Vous ne pourrez même plus aller le voir quand elle sera là.

– Alors allons-y et profitons du temps qui nous reste aujourd'hui. Ne vous tourmentez pas à cause de ces machins. Je sais bien que vous les avez commandés pour me faire plaisir.

– Commandés pour me faire plaisir », répéta la vieille Mrs. Crozier, minaudant en une imitation malveillante. Toutes deux reportèrent leur regard sur moi et Roxanne dit : « La cruche est toujours au même endroit. »

Je sortis la cruche de Mr. Crozier du réfrigérateur. Je m'avisai qu'elles auraient pu m'offrir un des macarons dorés rangés dans leur boîte mais selon toute apparence cela ne leur était pas venu à l'esprit.

Je m'attendais à le trouver allongé à la renverse sur ses oreillers, les yeux clos, mais Mr. Crozier était tout à fait éveillé.

« C'est vous », dit-il avant de prendre une inspiration. « Que j'attendais, reprit-il. Je voudrais vous demander… de faire quelque chose pour moi. Vous voulez bien ? »

Je répondis par l'affirmative.

« Vous saurez garder le secret ? »

J'avais craint qu'il me demande de l'aider à gagner la chaise percée qui était apparue depuis peu dans sa chambre mais ça n'aurait certainement pas été un secret.

« Oui. »

Il me dit d'aller jusqu'au secrétaire qui faisait face à son lit, d'ouvrir le petit tiroir de gauche et de voir si j'y trouvais une clé.

Ce que je fis. Je trouvai une grande et lourde clé de facture ancienne.

Il voulait que je sorte de la chambre pour en fermer la porte à clé.

Puis que je cache la clé en lieu sûr, peut-être dans la poche de mon short.

Je ne devais dire à personne ce que j'avais fait.

Personne ne devait savoir que j'avais cette clé jusqu'au retour de son épouse, et ensuite il faudrait que je la lui donne. Est-ce que je comprenais ?

Oui, oui.

Il me remercia.

Oui, oui.

Pendant tout le temps où il me parla, il était en nage, les yeux brillants comme s'il avait la fièvre. Mais tel était souvent le cas depuis peu.

« Personne ne doit entrer.

– Personne n'entrera, fis-je en écho.

– Ni ma belle-mère ni… Roxanne. Seulement ma femme. »

Je fermai la porte de l'extérieur et mis la clé dans la poche de mon short. Mais craignant qu'on ne la voie à travers le coton léger, je me ravisai et descendis dans le petit salon la cacher entre les pages d'*I Promessi Sposi*. Je savais que Roxanne et la vieille Mrs. Crozier ne m'entendraient pas parce que le massage était en cours et que Roxanne avait pris son ton professionnel.

« Je n'ai pas à hésiter sur mon boulot, aujourd'hui il faut que je vous débarrasse de tous ces endroits noués. »

Et j'entendis la voix de la vieille Mrs. Crozier, vibrante d'un mécontentement nouveau.

« … tapez plus fort que d'habitude.

– Il le faut bien. »

J'allais remonter quand une nouvelle pensée m'arrêta.

Si c'était lui au lieu de moi qui avait fermé la porte à clé – c'était à l'évidence ce qu'il souhaitait que les autres pensent – et que j'étais assise à ma place habituelle sur la plus haute marche, je l'aurais certainement entendu faire et n'aurais pas manqué de pousser des cris qui auraient alerté la maisonnée. Je rebroussai donc chemin pour aller m'asseoir sur la première marche, en bas du grand escalier, où il m'était possible de prétendre n'avoir rien entendu.

Apparemment, le massage du jour se déroulait à un rythme soutenu et dans le plus grand sérieux ; il semblait n'y avoir ni taquineries ni plaisanteries. Je ne tardai pas à entendre Roxanne remonter en courant l'escalier du fond.

Elle s'immobilisa. Elle dit : « Eh, Bruce. »

Bruce.

Elle secoua la poignée de la porte.

« Bruce. »

Je pense qu'ensuite elle dut appliquer la bouche contre le trou de la serrure, dans l'espoir d'être entendue de lui mais de personne d'autre. Sans distinguer exactement ce qu'elle disait, j'entendais que son ton était pressant. D'abord taquin, puis pressant. Au bout de quelques instants, on aurait cru qu'elle disait ses prières.

Quand elle s'interrompit, ce fut pour marteler la porte de ses poings, des coups pas trop violents mais insistants.

Elle finit par renoncer à cela aussi.

« Allez, dit-elle d'une voix plus assurée. Si vous avez pu venir jusqu'à la porte pour la fermer, vous pouvez y venir pour l'ouvrir. »

Pas de réaction. Elle se pencha au-dessus de la rampe et me vit.

« Vous avez apporté de l'eau à Mr. Crozier ? »

Je répondis oui.

« Donc sa porte n'était pas fermée à clé ni rien ? »

Non.

« Il vous a dit quelque chose ?

— Il m'a seulement dit merci.

— C'est qu'il a fermé sa porte à clé et qu'il ne me répond pas, rien à faire. »

J'entendis la canne de la vieille Mrs. Crozier résonner en haut de l'escalier du fond.

« Qu'est-ce que c'est que ce vacarme ?

— Il s'est enfermé dans sa chambre et il ne me répond pas.

— Comment ça, enfermé ? La porte doit être coincée. Un coup de vent a dû la claquer et elle se sera coincée. »

Il n'y avait pas de vent, ce jour-là.

«Voyez vous-même, dit Roxanne. C'est fermé à clé.

– J'ignorais l'existence d'une clé pour cette porte», dit la vieille Mrs. Crozier, comme si son ignorance pouvait annuler le fait. Puis, après avoir essayé d'ouvrir pour la forme, elle dit : «Ma foi, on dirait bien que c'est fermé à clé.»

Je me dis que c'est là-dessus qu'il avait compté. Qu'elles ne me soupçonneraient pas, estimant qu'il avait pris cette initiative. Ce qui était d'ailleurs vrai.

«Il faut entrer», dit Roxanne, et elle donna un coup de pied dans la porte.

«Arrêtez, dit la vieille Mrs. Crozier. Vous voulez ruiner cette porte ? De toute façon, vous n'y arriverez pas, c'est du chêne massif. Toutes les portes de cette maison sont en chêne massif.

– Alors, il faut appeler la police.»

Il y eut un silence.

«Ils pourraient passer par la fenêtre», dit Roxanne.

La vieille Mrs. Crozier prit une inspiration avant de déclarer d'un ton tranchant :

«Vous ne savez plus ce que vous dites. Je ne veux pas voir la police chez moi. Je ne veux pas que des policiers grimpent partout sur mes murs comme des chenilles.

– On ne sait pas ce qu'il peut faire là-dedans.

– Et alors, ça le regarde, non ?»

Nouveau silence.

Puis des pas – ceux de Roxanne – regagnant l'escalier du fond.

«Oui, c'est ça. Allez-vous-en. C'est ça, allez-vous-en avant d'oublier que vous n'êtes pas chez vous, ici.»

Roxanne descendait déjà l'escalier. Deux ou trois chocs sourds de la canne l'accompagnèrent mais sans la suivre dans l'escalier.

«Et ne vous avisez pas d'aller trouver l'agent derrière mon dos. Il n'a pas d'ordre à recevoir de vous. D'ailleurs, qui donne les ordres, ici ? Certainement pas vous. Vous m'entendez ?»

Je ne tardai pas à entendre claquer la porte de la cuisine. Puis la voiture de Roxanne démarrer.

Je ne m'en faisais pas plus pour la police que la vieille Mrs. Crozier elle-même. Dans notre ville, la police, c'était l'agent McClarty qui venait à l'école nous interdire de faire de la luge dans la rue en hiver et d'aller nager dans la rivière du moulin en été, ce que nous continuions de faire. L'idée qu'il grimpe à l'échelle ou fasse la leçon à Mr. Crozier à travers une porte fermée à clé était tout bonnement ridicule.

Il dirait à Roxanne de s'occuper de ses oignons et de laisser les Crozier s'occuper des leurs.

Ce n'était pas une idée ridicule, en revanche, d'imaginer la vieille Mrs. Crozier donnant des ordres et je me dis que c'était ce qu'elle risquait de faire maintenant que Roxanne – qui avait apparemment cessé de lui plaire – n'était plus là. Elle risquait de s'en prendre à moi et d'exiger que je lui dise si j'avais joué un quelconque rôle dans cette histoire. Mais elle n'essaya même pas d'ouvrir la porte. Elle se contenta de se tenir devant et de dire une seule chose.

«Plus solide qu'on ne l'aurait cru», marmonna-t-elle.

Puis elle descendit. Chocs violents et réguliers de sa canne.

J'attendis un moment avant d'aller à la cuisine. La vieille Mrs. Crozier n'y était pas. Elle n'était dans aucun des deux salons ni dans la salle à manger ni dans le solarium. Prenant mon courage à deux mains, j'allai frapper à la porte des toilettes, puis l'ouvris, et elle n'y était pas non plus. Je regardai alors par la fenêtre au-dessus de l'évier et je vis son chapeau de paille qui se déplaçait lentement au-dessus de la haie de thuyas. Elle était au jardin par cette chaleur, claudiquant le long de ses plates-bandes.

Je ne m'en faisais pas pour l'idée qui avait tourmenté Roxanne. Je ne m'y arrêtais pas, parce que je croyais qu'il serait tout à fait absurde, pour une personne à qui il restait si peu de temps à vivre, de mettre fin à ses jours. Ce n'était pas possible.

N'empêche, je n'étais pas tranquille. Je mangeai deux des macarons qui étaient toujours sur la table de la cuisine. Je les mangeai dans l'espoir que le plaisir me ramène à mon état normal, mais j'en sentis à peine le goût. Puis je fourrai la boîte dans le réfrigérateur pour m'épargner l'espoir de changer les choses en en mangeant d'autres.

La vieille Mrs. Crozier était encore dehors quand Sylvia rentra. Et elle y demeura par la suite.

Je pris la clé entre les pages du livre sitôt que j'entendis la voiture et la donnai à Sylvia sitôt qu'elle fut dans la maison. Je lui racontai rapidement ce qui s'était passé, mentionnant à peine la commotion qui s'était ensuivie. Elle n'aurait d'ailleurs pas attendu assez longtemps pour m'écouter. Elle se précipita à l'étage.

Je me postai au pied de l'escalier pour essayer d'entendre quelque chose.

Rien. Rien.

Puis la voix de Sylvia, surprise et troublée, mais nullement désespérée, et trop basse pour que je distingue ce qu'elle disait. Au bout de cinq minutes environ elle fut de nouveau au rez-de-chaussée, disant qu'il était temps de me raccompagner. Elle était rouge comme si la tache de ses joues avait envahi tout son visage, et semblait bouleversée mais incapable de résister à son bonheur.

Puis : « Au fait. Où est Maman Crozier ?

– Au jardin, je crois.

– Bon, je pense que je ferais mieux de lui parler. J'en ai pour un instant. »

Cela fait, elle ne semblait plus aussi parfaitement heureuse.

« Je pense que vous savez, dit-elle en passant en marche arrière, je pense que vous imaginez facilement que Maman Crozier est dans tous ses états. Je ne vous reproche rien. Vous avez agi avec gentillesse et loyauté. En faisant ce que Mr. Crozier vous a demandé. Vous n'avez pas eu peur qu'il arrive quelque chose ? À Mr. Crozier ? Non ? »

Non, confirmai-je.

Avant d'ajouter : « Je crois que Roxanne avait peur.

– Mrs. Hoy ? Oui. C'est regrettable. »

Tandis que la voiture descendait ce qu'on appelait la colline Crozier, elle dit : « Je ne crois pas qu'il ait agi par méchanceté pour les effrayer. Vous savez, quand on est malade, malade pendant longtemps, on peut en arriver à ne plus être sensible aux sentiments d'autrui. On peut se monter contre les gens, même quand ils sont aussi gentils et font de leur mieux pour nous venir en aide. Mrs. Crozier et Mrs. Hoy faisaient certainement tout leur possible mais Mr. Crozier n'avait plus envie de leur présence à son chevet. Il en avait soupé, voilà. Vous comprenez ? »

Elle ne semblait pas se rendre compte qu'elle n'avait pas cessé de sourire en disant tout cela.

Mrs. Hoy.

Avais-je déjà entendu ce nom ?

Et prononcé avec tant de gentillesse et de respect, et pourtant avec des années-lumière de condescendance.

Est-ce que je croyais ce que Sylvia avait dit ?

Je croyais que c'était ce qu'il lui avait raconté.

Je revis Roxanne ce jour-là. Je la vis au moment même où Sylvia me parlait, me faisant découvrir ce nom nouveau pour moi de Mrs. Hoy.

Elle – Roxanne – était dans sa voiture, arrêtée au premier croisement du bas de la colline Crozier afin de nous regarder passer. Je ne tournai pas la tête pour la voir parce que ç'aurait été un peu trop compliqué avec ce que Sylvia était en train de me dire.

Sylvia ne devait évidemment pas savoir à qui appartenait cette voiture. Pas savoir que Roxanne devait être revenue afin de se faire une idée de ce qui se passait. À moins même qu'elle n'ait pas cessé de faire le tour du quartier – était-ce possible ? – depuis qu'elle avait quitté la maison des Crozier.

Roxanne devait avoir reconnu la voiture de Sylvia. Et m'avoir remarquée. Elle dut comprendre que tout allait bien en voyant que Sylvia me parlait avec bonté, sérieux et sans se départir d'un léger sourire.

Elle ne fit pas demi-tour pour remonter jusqu'à la maison des Crozier. Oh non. Elle traversa la rue – je la suivais des yeux dans le rétro-viseur – en direction du quartier est de notre ville où l'on avait bâti les logements du temps de guerre. C'était là qu'elle demeurait.

« Vous sentez cette brise, dit Sylvia. Peut-être que ces nuages vont nous apporter la pluie. »

Les nuages étaient très hauts, blancs, éclatants, n'avaient rien de l'aspect des nuages de pluie, quant à la brise, elle était due au fait que nous roulions en voiture les vitres baissées.

Je comprenais fort bien qui avait gagné et qui perdu dans ce qui s'était joué entre Sylvia et Roxanne, mais c'était bizarre de songer à l'enjeu presque oblitéré, Mr. Crozier – et de se dire qu'il avait pu avoir la volonté de prendre une décision, et même de se priver, si tard dans sa vie. Le désir charnel aux portes de la mort – ou le grand amour, d'ailleurs – étaient des pensées qui envoyaient des frissons le long de mon épine dorsale et je dus m'ébrouer pour les chasser.

Sylvia emmena Mr. Crozier dans un pavillon de location sur le lac, où il mourut un peu avant la chute des feuilles.

La famille Hoy déménagea de nouveau, comme il arrive souvent aux familles de mécaniciens.

Ma mère se débattait contre un mal qui la rendait peu à peu invalide – ce qui mit un terme à tous ses rêves d'enrichissement.

Dorothy Crozier eut une attaque, mais s'en remit, et toute la ville s'émerveilla de la voir acheter des friandises à offrir à l'occasion de Halloween aux enfants dont elle avait éconduit les grands frères et les grandes sœurs.

Moi, j'ai grandi, et me voilà vieille.

Jeu d'enfant

J'imagine qu'on en a parlé chez nous, après coup.

Comme c'est triste, c'est *affreux*. (Ma mère.)

C'est un défaut de surveillance qui n'aurait jamais dû se produire. Où étaient les monitrices? (Mon père.)

Il est possible que, s'il nous arrivait de passer devant la maison jaune, ma mère ait dit : « Tu te rappelles? Tu te rappelles comme elle te faisait peur? La pauvre petite. »

Ma mère s'était fait une habitude de ressasser – en s'en délectant – les faiblesses de ma lointaine petite enfance.

Chaque année, l'enfant devient quelqu'un d'autre. Généralement à l'automne, au moment de la rentrée scolaire, avec le passage dans la classe supérieure, quand on laisse derrière soi le désordre et la léthargie des vacances d'été. C'est alors qu'on perçoit le changement avec la plus grande acuité. Par la suite, on n'est plus trop sûr du mois ou de l'année mais les changements ne s'en poursuivent pas moins. Pendant très longtemps le passé se détache de nous facilement et, selon toute apparence, automatiquement, parfaitement. Ce n'est pas tant que les scènes du passé disparaissent mais plutôt qu'elles perdent tout intérêt. Et puis il se produit un retournement, ce qui était terminé et réglé ressurgit, réclamant l'attention, réclamant même qu'on tente d'y remédier, alors que l'absence et l'impossibilité absolues de tout remède crèvent les yeux.

Marlene et Charlene. On nous prenait pour des jumelles. C'était une mode, à l'époque, on donnait aux jumeaux des prénoms qui rimaient. Bonnie et Connie. Ronald et Donald. Sans compter bien sûr que nous – Charlene et moi – avions le même chapeau. Un chapeau de coolie, comme on disait, un grand cône aplati de paille tressée avec une espèce de cordon ou d'élastique sous le menton. Ils nous sont devenus plus familiers par la suite à cause des images télévisées de la guerre du Vietnam. Des hommes à vélo dans une rue de Saigon, ou des femmes marchant sur une route avec un village bombardé à l'arrière-plan, portaient ce chapeau.

Il était possible, en ce temps-là – c'est-à-dire quand Charlene et moi étions en colo – de dire *coolie* sans intention blessante. Ou *négro*, ou *juiver*, pour faire baisser un prix. Ce fut seulement à l'adolescence, je crois, que je fis le lien entre ce dernier verbe et le substantif.

Nous portions donc ces prénoms et ces chapeaux et, lors du premier appel, la monitrice – la rigolote que nous aimions bien, Mavis, mais nous ne l'aimions pas autant que la jolie Pauline – nous montra du doigt en lançant : « Salut les jumelles », et poursuivit l'appel sans nous laisser le temps de la détromper.

Avant même cet épisode, nous devions avoir remarqué les chapeaux et nous être accordé un satisfecit mutuel. Sans quoi l'une ou l'autre d'entre nous, voire les deux, se seraient empressées d'ôter cet accessoire tout neuf, prêtes à le fourrer sous notre lit en déclarant que nos mères nous avaient contraintes à le porter alors que nous le détestions, et tout et tout.

Si j'avais jugé Charlene digne d'un satisfecit, je ne savais trop comment m'y prendre pour devenir son amie. Les fillettes de neuf ou dix ans – c'était l'âge moyen de cette fournée, bien qu'il y en eût quelques-unes un peu plus âgées – ne choisissent pas leurs copines ou leur meilleure amie aussi facilement qu'on le fait à six ou sept ans. Je suivis simplement quelques filles de ma ville – aucune d'entre elles n'étant plus que les autres mon amie – jusqu'à une des baraques où il y avait des lits inoccupés et laissai tomber mes affaires sur la couverture marron. Puis j'entendis une voix derrière moi qui disait : « Est-ce que je pourrais s'il vous plaît m'installer à côté de ma sœur jumelle ? »

C'était Charlene s'adressant à une fille que je ne connaissais pas. Il devait y avoir deux douzaines de lits dans cette baraque dortoir. Celle à qui elle s'était adressée répondit : « Bien sûr », et s'éloigna.

Charlene avait parlé d'un ton bien particulier. Engageant, taquin, non dénué d'autodérision et avec un enjouement plein de séduction, comme un petit carillon. Il était d'emblée manifeste qu'elle avait plus d'assurance que moi. Et pas simplement l'assurance que l'autre allait accepter au lieu de dire d'un air buté : « J'étais là la première. » (Ou encore – si c'était une fille élevée à la dure, et il y en avait parmi nous, celles dont les vacances étaient payées par le Lions Club ou par la paroisse au lieu de leurs parents – elle aurait pu dire : « Va chier, j'y suis j'y reste. ») Non. Charlene était assurée que ce qu'elle demandait, on aurait positivement envie de le faire au lieu de se contenter de le lui concéder. Avec moi aussi elle avait couru un risque, car j'aurais bien pu dire : « Je n'ai pas envie d'être ta jumelle », avant de lui tourner le dos pour installer mes affaires. Mais bien sûr je n'en fis rien. Je me sentais flattée, ainsi qu'elle s'y était attendue, et je la regardais déverser le contenu de sa valise avec un tel enthousiasme que quelques objets tombèrent par terre.

Tout ce que je trouvai à dire fut : « Tu es déjà bronzée.

– Je bronze toujours facilement », dit-elle.

La première de nos différences. Nous nous appliquâmes à les apprendre. Elle bronzait, je me couvrais de taches de rousseur. Nous avions les cheveux châtains toutes les deux mais les siens étaient plus sombres. Les siens bouclés, les miens frisés. J'étais plus grande d'un centimètre, elle avait les chevilles et les poignets plus épais. Il y avait plus de vert dans ses yeux, plus de bleu dans les miens. Nous ne nous lassions pas de recenser jusqu'aux grains de beauté ou aux taches de son remarquables que nous avions sur le dos, ou la taille de notre deuxième orteil (le mien plus long que le premier, le sien plus court). Ni de faire le décompte et le récit de toutes les maladies ou accidents que nous avions connus jusque-là, ainsi que des réparations ou extractions auxquelles on avait procédé sur notre corps. Nous étions toutes deux opérées des amygdales – précaution habituelle à l'époque – et avions toutes deux eu la rougeole et la coqueluche mais pas les oreillons.

On m'avait arraché une canine parce qu'elle poussait de travers, et la lunule d'un de ses pouces était déformée parce qu'elle avait refermé une fenêtre dessus.

Une fois mises en place les particularités et l'histoire de nos corps, nous passâmes aux récits des tragédies ou quasi-tragédies et traits distinctifs de nos familles. Elle était la benjamine et la seule fille de sa fratrie tandis que j'étais fille unique. Une de mes tantes était morte de la polio quand elle était lycéenne et elle – Charlene – avait un grand frère dans la marine.

Car c'était la guerre. Et quand venait l'heure de chanter autour du feu de camp, nous choisissions « There'll Always Be an England », « Hearts of Oak », et « Rule Britannia », et quelquefois « The Maple Leaf Forever »[1]. Les bombardements, les batailles et les navires coulés formaient la toile de fond constante encore que lointaine de nos existences. Et de temps en temps, le coup ne passait pas loin, effrayant mais solennel et exaltant, quand un garçon de notre ville ou de notre rue était tué, et que la maison où il avait vécu, en l'absence de couronne mortuaire ou de tenture noire, semblait néanmoins étrangement lestée de l'intérieur, par l'accomplissement d'un destin qui la tirait vers le bas. Alors qu'il n'y avait rien de particulier à l'intérieur, tout au plus une voiture inconnue rangée au bord du trottoir, signe que quelques parents ou un prêtre étaient venus partager le deuil de la famille.

Une des monitrices de la colo avait perdu son fiancé à la guerre et portait sa montre – nous croyions que c'était sa montre – épinglée à son chemisier. Nous aurions aimé éprouver pour elle un intérêt funèbre et une sympathie affligée, mais elle avait une voix cassante, elle était autoritaire et portait même un prénom désagréable. Arva.

L'autre toile de fond de nos vies, qui était censée jouer un rôle important à la colo, était la religion. Mais dans la mesure où c'était l'Église unifiée du Canada qui en était officiellement responsable, on nous en rebattait moins les oreilles que ne l'auraient fait les baptistes

---

1. « Il y aura toujours une Angleterre », « Cœur de chêne », « Règne ô Britannia », « La feuille d'érable à jamais ».

ou les méthodistes chrétiens de la Bible, et on nous imposait moins de respect des formes que n'en auraient instauré les catholiques ou même les anglicans. Les parents de la plupart d'entre nous étaient des fidèles de l'Église unifiée (même si, parmi les filles dont la présence était subventionnée, certaines n'appartenaient probablement à aucun culte), et accoutumées que nous étions à son style cordialement séculier, nous n'avions même pas conscience de nous en tirer à bon compte avec les seules prières du soir, le bénédicité avant les repas et la demi-heure de causerie – on l'appelait l'Entretien – qui suivait le petit déjeuner. Même l'Entretien faisait relativement peu référence à Dieu ou à Jésus et portait plutôt sur l'honnêteté, la charité et la pureté de nos pensées dans la vie quotidienne. On nous faisait promettre de ne jamais boire ni fumer quand nous grandirions. Personne ne trouvait rien à redire à ce genre de choses ni ne cherchait donc à se défiler, parce que c'était ce à quoi nous étions habituées, et aussi parce qu'il était agréable de s'asseoir sur la plage sous les rayons du soleil qui commençait à chauffer mais restait un peu trop froid pour que nous n'attendions plus que le moment de sauter dans l'eau.

Devenues adultes, les femmes font le même genre de choses que nous faisions Charlene et moi. Sans aller jusqu'à se compter les grains de beauté sur le dos, ni comparer la longueur de leurs orteils, peut-être. Mais lorsqu'elles se rencontrent pour la première fois et éprouvent une sympathie particulière, elles éprouvent aussi le besoin de mettre en place les informations importantes, les grands événements publics ou secrets, avant d'entreprendre de remplir tous les vides de ce cadre général. Dans ces dispositions chaleureuses et avides de communication, il est tout à fait impossible qu'elles s'ennuient mutuellement. Elles riront même de la banalité et de la sottise de ce qu'elles racontent, comme de la révélation de tel ou tel acte renversant d'égoïsme, de duplicité, de mesquinerie ou de pure méchanceté.

Certes, cela implique une grande confiance mais cette confiance peut s'instaurer d'emblée, instantanément.

J'ai pu l'observer. On fait remonter ce phénomène aux longues périodes que les femmes passaient autour du feu de camp à remuer on ne sait quelle bouillie de manioc pendant que les hommes couraient les bois, privés de toute conversation qui eût averti les animaux sauvages de leur présence. (Je suis anthropologue de formation, quoique sans grande conviction.) J'ai observé ces échanges féminins mais sans jamais y prendre part. Part pour de bon. Il m'est arrivé de faire semblant parce que cela semblait requis, mais celle avec laquelle j'étais censée me lier d'amitié flairait toujours mon insincérité, ce qui la troublait et la mettait sur ses gardes.

En règle générale, j'éprouve moins le besoin d'être précautionneuse avec les hommes. Ils ne s'attendent pas à ce genre d'interaction, pour lequel ils n'éprouvent que rarement un intérêt réel.

Cette intimité dont je parle – entre femmes – n'est pas érotique, ni préérotique. J'ai connu cela aussi, avant la puberté. Là encore il y avait des confidences, probablement mensongères, qui pouvaient mener à des jeux. Une certaine excitation ardente et passagère, avec ou sans attouchements génitaux. Suivie de malaise, de déni, de dégoût.

Si Charlene me parla de son frère, ce fut avec une vraie répugnance. C'était celui qui était dans la marine. Elle était entrée dans sa chambre à la recherche de son chat et l'avait surpris dans l'acte avec sa petite amie. Ils ne s'étaient aperçus de rien.

Elle disait qu'il y avait comme un bruit de claques pendant qu'il s'agitait de haut en bas et de bas en haut.

Comment ça, tu veux dire que ça claquait contre le lit ? avais-je demandé.

Non. C'était son truc qui faisait clac en entrant et en sortant. C'était moche. Écœurant.

Et son derrière nu était blanc et couvert de boutons. Écœurant.

Je lui parlai alors de Verna.

Jusqu'à mes sept ans, mes parents avaient habité ce que l'on appelait une maison double. Cela signifie qu'ils la partageaient avec un autre locataire, mais c'était un partage inégal. La grand-mère de Verna louait les pièces du fond et nous celles de devant. C'était une haute bâtisse nue et laide, peinte en jaune. Le bourg que nous habitions était trop petit pour être réellement divisé en quartiers différents mais j'imagine qu'on pourrait dire que, s'il avait existé des quartiers, notre maison aurait occupé la frontière entre le convenable et le plutôt décrépit. Je parle des choses telles qu'elles se présentaient juste avant la Deuxième Guerre mondiale, à la fin de la Grande Dépression. (Ces derniers mots nous étaient je crois inconnus.) Mon père étant enseignant avait un emploi stable mais peu d'argent. Au-delà de chez nous, la rue se dissolvait peu à peu entre des maisons dont les habitants n'avaient ni l'un ni l'autre. La grand-mère de Verna devait avoir un peu d'argent puisqu'elle parlait dédaigneusement des Assistés. Je crois que ma mère en discutait avec elle, sans succès, arguant que ce n'était Pas Leur Faute. Les deux femmes n'étaient pas particulièrement amies mais il régnait entre elles une certaine entente cordiale concernant la disposition des cordes à linge.

La grand-mère s'appelait Mrs. Home. Un homme venait la voir de temps à autre. Ma mère en parlait comme de l'ami de Mrs. Home.

Il ne faut pas que tu adresses la parole à l'ami de Mrs. Home.

En fait je n'avais même pas le droit de jouer dehors quand il venait, de sorte qu'il n'y avait guère de risque que je lui parle. Je ne me rappelle même pas l'allure qu'il avait, alors que je me rappelle son auto, une Ford V8 bleu foncé. Je m'intéressais tout particulièrement aux autos, probablement parce que nous n'en avions pas.

Puis Verna arriva.

Mrs. Home disait que c'était sa petite-fille et il n'existe pas de raison de douter que cela fût vrai, mais il n'y avait pas trace de génération intermédiaire. Je ne sais pas si Mrs. Home partait la chercher et revenait avec elle ou si elle était amenée par l'ami à la V8. Elle fit son apparition pendant l'été qui précéda mon entrée à l'école. Je ne me rappelle pas qu'elle m'ait dit son prénom – elle n'était pas communicative au sens ordinaire et je ne crois pas que je me serais aventurée à le lui demander. Dès le tout début, j'éprouvai à son encontre une aversion telle que ne m'en avait inspirée aucune autre personne jusque-là. Je déclarai que je la détestais, et ma mère dit : «Comment peux-tu, qu'est-ce qu'elle t'a fait ?»

La pauvre.

Les enfants se servent de ce verbe « détester » pour exprimer diverses choses. Il peut signifier qu'ils sont effrayés. Non qu'ils se sentent en danger d'être agressés – comme cela m'arrivait, par exemple, quand de grands garçons à vélo s'amusaient à passer en trombe juste devant moi avec des hurlements terrifiants, alors que je marchais sur le trottoir. Ce n'est pas un danger physique que l'on redoute – ni que je redoutais dans le cas de Verna –, c'était plutôt je ne sais quel sortilège, quelle ténébreuse intention. Quand on est très jeune, c'est un sentiment que peuvent nous inspirer la façade de certaines maisons, ou le tronc d'un arbre, ou plus encore les caves moisies et les placards profonds.

Elle était nettement plus grande que moi et mon aînée de deux ans, trois ans peut-être – je ne sais pas. Elle était maigre, et si étroite, avec une si petite tête, qu'elle me faisait penser à un serpent. Ses très fins cheveux noirs plaqués sur son crâne lui retombaient sur le front. La peau de son visage me semblait terne comme la toile du rabat de notre vieille tente et ses joues étaient renflées comme ce rabat quand il était gonflé par le vent. Elle plissait perpétuellement les yeux.

Mais je crois que son apparence n'avait rien de remarquablement déplaisant aux yeux des autres gens. Ma mère la disait même jolie, ou presque jolie (comme dans la phrase *Quel dommage, elle pourrait être jolie*). Rien non plus à lui reprocher, aux yeux de ma mère, quant à sa conduite. *Elle est jeune pour son âge.* Circonlocution inadéquate pour dire que Verna ne savait ni lire ni écrire ni sauter à cloche-pied ni jouer à la balle et qu'elle s'exprimait d'une voix à la fois rauque et sans intonation, séparant bizarrement les mots comme des bouts de langage qui lui seraient restés en travers de la gorge.

Sa façon d'intervenir dans ma vie, de gâcher mes jeux solitaires, était plutôt celle d'une aînée que d'une cadette. Mais d'une aînée qui ne savait rien faire, n'avait aucun droit et n'était pourvue que d'une détermination opiniâtre et d'une incapacité à comprendre qu'on ne voulait pas d'elle.

Il est vrai que les enfants sont d'un conformisme monstrueux, répugnant d'emblée à tout ce qui est tant soit peu excentrique, zinzin, ingérable. Et étant fille unique, j'avais été beaucoup dorlotée (grondée aussi). J'étais gauche, précoce, timide, adonnée à des rituels et des aversions purement personnels. Je détestais jusqu'à la barrette de plastique qui ne cessait de glisser de la chevelure de Verna et aux bonbons à la menthe rayés de rouge ou de vert qu'elle ne cessait de m'offrir. De fait, elle faisait plus que les offrir ; elle tentait de m'attraper pour me fourrer ces friandises dans la bouche, tout en gloussant sans arrêt de son air absent. Aujourd'hui encore je n'aime pas la menthe forte. Et ce prénom, Verna – je ne l'aime pas non plus. Il n'évoque pas pour moi le printemps, l'herbe verte, les guirlandes de fleurs et les filles en robe légère. Il évoque plutôt une coulée opiniâtre comme une traînée de bave d'escargot verte, parfumée à la menthe.

Je ne croyais pas que ma mère éprouvait une quelconque sympathie réelle pour Verna. Mais à cause de je ne sais quelle hypocrisie dans sa nature, ainsi que je voyais les choses, à cause d'une décision qu'elle avait prise, afin de me mortifier selon toute apparence, elle faisait mine de s'apitoyer sur elle. Elle m'enjoignait d'être gentille. Au début, elle disait que Verna ne resterait pas longtemps et qu'à la fin des vacances d'été, elle retournerait là d'où elle était venue. Puis, quand il fut devenu évident que Verna n'avait nulle part où retourner, le message d'apaisement devint que nous-mêmes n'allions pas tarder à déménager. Il me suffirait d'être gentille très peu de temps encore. (En fait, une année entière s'écoula avant notre déménagement.) Aussi finit-elle par perdre patience et se mit à dire que je la décevais car elle ne m'aurait jamais crue d'une nature si méchante.

« Comment peux-tu lui en vouloir d'être née comme elle est née ? Elle n'y est pour rien. »

Cela n'avait pas de sens à mes yeux. Si j'avais été mieux armée pour la discussion, j'aurais pu dire que je n'en voulais pas à Verna, seulement je n'avais pas envie qu'elle m'approche. Mais je lui en voulais bel et bien. Je n'aurais su dire comment mais il y allait de sa faute. Je n'en doutais pas. Et en cela, quoique ma mère pût dire, j'étais plus ou moins au diapason du verdict tacite de l'époque et du lieu dans lesquels je vivais. Même les adultes souriaient d'une certaine façon, il entrait quelque chose d'irrépressiblement gratifiant, et le sentiment d'une supériorité allant de soi, que je voyais bien dans leurs manières d'évoquer les gens qui étaient *un peu simples*, ou à qui *il manquait une case*. Et je croyais que ma mère devait le ressentir elle aussi, en réalité, dans son for intérieur.

Vint ma première rentrée scolaire. La première rentrée scolaire de Verna. Elle fut affectée à une classe spéciale d'un bâtiment spécial dans un coin du groupe scolaire. Il s'agissait en fait du bâtiment de l'école originale de la ville, mais on ne se souciait guère d'histoire locale à l'époque, et quelques années plus tard le bâtiment fut rasé. Il y avait un recoin enclos de grillage dans lequel les élèves de ce bâtiment passaient la récréation. Ils arrivaient à l'école une demi-heure plus tard que nous le matin et en sortaient une demi-heure plus tôt l'après-midi. Personne n'était censé les tourmenter pendant la récré mais, comme ils s'accrochaient d'ordinaire au grillage pour observer ce qui se passait dans l'autre partie de l'école, il arrivait qu'on se précipite en hurlant et en brandissant des bâtons pour leur faire peur. Je ne m'approchais jamais de ce recoin, et ne voyais pour ainsi dire jamais Verna. C'était à la maison que je devais continuer de la supporter. Elle se postait d'abord au coin de la bâtisse jaune, à m'observer, et je faisais semblant de ne pas savoir qu'elle était là. Puis elle s'aventurait jusque dans le jardinet en façade et allait prendre position sur le perron du côté de la maison qui était le mien. Si j'avais envie d'entrer faire pipi ou parce que j'avais froid, il me fallait passer près d'elle à la toucher et à risquer qu'elle me touche, elle.

Je n'ai jamais connu personne qui fût capable de demeurer à une même place plus longtemps qu'elle, les yeux fixés sur quelque chose. D'ordinaire, sur moi.

J'avais une balançoire suspendue à un érable de telle sorte que, assise dessus, je faisais face à la rue ou à la maison. C'est-à-dire que j'avais le choix entre lui faire face ou savoir qu'elle regardait fixement mon dos et risquait de venir me pousser. Au bout d'un moment c'était ce qu'elle décidait de faire. Elle me poussait toujours de travers mais ce n'était pas ce qu'il y avait de pire. Le pire, c'était que ses doigts appuyaient contre mon dos. À travers mon manteau, à travers mes autres vêtements, ses doigts comme autant de petits groins froids. Un autre de mes jeux était de bâtir une maison de feuilles. C'est-à-dire que je ratissais les feuilles tombées de l'érable d'où pendait la balançoire et en emportais des brassées que je disposais sur le sol pour former le plan d'une maison. Là, le salon, ici, la cuisine, là un gros tas moelleux représentant le lit dans la chambre à coucher et ainsi de suite. Je n'avais pas inventé cette activité – des maisons de feuilles plus étendues étaient disposées et même en quelque sorte meublées, à chaque récréation dans la cour des filles à l'école, jusqu'à ce que le concierge finisse par ratisser toutes les feuilles pour les brûler.

Au début, Verna se contenta de regarder ce que je faisais, plissant les yeux avec une expression qui me semblait être celle d'une supériorité (comment pouvait-elle se croire supérieure ?) perplexe. Puis le moment survint où elle s'approcha, ramassa une brassée de feuilles qui s'éparpillèrent partout à cause de son manque d'assurance ou de sa maladresse. Et elle n'avait pas ramassé ces feuilles sur le tas mais dans le mur même de ma maison. Elle les ramassa, les porta un peu plus loin et les laissa tomber – les lâcha – en plein milieu d'une de mes pièces bien dessinées.

Je lui criai d'arrêter mais elle se baissa pour ramasser sa charge éparpillée et, incapable de la retenir, recommença à la disperser, puis, quand les feuilles furent toutes par terre, entreprit de les remuer, çà et là, en distribuant bêtement des coups de pied. Je lui criai encore d'arrêter mais sans résultat. À moins qu'elle ne crût à un encouragement. Je baissai donc la tête et lui fonçai dessus, la heurtant comme un bélier dans le ventre. Je ne portais pas de bonnet, de sorte que mes cheveux entrèrent en contact avec la laine du manteau ou de la veste qu'elle portait et il me sembla que j'étais en fait entrée en contact avec une sale et dure bedaine hérissée de poils. Je courus jusqu'au perron et le gravis en vociférant des récriminations, et quand ma mère eut entendu mon récit, elle ne fit qu'ajouter à ma fureur en déclarant : « Elle voudrait jouer, c'est tout. Elle ne sait pas jouer. »

L'automne suivant nous avions emménagé dans un nouveau pavillon et je n'eus plus besoin de passer devant la maison jaune qui me rappelait tant Verna dont elle semblait avoir revêtu l'étroitesse sournoise, le regard torve et menaçant. La peinture jaune semblait être la couleur même de l'insulte et la porte un peu décentrée y ajoutait une touche de difformité.

Le pavillon n'était qu'à trois rues de cette maison, non loin de l'école. Mais l'idée que je me faisais de l'étendue et de la complexité de la ville était encore telle que j'avais l'impression d'échapper entièrement à Verna. Je me rendis compte que cela n'était pas vrai, pas tout à fait vrai, quand en compagnie d'une autre écolière je me retrouvai nez à nez avec elle un jour dans la rue principale. L'une ou l'autre de nos mères devait nous avoir envoyées faire une commission. Je ne levai pas les yeux mais crus entendre un petit gloussement – salutation ou signe de reconnaissance – au passage.

Je fus horrifiée de ce que me dit alors l'autre fille :

« L'année dernière, je croyais que c'était ta sœur.

– Quoi ?

– Ben, je savais que vous habitiez la même maison, alors je croyais que vous étiez parentes. Je sais pas, cousines, en tout cas. Vous l'êtes pas ? Cousines ?

– NON. »

L'ancien bâtiment qui avait abrité les classes spéciales fut condamné, et les élèves transférées à la Chapelle de la Bible, que la municipalité louait désormais pendant la semaine. Cette chapelle se trouvait à une rue du pavillon où mon père, ma mère et moi avions emménagé. Alors qu'il existait pour Verna deux ou trois itinéraires menant à l'école, elle choisit celui qui passait devant chez nous. Et notre maison n'était qu'à quelques mètres en retrait du trottoir. Ce qui signifiait que son ombre traversait quasiment notre perron. Si l'envie lui en prenait, elle pouvait expédier d'un coup de pied des cailloux sur notre pelouse. Et si nous ne baissions pas les stores, elle voyait dans notre vestibule et notre salon.

Les horaires des classes spéciales avaient été modifiés afin de coïncider avec ceux de l'école ordinaire, du moins le matin – les Spéciales continuaient de rentrer chez elles plus tôt dans l'après-midi. Une fois installées dans la Chapelle de la Bible, on avait sans doute estimé qu'elles ne risquaient plus de nous rencontrer en allant à l'école. Cela signifiait qu'à présent je pouvais croiser Verna sur le trottoir. Je regardais toujours dans la direction d'où elle pouvait surgir et, si je l'apercevais, battais précipitamment en retraite pour rentrer à la maison sous prétexte d'y avoir oublié quelque chose ou de devoir mettre un sparadrap parce qu'un de mes souliers me frottait le talon, ou encore d'avoir perdu un des rubans qui retenaient mes cheveux. Je n'avais plus la sottise de parler de Verna désormais, pour m'entendre dire par ma mère : « Et alors, de quoi as-tu peur, tu crois qu'elle va te manger ? »

De quoi avais-je peur ? D'être contaminée, infectée ? Verna était en bonne santé et d'une propreté convenable. Et il n'était guère vraisemblable qu'elle m'agresse, me bouscule ou me tire les cheveux. Mais seuls les adultes étaient assez bêtes pour croire qu'elle n'avait aucun pouvoir. Pouvoir, qui plus est, spécifiquement dirigé contre moi. C'était moi qu'elle visait. Du moins le pensais-je. À croire qu'il existait entre nous une entente qu'on ne pouvait ni décrire ni supprimer. Quelque chose qui nous liait, à la façon de l'amour, même si de mon côté je le ressentais absolument comme de la haine.

Je devais, j'imagine, la détester comme certaines personnes détestent les serpents, les chenilles, les souris ou les limaces. Sans aucune raison. Pas pour un mal quelconque et bien réel qu'elle aurait été capable de causer, mais parce qu'elle vous remuait jusqu'au fond des entrailles et vous dégoûtait de votre propre vie.

Quand je parlais d'elle à Charlene, nous en étions arrivées aux régions les plus profondes de notre conversation – laquelle ne s'interrompait apparemment que pendant nos baignades ou notre sommeil. Le cas de Verna n'étant pas aussi vivement repoussant que celui, présenté par Charlene, du va-et-vient des fesses de son frère couvertes d'acné, je me rappelle avoir dit qu'elle était affreuse d'une façon qu'il m'était impossible de décrire. Avant d'entreprendre de la décrire, ainsi que les sentiments qu'elle m'inspirait, ce dont je ne dus pas me tirer trop mal puisqu'un jour, vers la fin de nos deux semaines de colo, Charlene entra en trombe au réfectoire à midi, le visage illuminé d'horreur et d'une étrange délectation.

«Elle est là. Elle est là. Cette fille. Cette fille affreuse. Verna. Elle est là!»

Le déjeuner était terminé. Nous étions en train de débarrasser, déposant nos assiettes et nos tasses sur le comptoir de la cuisine où les filles de corvée de vaisselle ce jour-là s'en saisiraient pour les laver. Après quoi nous irions faire la queue devant l'annexe de la cantine qui ouvrait tous les jours à une heure. Charlene avait couru jusqu'au dortoir chercher de l'argent. Étant riche, dotée d'un père entrepreneur, elle était plutôt insouciante, et gardait son argent dans sa taie d'oreiller. Sauf pour aller me baigner, j'avais toujours le mien sur moi. Toutes celles d'entre nous qui en avions les moyens, même modestes, nous rendions à l'annexe de la cantine après le déjeuner, acheter quelque chose qui ferait passer le goût des desserts que nous détestions mais ne renoncions jamais à goûter, histoire de s'assurer qu'ils étaient bien aussi écœurants que nous nous y attendions. Tapioca, pommes au four spongieuses, crème anglaise gélatineuse. En voyant l'expression de Charlene j'avais d'abord pensé qu'on lui avait volé son argent. Mais après je m'étais dit qu'une calamité de ce genre n'aurait pas transformé à ce point son expression, ni imprimé sur son visage un ébahissement aussi joyeux.

Verna? Comment Verna pouvait-elle être là? Il y avait erreur.

Ce devait être un vendredi. Encore deux jours de colo, seulement deux jours. Et il s'avéra qu'un contingent de Spéciales – à la colo aussi, on les appelait les Spéciales – avait été amené pour profiter avec nous du dernier week-end. Pas nombreuses – une vingtaine en tout peut-être – et pas toutes de ma ville mais de diverses autres villes du voisinage. De fait, alors même que Charlene était en train d'essayer de m'apprendre la nouvelle, il y eut un coup de sifflet et la monitrice Arva sauta sur un banc pour s'adresser à nous.

Elle dit qu'elle savait que nous ferions toutes de notre mieux pour accueillir gentiment ces visiteuses – ces nouvelles venues à la colo – qui avaient apporté leurs propres tentes et qu'accompagnait leur propre monitrice. Elles partageraient avec nous les repas, la baignade et les jeux, et assisteraient à l'Entretien matinal. Elle était convaincue, dit-elle, avec dans la voix cette nuance de mise en garde ou de réprimande qui nous était familière, que nous y verrions toutes l'occasion de nous faire de nouvelles amies.

Il fallut un certain temps pour dresser les tentes et y installer les nouvelles venues en question et leurs affaires. Certaines d'entre elles se désintéressèrent apparemment de l'opération et s'éloignèrent au hasard, si bien qu'il fallut leur crier après et aller les chercher pour les ramener. Comme c'était notre temps libre, ou notre heure de repos, ayant acheté nos tablettes de chocolat, nos rouleaux de réglisse ou nos caramels à l'annexe de la cantine, nous allâmes nous étendre sur nos couchettes pour les déguster.

Charlene disait sans cesse : « T'imagines. T'imagines. Elle est là. J'y crois pas. Tu penses qu'elle t'a suivie ?

– C'est probable.

– Tu crois que je pourrais toujours te cacher comme ça ? »

Dans la queue devant l'annexe de la cantine, j'avais rentré la tête dans les épaules et demandé à Charlene de se placer entre moi et les Spéciales qui passaient devant nous sous la houlette des monitrices. J'avais risqué un œil et reconnu Verna de dos. La tête de serpent qu'elle avait, inclinée sur la poitrine.

« On devrait trouver un moyen de te déguiser. »

De ce que je lui avais raconté, Charlene semblait s'être fait l'idée que Verna m'avait harcelée. Et je croyais que c'était la vérité, sinon que ce harcèlement avait été plus subtil, plus secret que je n'avais été capable de le décrire. À présent, je laissais Charlene penser ce qu'elle voulait parce que c'était plus rigolo ainsi.

Verna ne me repéra pas immédiatement. À cause des manœuvres d'évitement compliquées que nous pratiquâmes Charlene et moi, et peut-être aussi parce qu'elle était un peu désorientée, comme semblaient l'être la plupart des Spéciales, ne sachant trop ce qu'elles faisaient là. Elles furent bientôt conduites vers leur cours de natation, à l'autre bout de la plage.

À l'heure du dîner, nous étions déjà attablées quand elles entrèrent en rang tandis que nous chantions.

Plus on est ensemble, ensemble, ensemble,
Plus on est ensemble,
Plus on est contentes

Les monitrices les séparèrent alors de propos délibéré afin de les répartir parmi nous. Toutes portaient une étiquette à leur nom. En face de moi, il y en avait une nommée Mary Ellen qui n'était pas de ma ville. Mais je n'eus guère le temps de m'en réjouir car je vis Verna à la table d'à côté, plus grande que celles qui l'entouraient, mais assise Dieu merci dans la même rangée que moi, de sorte qu'elle ne pouvait me voir pendant le repas.

C'était la plus grande de toutes, et pourtant moins grande, et d'une présence moins remarquable, que dans mon souvenir. La raison en était probablement que j'avais fait moi-même une poussée de croissance au cours de l'année alors que sa croissance à elle s'était peut-être interrompue.

Après le repas, quand nous nous levâmes pour débarrasser, je gardai la tête baissée, ne regardai jamais dans sa direction, et pourtant, quand son regard se posa sur moi, je le sus aussitôt, comme je sus qu'elle m'avait reconnue, qu'elle souriait du petit sourire de ses lèvres molles, ou produisait ce drôle de gloussement du fond de la gorge.

« Elle t'a vue, dit Charlene. Regarde pas. Regarde pas. Je vais me mettre entre elle et toi. Avance. T'arrête pas.

– Elle vient par ici?

– Non. Elle bouge pas. Elle te regarde, c'est tout.

– Elle sourit?

– On dirait.

– Je ne peux pas la regarder. Je dégobillerais. »

Dans quelle mesure me persécuta-t-elle au cours de la journée et demie qui restait? Charlene et moi nous servîmes constamment de ce mot alors qu'en vérité Verna ne nous approcha pas une fois. Persécuter. Cela vous avait une sonorité adulte, juridique. Nous nous tenions perpétuellement sur nos gardes, comme si nous étions traquées, ou plutôt comme si je l'étais, moi. Nous cherchions sans cesse à savoir où se trouvait Verna, et Charlene me faisait un rapport sur son attitude ou son expression. À deux ou trois reprises, je me risquai bien à lui lancer un regard, quand Charlene avait dit : « Ça va. Elle ne s'en apercevra pas, là. »

Chaque fois, Verna semblait un peu abattue, ou morose, ou désorientée, comme si, de la même manière que la plupart des Spéciales, on l'avait laissée là, à errer, ne comprenant qu'à moitié où elle était ou ce qu'elle y faisait. Certaines d'entre elles – mais pas Verna – avaient été cause d'une commotion en s'éloignant parmi les pins, les cèdres et les peupliers du bois qui recouvrait le promontoire en arrière de la plage, ou par le chemin de sable qui menait à la grand-route. À la suite de quoi on convoqua une assemblée au cours de laquelle on nous demanda à toutes d'ouvrir l'œil sur nos nouvelles amies qui n'étaient pas aussi familiarisées que nous avec les lieux. À ces mots, Charlene me décocha une bourrade dans les côtes. Évidemment elle ne pouvait avoir conscience d'un changement, d'une perte d'assurance ni même d'une diminution de la taille de cette Verna, et elle me décrivait continuellement son expression sournoise et malveillante, son air menaçant. Et peut-être avait-elle raison – peut-être Verna voyait-elle en Charlene, cette nouvelle amie à moi, cette nouvelle garde du corps, cette inconnue, je ne sais quel signe que tout en ce lieu avait changé et était devenu incertain, d'où son air mauvais que je ne pouvais constater de mes yeux.

« Tu ne m'avais jamais parlé de ses mains, dit Charlene.

– Qu'est-ce qu'elles ont ?

– Elle a les plus longs doigts que j'aie jamais vus. Ils pourraient faire le tour de ton cou pour t'étrangler. Je t'assure, elle pourrait t'étrangler. Ça doit être affreux, non, d'être seule avec elle sous une tente, la nuit ? »

Je lui donnai raison. Affreux.

« Mais les autres qui partagent sa tente ne s'en rendent pas compte, idiotes qu'elles sont. »

Quelque chose avait changé, pendant ce dernier week-end, la colo ne produisait plus du tout la même impression. Rien de spectaculaire. Le gong du réfectoire annonçait les repas aux heures habituelles, et la qualité de ce qu'on nous servait ne s'était ni améliorée ni détériorée.

Heure de repos, jeux et baignades se succédaient. L'annexe de la cantine fonctionnait comme à l'ordinaire et l'on nous réunissait comme toujours pour l'Entretien. Mais on sentait croître l'agitation et l'inattention. On les percevait même chez les monitrices, dont les paroles de réprimande ou d'encouragement ne semblaient plus leur venir automatiquement aux lèvres et qui nous considéraient un instant comme si elles cherchaient à se rappeler ce qu'elles disaient d'ordinaire. Et tout cela semblait avoir commencé avec l'arrivée des Spéciales. Leur présence avait changé la colo. Il avait existé une colonie de vacances bien réelle jusque-là, avec l'ensemble de ses règles, de ses frustrations et de ses plaisirs, aussi inévitable que l'école ou toute autre partie de la vie de l'enfant, et puis elle avait commencé à s'effriter, à révéler son caractère provisoire. Son aspect théâtral.

Était-ce parce que, voyant les Spéciales, on risquait de penser que, puisqu'elles pouvaient être membres de la colonie comme nous, notre statut manquait de réalité ? C'était en partie cela. Mais pour une autre part, c'était qu'arriverait bientôt le moment où tout serait fini, l'emploi du temps bouleversé ; nos parents viendraient nous chercher et nous reprendrions notre existence d'avant, tandis que les monitrices redeviendraient des personnes ordinaires, pas même enseignantes. Nous vivions dans un décor sur le point d'être démonté et avec lequel disparaîtraient les amitiés, les inimitiés et les rivalités qui s'étaient épanouies pendant les deux semaines écoulées. Qui pouvait croire que cela n'avait duré que deux semaines ?

Personne ne savait comment en parler, mais une lassitude se répandit parmi nous, une mauvaise humeur née de l'ennui, et le temps lui-même reflétait cet état d'esprit. Il n'était probablement pas vrai que chaque jour de la quinzaine écoulée avait été chaud et ensoleillé, mais la plupart d'entre nous, en s'en allant, emporteraient certainement cette impression. Et voilà que le dimanche matin il y eut un changement. Pendant que nous faisions nos Dévotions en Plein Air (le dimanche, c'était ce qui remplaçait l'Entretien), les nuages s'assombrirent. Il n'y eut pas de baisse de température – peut-être même que la chaleur augmenta un peu – mais il se mit à flotter dans l'air ce que certains appelaient l'odeur d'un orage. Et pourtant, rien ne bougeait. Les monitrices et jusqu'au pasteur, qui venait tous les dimanches en voiture de la ville voisine, jetaient de temps à autre des coups d'œil inquiets vers le ciel.

Il tomba bien quelques gouttes, mais pas plus. L'office se termina sans que l'orage eût éclaté. Les nuages se dissipèrent un peu, pas assez pour promettre le soleil, mais suffisamment pour que notre dernière baignade ne soit pas annulée. Elle ne serait pas suivie d'un repas ; on avait fermé la cuisine après le petit déjeuner. Les volets de l'annexe de la cantine ne s'ouvriraient pas. Nos parents commenceraient à arriver peu après midi pour nous remmener et le car viendrait prendre les Spéciales. La plupart de nos affaires étaient déjà dans les valises, on avait enlevé les draps des lits et les couvertures marron, dont la laine rêche semblait toujours un peu collante, étaient pliées au pied de chaque couchette.

Même quand nous emplissions le dortoir de nos bavardages, pendant que nous nous changions pour nous mettre en costume de bain, l'intérieur de la baraque révélait son caractère improvisé et lugubre.

Et de même à la plage. Il semblait y avoir moins de sable que d'habitude, plus de cailloux. Et le sable qu'il y avait paraissait gris. L'aspect de l'eau faisait craindre qu'elle serait froide alors qu'elle était tout à fait chaude. N'empêche que notre enthousiasme pour la natation avait beaucoup diminué et pour la plupart nous pataugions çà et là, sans but. Les monitrices chargées de surveiller la baignade – Pauline et la dame plus âgée responsable des Spéciales – devaient taper dans leurs mains.

« Allons, dépêchons. Qu'est-ce que vous attendez ? Après ce sera fini pour cet été. »

Il y avait de bonnes nageuses parmi nous qui d'ordinaire se lançaient aussitôt vers le ponton. Et toutes celles qui savaient nager ne fût-ce que passablement bien – dont Charlene et moi – étaient censées gagner le ponton au moins une fois avant de faire demi-tour et de revenir à la nage de manière à prouver qu'elles étaient capables de nager sur deux ou trois mètres là où l'on n'avait pas pied. D'ordinaire Pauline allait d'emblée jusqu'au ponton et demeurait dans l'eau profonde afin de secourir éventuellement les nageuses en difficulté et de s'assurer que toutes celles qui étaient censées le faire avaient effectué leur aller-retour. Mais ce jour-là, semblait-il, moins de nageuses qu'à l'ordinaire allaient jusqu'au ponton comme elles auraient dû le faire, et Pauline elle-même, après ses premiers cris d'encouragement ou d'exaspération – qu'elle avait dû pousser simplement pour nous faire toutes entrer dans l'eau – se contentait de barboter autour du ponton en riant et en chahutant avec les nageuses les plus expertes et assidues. La plupart d'entre nous continuions de batifoler dans l'eau peu profonde, nageant sur quelques dizaines de centimètres ou quelques mètres avant de nous relever pour nous éclabousser ou de nous retourner pour faire la planche, à croire que personne ou presque parmi nous ne considérait plus la natation comme une activité digne d'intérêt. La responsable des Spéciales se tenait avec de l'eau à peine à la ceinture – quant aux Spéciales elles-mêmes, elles ne s'aventuraient guère au-delà de l'endroit où l'eau leur arrivait aux genoux – et le haut de son costume de bain à fleurs et à volants n'était même pas mouillé. Elle se penchait sur l'eau pour éclabousser de la main ses ouailles, en riant et en leur disant : « On s'amuse bien. »

Charlene et moi avions probablement de l'eau jusqu'aux aisselles, pas plus. Nous étions parmi les baigneuses sans conviction, à faire la planche, à parcourir un ou deux mètres sur le dos, puis à faire deux ou trois mouvements de brasse sans que personne nous enjoigne de nous y mettre sérieusement. Nous tentions de voir combien de temps nous tiendrions les yeux ouverts sous l'eau, nous nous approchions l'une de l'autre en tapinois pour nous sauter sur le dos. Autour de nous, plein d'autres filles en faisaient autant avec force vociférations et hurlements de rire.

Pendant la baignade, un certain nombre de parents et d'autres personnes chargées de reprendre une enfant étaient arrivés en avance et avaient signifié qu'ils n'avaient pas de temps à perdre, de sorte que l'on faisait sortir de l'eau les enfants en question. Cela ne fit qu'ajouter des appels et un regain d'agitation à la confusion générale.

« Regarde. Regarde », dit Charlene. Ou plutôt crachota-t-elle, car je l'avais enfoncée sous l'eau et elle venait d'émerger, ruisselante et le souffle à moitié coupé.

Je regardai donc et découvris Verna qui venait dans notre direction, coiffée d'un bonnet de bain de caoutchouc bleu pâle, giflant l'eau de ses longues mains et souriant, comme si ses droits sur moi lui avaient soudain été rendus.

Je n'ai pas gardé le contact avec Charlene. Je ne me rappelle même pas comment nous nous sommes dit au revoir. Si nous nous sommes dit au revoir. J'ai vaguement l'idée que nos parents respectifs arrivèrent à peu près en même temps et que nous nous empressâmes de monter chacune dans une auto et de nous abandonner – que pouvions-nous faire d'autre? – à la reprise de nos existences ordinaires. Les parents de Charlene devaient certainement avoir une auto moins décatie, bruyante et adonnée aux pannes que celle que possédaient alors les miens, mais même si tel n'avait pas été le cas, jamais nous n'aurions songé à faire se rencontrer nos deux familles. Tout le monde, et nous comme les autres, devait avoir hâte de s'en aller, laissant derrière soi le tohu-bohu autour des affaires égarées et du recensement de celles qui avaient ou n'avaient pas retrouvé leurs parents ou qui étaient ou n'étaient pas encore montées dans le car.

Le hasard voulut, des années plus tard, que je tombe sur la photo du mariage de Charlene. En ce temps-là, les journaux publiaient encore ces photos, pas seulement la presse locale mais aussi les journaux des grandes villes. Je la vis dans un quotidien de Toronto que je feuilletais en attendant un ami dans un café de Bloor Street.

L'union avait été célébrée à Guelph. Le marié, né à Toronto, était diplômé d'Osgoode Hall. Il était très grand – à moins que Charlene ne soit restée très petite. Elle lui arrivait à peine à l'épaule, malgré sa chevelure relevée en un imposant casque de laque dans le style de l'époque. Cette coiffure faisait que son visage paraissait écrasé et insignifiant mais il me sembla que le contour de ses yeux était charbonneux, à la Cléopâtre, et ses lèvres pâles. Cela peut sembler grotesque mais c'était sans aucun doute le style qu'on admirait alors. La seule chose qui me rappela son visage enfantin était la petite bosse pleine d'humour de son menton.

Elle-même – la jeune mariée, disait l'article – était diplômée de St. Hilda's College, à Toronto.

Ainsi devait-elle avoir fréquenté St. Hilda ici même, à Toronto, au moment où, dans la même ville, j'étais inscrite à University College. Nous avions foulé peut-être en même temps les mêmes rues ou les mêmes allées du campus. Sans jamais nous croiser. Je ne pensais pas qu'elle pouvait m'avoir vue et évité de m'adresser la parole. Je n'aurais pas évité de lui parler. Certes je l'aurais prise pour une étudiante moins sérieuse que moi quand j'aurais su qu'elle fréquentait St. Hilda. St. Hilda que mes amies et moi considérions comme une fac de filles à papa.

J'étais alors étudiante de troisième cycle en anthropologie. J'avais décidé de ne jamais me marier mais n'excluais pas de prendre des amants. Je portais mes cheveux longs et raides – mes amies et moi anticipions sur le style qui serait celui des hippies. Mes souvenirs d'enfance étaient beaucoup plus distants, estompés et dénués d'importance qu'ils ne me semblent l'être aujourd'hui.

J'aurais pu écrire à Charlene aux bons soins de ses parents dont l'adresse à Guelph figurait dans le journal. Or je n'en fis rien. J'aurais considéré comme le sommet de l'hypocrisie de féliciter une femme – n'importe quelle femme – pour son mariage.

Mais ce fut elle qui m'écrivit, une quinzaine d'années plus tard. Elle m'écrivit aux bons soins de mon éditeur.

«Ma vieille copine Marlene, écrivait-elle. Si tu savais comme j'ai été émue et contente de voir ton nom dans MacLean's. Et l'admiration que ça m'inspire que tu aies écrit un livre. Je ne l'ai pas encore acheté parce que nous étions partis en vacances mais j'en ai bien l'intention – et l'intention de le lire – le plus vite possible. J'étais en train de feuilleter les magazines qui s'étaient accumulés pendant notre absence et tout à coup j'ai vu cette belle photo de toi et le compte-rendu de lecture si intéressant. Alors je me suis dit qu'il fallait que je t'écrive pour te féliciter.

«Peut-être que tu es mariée mais que tu signes encore de ton nom de jeune fille? Tu as peut-être fondé une famille? Surtout, écris-moi pour me raconter tout ça. Malheureusement, je n'ai pas d'enfants, mais je m'occupe à faire du bénévolat, du jardinage, et de la voile avec Kit (mon mari). Il y a toujours beaucoup à faire, apparemment. Je siège actuellement au conseil d'administration de la bibliothèque et je ne vais pas leur laisser de répit tant qu'ils n'auront pas commandé ton livre, si ce n'est déjà fait.

« Encore toutes mes félicitations. Je dois dire que ma surprise n'a pas été complète parce que je me suis toujours doutée que tu risquais de faire un jour quelque chose de spécial. »

Je ne cherchai pas à entrer en contact avec elle cette fois-là non plus. À quoi bon ? Au début, je ne remarquai pas le mot « spécial » sur lequel elle terminait sa lettre, mais il me fit un peu sursauter quand j'y repensai par la suite. Toutefois, je me dis alors et je crois encore aujourd'hui qu'elle n'y avait pas mis d'intention particulière.

L'ouvrage auquel elle faisait référence était né d'une thèse dont on m'avait déconseillé la rédaction. J'en avais rédigé une autre mais revenais à la première comme à une espèce de violon d'Ingres, quand j'en avais le temps. J'ai collaboré à deux ou trois ouvrages, depuis lors, conformément à ce que l'on attendait de moi, mais le premier que j'avais rédigé seule fut aussi le seul à me valoir une petite bouffée d'attention de la part du monde extérieur (et, faut-il le dire, la réprobation de certains collègues). Il est épuisé à présent. Il s'intitulait *Idiots et idoles* – titre qui me vaudrait les pires ennuis aujourd'hui et qui n'avait pas manqué, même à l'époque, d'inquiéter mon éditeur, lequel reconnaissait cependant son caractère accrocheur.

Ce que je tentais d'explorer, c'était l'attitude des membres de diverses cultures – on n'ose pas dire « primitives » pour les décrire – face aux personnes mentalement ou physiquement uniques. Les mots « débile », « handicapé », « arriéré » étant évidemment exclus et mis au rebut eux aussi, et probablement à juste titre – pas simplement en raison de ce qu'ils dénotent de sentiment de supériorité et de sécheresse de cœur, mais parce qu'ils ne décrivent pas vraiment la réalité. Ils laissent de côté une bonne part de ce qu'il y a de remarquable, voire d'admirable – ou en tout cas de particulièrement puissant –, chez ce genre de personnes. Et l'intérêt fut de découvrir l'existence d'une certaine mesure de vénération, aussi bien que de persécution, et l'attribution – pas entièrement dénuée de fondement – de toute une gamme de capacités considérées comme sacrées, magiques, dangereuses, ou précieuses. Je fis de mon mieux en me fondant sur les recherches historiques aussi bien que contemporaines, tout en tenant compte de la poésie, de la fiction, et bien sûr des coutumes religieuses. Cela me valut naturellement des critiques au sein de ma profession où l'on me reprocha d'être trop littéraire et livresque mais il ne m'était pas possible de parcourir le monde à l'époque, n'ayant pu obtenir de subvention.

Bien sûr je voyais le lien, lien que j'estimais à la rigueur possible que Charlene eût distingué elle aussi. Étrangement, il me semblait lointain et dénué d'importance, tout juste un point de départ. Comme tous les événements de l'enfance, selon mon point de vue de l'époque. À cause du trajet que j'avais effectué depuis, l'accomplissement de l'âge adulte. La sécurité.

«Nom de jeune fille», avait écrit Charlene. C'était une expression que je n'avais pas entendue depuis longtemps. Elle voisine avec «vieille fille», et sa résonance si chaste et triste. Et remarquablement inappropriée dans mon cas. Au moment même où je regardais la photo du mariage de Charlene, je n'étais plus vierge – j'imagine qu'elle non plus, d'ailleurs. Je n'avais pas eu une ribambelle d'amants – et n'aurais pas appelé amants la plupart d'entre eux. Ainsi qu'une majorité des femmes de ma génération qui n'ont pas vécu dans le mariage monogame, je connais leur nombre. Seize. Je suis sûre que pour bien des femmes plus jeunes ce total aurait été atteint avant qu'elles aient trente ans. Voire vingt. (Quand je reçus la lettre de Charlene, il était certes moindre. Je ne peux pas – c'est la pure vérité – je ne peux pas prendre la peine de préciser ce chiffre pour l'instant.) Trois d'entre eux furent importants et tous trois figuraient chronologiquement dans la première demi-douzaine de ce recensement. Ce que j'entends par «importants» c'est qu'avec eux trois – non, avec deux seulement, le troisième ayant beaucoup plus compté pour moi que moi pour lui – avec eux deux, donc, le moment viendrait où l'on désire fendre l'armure, abandonner bien plus que son corps, déposer sa vie entière en sûreté dans le même panier que celle de l'autre.

Je me retins de le faire, mais de justesse.

Il semble donc que je n'étais pas tout à fait convaincue de cette sûreté.

Il n'y a pas longtemps, j'ai reçu une autre lettre. L'université où j'enseignais avant de prendre ma retraite me l'avait fait suivre. Elle m'attendait au retour d'un voyage en Patagonie. (Je suis devenue une hardie voyageuse.) Elle datait de plus d'un mois.

Elle était dactylographiée – ce dont l'auteur s'excusait aussitôt.

«Mon écriture est lamentable», écrivait-il, avant de se présenter comme l'époux de «votre vieille pote d'enfance, Charlene». Il se disait désolé, terriblement désolé, de m'apprendre une mauvaise nouvelle. Charlene était à l'hôpital Princess Margaret, à Toronto. Elle avait un cancer des poumons et des métastases au foie. Elle avait, hélas, fumé toute sa vie. Il lui restait peu de temps à vivre. Elle n'avait pas parlé de moi très souvent, mais quand elle l'avait fait, au long des années, ç'avait toujours été pour se réjouir de mes remarquables succès professionnels. Il savait combien elle m'appréciait et voilà qu'à la fin de sa vie elle tenait apparemment beaucoup à me revoir. Elle lui avait demandé de me contacter. C'était peut-être que les souvenirs d'enfance signifiaient plus que tous les autres, écrivait-il. Les affections d'enfance. Une force comparable à nulle autre.

Bah, elle est probablement morte, maintenant, me dis-je.

Mais si elle l'était – ce fut ainsi que je résolus les choses –, si elle l'était, je ne risquerais rien en allant à l'hôpital pour me renseigner. Après quoi ma conscience, appelez ça comme vous voulez, serait soulagée. Je pourrais lui écrire pour dire que j'avais malheureusement été absente mais que j'avais répondu à l'appel dès que cela m'avait été possible.

Non, pas de lettre. Il risquerait de faire irruption dans ma vie pour me remercier. Le mot «pote» me mettait mal à l'aise. De même que, d'une façon différente, «remarquables succès professionnels».

L'hôpital Princess Margaret n'est qu'à quelques rues de mon immeuble. Par un jour de printemps ensoleillé, je m'y rendis à pied. Je ne sais pas pourquoi je ne m'étais pas contentée de téléphoner. Peut-être avais-je besoin de croire que j'avais déployé le plus d'efforts possibles.

À l'accueil, je découvris que Charlene était encore vivante. Quand on me demanda si je souhaitais la voir, il me fut difficile de dire non.

Je pris l'ascenseur dans l'idée que je pourrais encore tourner les talons avant d'avoir trouvé le bureau des infirmières à son étage. Voire redescendre aussitôt par l'ascenseur suivant. Jamais la réceptionniste du rez-de-chaussée ne remarquerait mon départ. Le fait est qu'elle n'aurait pas remarqué mon départ dès l'instant où elle avait reporté son attention sur la personne qui attendait derrière moi, et l'eût-elle remarqué que cela n'aurait pas eu la moindre importance.

J'aurais eu honte, j'imagine. Non point tant de mon manque d'affection que de mon manque de force d'âme.

Je m'arrêtai au bureau des infirmières où l'on me donna le numéro de la chambre.

C'était une chambre individuelle, plutôt petite, sans appareillage impressionnant, ni fleurs ni aucune touche personnelle. Au début je ne vis pas Charlene. Une infirmière était penchée sur le lit dans lequel il semblait n'y avoir qu'un tas de draps et de couvertures mais pas de personne visible. Le gros foie, songeai-je en regrettant de ne pas m'être enfuie quand je le pouvais.

L'infirmière se redressa, se retourna, et me sourit. C'était une femme noire et grassouillette, au teint clair, qui parlait d'une voix douce et enjôleuse signifiant peut-être qu'elle venait des Antilles.

«C'est vous la Marlene», dit-elle.

On aurait dit que le nom avait pour elle quelque chose de délectable.

«Elle avait tellement envie que vous veniez. Vous pouvez vous approcher.»

J'obéis et vis un corps boursouflé, un visage décharné et détruit, un cou de poulet pour lequel le col de la chemise d'hôpital était mille fois trop grand. Un vague duvet – encore brun – de quelques millimètres de long sur le crâne. Pas trace de Charlene. J'avais déjà vu des visages de mourants. Celui de ma mère et de mon père, et même celui de l'homme que j'avais eu peur d'aimer. Ce n'était pas une surprise.

«Elle dort, pour le moment, dit l'infirmière. Elle espérait tellement que vous viendriez.

– Elle n'est pas inconsciente?

– Non. Mais elle dort.»

Oui, je le voyais à présent, il y avait une trace de Charlene. Quelle trace? Une infime contraction, peut-être, ce petit rictus taquin et plein d'assurance qui lui faisait rentrer un coin de la bouche.

L'infirmière me parlait de sa voix douce et enjouée. «Je ne sais pas si elle vous reconnaîtrait. Mais elle espérait que vous viendriez. Il y a quelque chose pour vous.

– Elle va se réveiller?»

Un haussement d'épaules. «On doit lui faire beaucoup de piqûres contre la douleur.»

Elle était en train d'ouvrir la table de chevet.

«Tenez. C'est ça. Elle m'a dit de vous le donner s'il était trop tard pour elle. Elle ne voulait pas que ce soit son mari. Maintenant vous êtes là, elle serait contente.»

Une enveloppe fermée avec mon nom dessus, tracé en majuscules d'imprimerie tremblées.

«Pas son mari», dit l'infirmière avec un clin d'œil suivi d'un large sourire. Flairait-elle quelque chose de clandestin, un secret de femmes, un amour ancien?

«Revenez demain, dit-elle. Qui sait? Je le lui dirai si c'est possible.»

Je lus le mot sitôt redescendue dans le hall d'entrée. Charlene avait réussi à le tracer d'une écriture presque normale, moins irrégulière que les lettres étalées sur l'enveloppe. Et bien sûr il était possible qu'elle eût rédigé le mot d'abord puis l'eût glissé dans l'enveloppe, fermée et mise de côté dans l'idée qu'elle me la remettrait elle-même. Et c'était seulement par la suite qu'elle avait compris la nécessité d'y inscrire mon nom.

Marlene, j'écris ce mot pour le cas où je ne serais plus en mesure de parler. S'il te plaît fais ce que je te demande. S'il te plaît va à Guelph à la cathédrale pour demander le père Hofstrader. La cathédrale

Notre-Dame du Perpétuel Secours. Mais elle est si grande que tu n'auras pas besoin de son nom. Le père Hofstrader. Il saura quoi faire. C'est une chose que je ne peux pas demander à C. et que je ne veux pas qu'il apprenne. Le père H. est au courant et je le lui ai demandé et il dit qu'il est possible de m'aider. Marlene fais-le s'il te plaît bénie sois-tu. Rien à voir avec toi.

C., ça doit être son mari. Il ne sait pas. Bien sûr qu'il ne sait pas.

Le père Hofstrader.

Rien à voir avec moi.

Libre à moi de froisser ce bout de papier et de le jeter une fois dans la rue. Ce que je fis, je jetai l'enveloppe, laissant le vent l'emporter dans le caniveau d'University Avenue. Puis je me rendis compte que le mot n'était pas dans l'enveloppe ; il était encore dans ma poche.

Pas question que je retourne à l'hôpital. Et pas question que j'aille à Guelph.

C'était Kit, le nom de son mari. Je me le rappelais à présent. Ils faisaient de la voile. Christopher. Kit. Christopher. C.

De retour à mon immeuble, je me retrouvai dans l'ascenseur qui descendait au garage, au lieu de monter à mon appartement. Vêtue comme je l'étais, je pris ma voiture et sortis dans la rue en direction de la voie rapide Gardiner.

Voie rapide Gardiner, autoroute 427, autoroute 401. C'était l'heure de pointe, moment mal choisi pour sortir de la ville. Je déteste ce genre de trajet en voiture, je ne le fais pas assez souvent pour être en confiance. Il y avait moins d'un demi-réservoir d'essence et, pire encore, j'avais envie de faire pipi. Je me dis qu'aux environs de Milton je pourrais quitter l'autoroute pour faire le plein, aller aux toilettes, et reconsidérer ma décision. Pour le moment je ne pouvais rien faire d'autre que ce que je faisais, rouler vers le nord, puis vers l'ouest.

Je ne m'arrêtai pas. Je passai la sortie de Mississauga et celle de Milton. Un panneau de l'autoroute me dit à combien de kilomètres j'étais de Guelph, je traduisis grosso modo la chose en *miles* dans ma tête, comme j'ai toujours besoin de le faire, et je calculai que j'avais assez d'essence.

Le prétexte que je trouvai pour ne pas m'arrêter fut que le soleil allait baisser et devenir plus gênant maintenant que j'avais quitté la brume qui enveloppe la ville même par les plus belles journées.

À la première station après la bretelle de Guelph, je descendis de voiture et gagnai les toilettes des dames, les jambes raides et tremblantes. Après quoi je fis le plein et demandai, en payant, qu'on m'indique le chemin de la cathédrale. Les indications manquaient de clarté mais on me dit aussi qu'elle se dressait sur une grosse colline et qu'on la voyait de partout dans le centre de la ville.

Ce n'était évidemment pas vrai mais je la voyais tout de même de presque partout. Quatre flèches délicates surmontant quatre belles tours. Une belle construction alors que je m'attendais seulement à quelque chose de grandiose. Ce qu'elle était aussi, d'ailleurs, une cathédrale grandiose dominant cette ville relativement petite (encore que quelqu'un m'ait appris par la suite que ce n'était pas réellement une cathédrale).

Était-il possible que Charlene s'y soit mariée?

Non. Bien sûr que non. On l'avait envoyée en vacances dans une colonie de l'Église unifiée, il n'y avait pas de fillettes catholiques à la colo, mais en revanche une grande variété de protestantes. Et puis il y avait cette affaire de C. qui ne savait pas.

Peut-être s'était-elle convertie en secret. Depuis lors.

Je finis par trouver le chemin du parking de la cathédrale et restai un moment à m'interroger sur la façon de m'y prendre. J'étais en pantalon de sport et en blouson. L'idée que je me faisais de la tenue vestimentaire requise dans une église catholique – une cathédrale catholique – remontait si loin que je ne pouvais même pas être sûre que la mienne était acceptable. J'essayais de me rappeler mes visites à de grandes églises d'Europe. Quelque chose concernant l'obligation de couvrir les bras? Le port d'un foulard? Les jupes?

Quel grand silence lumineux régnait sur cette éminence. Avril, pas une seule feuille aux arbres, mais contre mon attente le soleil était encore assez haut dans le ciel. Il subsistait une congère aussi grise que les pavés du parvis.

Le blouson que je portais était trop léger pour la soirée, à moins qu'il ne fasse plus froid à Guelph, que le vent n'y soit plus fort qu'à Toronto.

La cathédrale risquait d'être fermée à l'heure qu'il était, fermée et vide.

Les deux battants du portail monumental semblaient l'être. Je ne pris même pas la peine de gravir les degrés pour m'en assurer parce que je décidai de suivre deux vieilles dames – vieilles comme moi – qui venaient d'émerger de la longue volée de marches conduisant à la rue et passèrent sans marquer d'hésitation devant le portail pour se diriger vers une entrée plus facile sur le flanc du bâtiment.

Il y avait d'autres gens à l'intérieur, une vingtaine ou une trentaine peut-être, mais ils ne donnaient pas l'impression d'être rassemblés pour un office. Ils étaient au contraire éparpillés ici et là sur les bancs, certains agenouillés, d'autres occupés à bavarder. Les femmes qui me précédaient trempèrent la main dans une vasque de marbre sans regarder ce qu'elles faisaient et saluèrent – baissant à peine la voix – un homme qui disposait des corbeilles sur une table.

« Il fait beaucoup plus froid qu'il n'y paraît, dehors », dit l'une d'entre elles et l'homme répondit que le vent vous mordait le nez.

Je reconnus les confessionnaux. Comme autant de petits pavillons séparés, ou de grands castelets de style gothique avec un tas de sombres sculptures sur bois, des rideaux brun foncé. Ailleurs tout étincelait, tout éblouissait. La haute voûte du plafond du bleu le plus céleste, les arcs qui faisaient la jonction entre ce haut plafond et les murs élancés, décorés d'images saintes dans des médaillons dorés. Les vitraux frappés de plein fouet par le soleil à cette heure de la journée se muaient en colonnes de joyaux. Je m'avançai discrètement dans une travée, cherchant à apercevoir l'autel, mais le chœur, orienté à l'ouest, était trop lumineux pour mon regard. Au-dessus des vitraux, je vis toutefois que des anges étaient peints. Des troupeaux d'anges, tout frais et diaphanes et purs comme la lumière.

C'était un lieu particulièrement imposant mais nul parmi les gens présents ne semblait s'en laisser imposer par tant de solennité. Les dames qui bavardaient continuaient de parler à voix basse mais sans chuchoter.

Et d'autres fidèles, après quelques inclinaisons de tête, génuflexions et signes de croix machinaux, s'en retournaient vaquer à leurs affaires.

Ainsi que j'aurais dû le faire moi-même. Je cherchai des yeux un prêtre mais il n'y en avait pas un seul. Les prêtres devaient faire des journées de travail comme tout le monde, rentrer chez eux en voiture, aller dans la salle de séjour ou dans le bureau ou au petit salon, allumer la télévision et desserrer leur col. Retourner chercher à boire et se demander si le repas du soir serait bon. Quand ils venaient à l'église c'était à titre officiel. Dans leurs vêtements sacerdotaux, prêts pour quelque célébration. La messe ?

Ou pour entendre des confessions. Mais à ce moment-là on ne savait jamais s'ils étaient présents. Pour entrer dans leur stalle, et en sortir, ne passaient-ils pas par une porte dérobée ?

J'allais devoir m'adresser à quelqu'un. La présence de l'homme qui avait disposé les corbeilles ne semblait pas d'ordre purement privé, même s'il n'était d'évidence pas un placeur. Personne n'avait besoin de placeur. Les gens choisissaient de s'asseoir – ou de s'agenouiller – où ils voulaient, décidant parfois de se relever pour changer de place, gênés peut-être qu'ils étaient par l'éclat du soleil enflammant les vitraux. Quand je m'adressai à lui, ce fut en chuchotant, comme j'en avais l'habitude autrefois à l'église – et il dut me demander de répéter. Perplexe ou gêné, il m'indiqua d'une tête un peu branlante la direction d'un des confessionnaux. Il me fallut me montrer beaucoup plus précise et convaincante.

« Non, non. Je désire seulement parler à un prêtre. Quelqu'un m'envoie parler à un prêtre. Le père Hofstrader. »

L'homme aux corbeilles disparut au fond de la plus lointaine travée latérale et revint au bout d'un petit moment avec un jeune prêtre corpulent mais d'une grande vivacité de mouvement, vêtu d'un costume noir ordinaire.

Il m'indiqua du geste une pièce que je n'avais pas remarquée – pas une pièce en réalité, puisque nous franchîmes une arche, et non un seuil – au fond de l'église.

« Nous pourrons parler, ici, dit-il en m'approchant une chaise.

– Père Hofstrader…

– Oh non, il faut que je vous dise que je ne suis pas le père Hofstrader. Le père n'est pas ici, il est en vacances. »

L'espace d'un instant je ne sus plus comment continuer.

« Je ferai de mon mieux pour vous venir en aide.

– C'est une femme, dis-je, une mourante à l'hôpital Princess Margaret, à Toronto…

– Oui, oui. Nous savons où est l'hôpital Princess Margaret.

– Elle me demande – j'ai un mot d'elle, sur moi – elle veut voir le père Hofstrader.

– C'est une de nos paroissiennes ?

– Je ne sais pas. Je ne sais même pas si elle est catholique. Elle est d'ici. De Guelph. C'est une amie que je n'ai pas vue depuis longtemps.

– Quand lui avez-vous parlé ? »

Je dus expliquer que je ne lui avais pas parlé, qu'elle dormait, mais qu'elle avait laissé un mot pour moi.

« Mais vous ne savez pas si elle est catholique ? »

Il avait un bouton de fièvre éclaté au coin de la bouche. Ça devait lui faire mal quand il parlait.

« Je crois qu'elle l'est mais son mari ne l'est pas et ne sait pas qu'elle l'est. Elle ne veut pas qu'il le sache. »

Je dis cela dans l'espoir de rendre les choses plus claires sans être sûre que cela soit vrai. J'avais l'impression que ce prêtre risquait de perdre rapidement tout intérêt pour mon histoire. « Le père Hofstrader doit déjà savoir tout ça, dis-je.

– Vous n'avez pas parlé avec elle ? »

Je répondis qu'elle était sous sédation mais que tel n'était pas le cas en permanence et que j'étais certaine qu'elle avait des périodes de lucidité. Je soulignais cela aussi parce que je le croyais nécessaire.

« Si elle souhaite se confesser, vous savez, il y a des prêtres à l'hôpital Princess Margaret. »

Je ne trouvai plus rien à dire. Je sortis le mot, lissai la feuille de papier et la lui tendit. Je me rendis compte que l'écriture n'était pas aussi bonne que je l'avais cru. Elle n'était lisible qu'en comparaison des lettres tracées sur l'enveloppe.

Il fit une grimace agacée.

« Qui est ce C. ?

— Son mari. » Je craignis qu'il demande le nom du mari pour le contacter mais ce fut celui de Charlene qu'il demanda. Le nom de cette femme, comme il dit.

« Charlene Sullivan. » C'était déjà inespéré que je m'en sois souvenue. Et ce qui me rassura quelques instants fut que c'était un nom assez catholique. Certes, cela signifiait que c'était le mari qui pouvait être catholique mais le prêtre en conclurait peut-être qu'il était relaps, ce qui rendrait certainement le désir de secret de Charlene plus compréhensible et son message plus urgent.

« Pourquoi a-t-elle besoin du père Hofstrader ?

— Je crois que c'est un peu spécial.

— Toutes les confessions sont spéciales. »

Il fit mine de se lever mais je n'esquissai pas un geste. Il se rassit.

« Le père Hofstrader est en vacances. Mais il n'a pas quitté la ville. Je pourrais lui téléphoner pour lui parler de cette affaire. Si vous y tenez.

— Oui. S'il vous plaît.

— Ça m'ennuie de le déranger. Il a des problèmes de santé. »

Je dis que s'il n'allait pas assez bien pour prendre le volant jusqu'à Toronto je pourrais l'y conduire.

« Nous pourrons nous charger de son transport si besoin est. »

Il regarda autour de lui sans trouver ce qu'il voulait, détacha un stylo de sa poche et se résolut à écrire au verso du billet.

« Si vous voulez bien me rappeler son nom. Charlotte…

— Charlene. »

Ne fus-je pas tentée, au long de toutes ces palabres ? Pas une seule fois ? On pourrait croire que je me serais ouverte, que j'aurais eu la sagesse de m'ouvrir, entrevoyant ce pardon vaste et pourtant compliqué. Mais non. Ce n'est pas pour moi. Ce qui est fait est fait. Les troupeaux d'anges et les larmes de sang n'y changeront rien.

Je m'assis dans la voiture sans songer à mettre le moteur en marche alors que le froid devenait de plus en plus vif. Je ne savais pas quoi faire. Ou, plutôt, je savais ce que je pouvais faire. Trouver le chemin de l'autoroute pour me joindre au flot lumineux et interminable des voitures en direction de Toronto. Ou trouver une chambre pour la nuit, si je ne me croyais pas la force de conduire. La plupart des hôtels fournissent une brosse à dents ou indiquent le distributeur où s'en procurer une. Je savais ce qui était nécessaire et possible mais, pour le moment, c'était au-delà mes forces.

Les bateaux à moteur du lac étaient censés se tenir à bonne distance du rivage. Et en particulier de la zone réservée à notre colonie, afin que les vagues qu'ils soulevaient ne risquent pas de troubler nos baignades. Mais ce dernier matin, ce dimanche matin, deux d'entre eux firent la course et se mirent à virer très près – pas jusqu'au ponton, bien sûr, mais suffisamment pour soulever de grosses vagues. Le ponton se mit à ballotter et la voix de Pauline s'éleva en un cri de protestation décontenancée. Les bateaux faisaient beaucoup trop de bruit pour que les pilotes l'entendent et, de toute façon, ils avaient déjà causé un gros rouleau qui, déferlant vers le rivage, fut cause que la plupart d'entre nous, dans les eaux peu profondes, sautèrent à son passage ou furent renversées.

Ce fut ce qui nous arriva, à Charlene et moi. Nous tournions le dos au ponton parce que nous regardions Verna venir à notre rencontre. L'eau nous montait à peu près jusqu'aux aisselles et nous fûmes apparemment soulevées puis précipitées à la renverse à l'instant même où nous entendîmes le cri de Pauline. Nous poussâmes sans doute un cri nous aussi, comme avaient fait les autres, cri d'effroi qui se mua en délices quand nous nous retrouvâmes debout tandis que la vague s'éloignait en poursuivant sa course. Celles qui suivaient se révélèrent moins fortes et nous fûmes donc capables de leur résister.

Au moment où nous étions soulevées, Verna avait plongé dans notre direction. Quand nous nous relevâmes, le visage ruisselant, battant le lac de nos bras, elle était étalée sous la surface de l'eau. Il y avait un grand tumulte de cris et de hurlements autour de nous, qui ne fit qu'augmenter quand les vagues suivantes arrivèrent et que celles qui avaient on ne sait comment échappé au premier assaut firent semblant d'être renversées par le second. La tête de Verna ne réapparut pas à la surface, alors qu'elle avait cessé d'être inerte et tournait lentement sur elle-même avec la légèreté d'une méduse flottant entre deux eaux. Charlene et moi avions posé les mains sur elle, sur son bonnet en caoutchouc.

Cela aurait pu être un accident. Comme si, cherchant à retrouver notre équilibre, nous avions agrippé le gros objet caoutchouteux à notre portée, sans nous rendre compte de ce que c'était ni de ce que nous faisions. J'y ai beaucoup réfléchi et sous tous les angles. Je crois qu'on nous aurait pardonné. De jeunes enfants. Terrifiées.

Oui, oui. Elles ne savaient pas ce qu'elles faisaient.

Est-ce tant soit peu vrai ? C'est vrai dans la mesure où nous n'avions rien décidé, au début. Nous n'avions pas échangé de regard pour décider de faire ce que nous avons fait ensuite, et consciemment. Consciemment, parce que nos yeux se croisèrent effectivement quand la tête de Verna cherchait à remonter au-dessus de la surface. Sa tête était déterminée à se soulever, à la façon d'une raviole dans un bouillon. Le reste de son corps esquissait de faibles mouvements mal orientés dans l'eau, mais la tête savait ce qu'elle avait à faire.

Nous aurions pu lâcher prise sur la tête en caoutchouc, le bonnet en caoutchouc, s'il n'avait eu ces motifs en relief qui le rendaient moins glissant. Je me rappelle parfaitement sa couleur, ce bleu pâle insipide, mais je ne parvins pas à distinguer le motif – poisson, sirène, fleur – dont les contours poussaient contre mes paumes. Charlene et moi continuâmes de nous regarder l'une l'autre, plutôt que de baisser les yeux sur ce que nos mains étaient en train de faire. Ses yeux étaient agrandis par la joie ainsi que les miens, j'imagine. Je ne crois pas que nous avions l'impression d'être méchantes, de triompher dans notre méchanceté. Plutôt celle de faire exactement ce qui était – il est permis de s'en effarer – exigé de nous, comme s'il s'agissait du sommet absolu, du point culminant, de notre vie et de notre être.

On pourrait dire que nous étions allées trop loin pour revenir en arrière. Que nous n'avions pas le choix. Mais je jure que ce choix ne s'était pas présenté, ne se présenta pas, à nous.

Toute l'affaire ne dura probablement pas plus de deux minutes. Trois ? Ou une minute et demie ?

On croira que j'exagère si je dis que les nuages menaçants se dissipèrent à cet instant précis, mais à un moment ou un autre – peut-être quand les bateaux à moteur passèrent trop près, quand Pauline poussa un cri, quand la première vague nous frappa, ou quand l'objet de caoutchouc sous nos paumes cessa d'avoir une volonté propre – le soleil parut d'un seul coup, de nouveaux parents surgirent sur la plage et on nous cria d'arrêter de chahuter et de sortir de l'eau. Fini la baignade. Fini pour l'été, pour celles qui vivaient trop loin du lac ou d'une piscine municipale. Les piscines privées étaient réservées aux pages des magazines de cinéma.

Comme je l'ai dit, la mémoire me fait défaut en ce qui concerne la séparation d'avec Charlene, quand je montai dans l'auto de mes parents. Parce que tout ça ne comptait pas. À cet âge, les choses avaient une fin. On s'attendait à ce qu'elles finissent.

Je suis certaine que nous ne prononçâmes jamais rien d'aussi banal, d'aussi insultant, d'aussi totalement superflu que *Le dis à personne*.

J'imagine facilement le sentiment de malaise qui se fit jour, mais ne se répandit pas aussi vite qu'il aurait pu le faire s'il ne s'était heurté à d'autres petits drames. Une petite a perdu sa sandale, une des plus jeunes crie que les vagues lui ont mis du sable dans l'œil. Il y en a presque à coup sûr une autre qui vomit, parce qu'elle s'est trop agitée dans l'eau ou qu'elle est surexcitée par l'arrivée des familles ou parce qu'elle a en cachette avalé trop vite trop de friandises.

Et bientôt, mais pas immédiatement, l'anxiété qui commence à infuser tout cela, il manque quelqu'un.

« Qui ?

– Une des Spéciales.

– Oh flûte. Comme par hasard. »

La responsable des Spéciales court en tous sens, encore vêtue de son costume de bain à fleurs, la chair, beige clair et gélatineuse, de ses gros bras et de ses grosses jambes tremblote. La voix affolée et plaintive.

Allez voir dans les bois, et le long du sentier, appelez-la.

«C'est quoi, son nom?

– Verna.

– Attendez.

– Quoi?

– Il n'y a pas quelque chose, là-bas, dans l'eau?»

Mais je crois que nous étions déjà parties à ce moment-là.

Bois

Roy est tapissier et restaurateur de mobilier. Il se charge aussi de réparer des chaises et des tables qui ont perdu des barreaux, un pied, ou sont, d'une manière ou d'une autre, en piteux état. Il n'y a plus guère d'artisans pour effectuer ce genre de travaux et il a plus de demandes qu'il n'en peut satisfaire. Il ne sait quelle solution adopter. Le prétexte qu'il se donne pour ne pas engager d'assistant est que l'administration exigerait de lui trop de paperasses et de démarches, mais la vraie raison pourrait bien être qu'il a l'habitude de travailler seul – il exerce depuis qu'il a quitté l'armée – et qu'il a du mal à imaginer la présence permanente de quelqu'un auprès de lui. Si sa femme Lea et lui avaient eu un fils, le garçon aurait peut-être manifesté de l'intérêt pour son travail en grandissant et l'aurait rejoint à l'atelier quand son âge l'aurait permis. Ou même s'ils avaient eu une fille. Il avait envisagé un moment de former Diane, la nièce de sa femme, elle le regardait souvent travailler quand elle était petite et après s'être mariée – soudain, à l'âge de dix-sept ans – elle l'avait assisté pour certaines commandes parce que son mari et elle avaient besoin d'argent. Mais elle était enceinte et les odeurs de décapant, de brou de noix, d'huile de lin et de fumée lui donnaient la nausée. Du moins était-ce ce qu'elle avait dit à Roy. À la femme de ce dernier, elle confia la vraie raison – son mari trouvait que ce n'était pas un travail pour une femme.

À présent, elle a quatre enfants et travaille à la cuisine d'une maison de retraite. Apparemment son mari n'y voit pas d'inconvénient.

L'atelier de Roy est dans un appentis derrière la maison. Il est chauffé par un poêle à bois et la nécessité de se procurer du combustible pour le poêle a conduit à l'éveil d'un nouveau centre d'intérêt, d'une nature intime, mais pas secrète. C'est-à-dire que tout le monde est au courant mais que personne ne sait combien il occupe ses pensées et quelle grande signification il revêt pour lui.

La coupe du bois.

Il a un gros pick-up à quatre roues motrices et une lourde hache de bûcheron. Il passe de plus en plus de temps dans les bois à couper du bois de chauffage. Plus qu'il ne lui en faut pour ses propres besoins, s'est-il trouvé – de sorte qu'il s'est mis à en vendre. Les maisons modernes ont souvent une cheminée dans la salle de séjour, une autre dans la salle à manger et un poêle dans la salle des réunions familiales. Et leurs occupants tiennent à y faire du feu tout le temps – pas seulement quand ils donnent une fête ou à Noël.

Quand il a commencé à aller dans les bois, Lea s'inquiétait pour lui. Elle s'inquiétait qu'il puisse avoir un accident pendant qu'il était là-bas tout seul, mais aussi à l'idée qu'il risquait de laisser ralentir ses activités. Ce n'étaient pas ses qualités professionnelles qu'elle pensait menacées, mais son emploi du temps. « Il ne faut pas que tu laisses tomber les gens, disait-elle. Si on te commande quelque chose pour une date donnée, c'est qu'il y a une raison. »

Elle se faisait du travail de Roy une idée altruiste – quelque chose qu'il eût fait pour rendre service aux gens. Elle était gênée quand il augmentait ses prix – comme il l'était lui-même, d'ailleurs – et se donnait beaucoup de mal pour expliquer l'augmentation du coût des fournitures.

Tant qu'elle avait un emploi, il n'était pas difficile pour lui d'aller au bois après qu'elle-même était partie au travail et d'essayer de rentrer avant qu'elle soit de retour à la maison. Elle travaillait comme réceptionniste et comptable chez un des dentistes de la ville. L'emploi lui convenait bien parce qu'elle aimait parler avec les gens, et faisait l'affaire du dentiste parce qu'elle venait d'une famille nombreuse et fidèle qui n'aurait jamais songé à se faire soigner par nul autre que son employeur.

Ces parents qu'elle avait, les Bole et les Jetter et les Poole, venaient souvent les voir à la maison, sans quoi Lea souhaitait aller chez l'un ou l'autre d'entre eux. C'était un clan dont les membres n'appréciaient pas toujours la compagnie les uns des autres mais ne s'en assuraient pas moins d'en disposer à profusion. Ils s'entassaient à vingt ou trente chez l'un ou l'autre à Noël ou à Thanksgiving et trouvaient le moyen de se réunir à une douzaine au moins les dimanches ordinaires – pour regarder la télévision, bavarder, faire la cuisine et manger. Roy aime bien regarder la télévision, il aime bien bavarder et il aime bien manger, mais pas deux de ces occupations à la fois et certainement pas les trois. Les dimanches où c'est chez lui qu'ils choisissent de se réunir, il a donc pris l'habitude de se lever pour aller dans l'appentis et y faire un grand feu de bois de charme ou de pommier – l'un et l'autre, mais plus encore le pommier, ont une odeur suave et réconfortante. Bien visible sur l'étagère à côté des teintures et des huiles, il y avait toujours une bouteille de whisky. Il en avait à la maison aussi et en offrait volontiers à la compagnie. Mais le verre qu'il se servait quand il était seul dans l'appentis avait meilleur goût, de même que la fumée sentait meilleur quand il n'y avait personne pour dire : « Oh, quelle bonne odeur, hein ? » Il ne buvait jamais quand il était au travail sur du mobilier ou quand il allait dans les bois – seulement lors de ces dimanches pleins de visiteurs.

Qu'il parte ainsi s'isoler ne dérangeait pas. Les parents ne se sentaient pas négligés – ils s'intéressaient modérément aux pièces rapportées comme Roy, lequel s'était simplement marié dans la famille et ne lui avait même pas donné d'enfants, et ne leur ressemblait pas. Ils étaient grands, expansifs, bavards. Il était petit, renfermé, taiseux. Sa femme était en général d'une humeur facile et aimait bien Roy tel qu'il était. Elle ne lui adressait donc aucun reproche et n'éprouvait pas le besoin de s'excuser pour lui.

Ils avaient tous deux le sentiment de compter plus l'un pour l'autre, en quelque sorte, que les couples couverts d'enfants.

L'hiver précédent, Lea avait été malade, affectée d'une grippe et d'une bronchite presque permanentes. Elle avait le sentiment d'attraper tous les germes que les patients amenaient chez le dentiste. Elle quitta donc son emploi – disant qu'elle commençait à s'en fatiguer un peu, de toute manière, et qu'elle avait besoin de plus de temps pour faire des choses qu'elle avait toujours voulu faire.

Mais Roy ne découvrit jamais ce que pouvaient bien être ces choses. Elle avait perdu beaucoup de forces et ne parvenait pas à s'en remettre. Ce qui s'accompagnait en apparence d'un profond changement de sa personnalité. Les visites la rendaient nerveuses – celles de sa famille plus que toute autre. Elle se sentait trop fatiguée pour faire la conversation. Elle n'avait pas envie de sortir. Elle continuait de bien tenir la maison mais se reposait entre chaque tâche de sorte que les choses les plus simples lui prenaient la journée. Elle perdit presque tout intérêt pour la télévision, encore qu'elle continuât de la regarder quand Roy l'allumait. Et elle perdit aussi sa silhouette avenante et un peu ronde, devenant mince et informe. La chaleur, l'éclat – tout ce qui avait pu la rendre agréable à regarder – avaient disparu de son visage et de ses yeux marron.

Le médecin lui prescrivit des comprimés mais elle n'aurait pu dire s'ils lui faisaient le moindre bien. Une de ses sœurs l'emmena chez un praticien de médecine holistique et la consultation coûta trois cents dollars. Elle n'aurait pas pu dire non plus si cela lui avait fait du bien.

La femme à laquelle il était habitué, ses blagues et son énergie manquent à Roy. Il a envie de la retrouver mais il ne peut rien faire, rien d'autre que se montrer patient avec cette femme morose, apathique, qui agite parfois la main devant son visage comme pour chasser des toiles d'araignées ou écarter des ronces au milieu desquelles elle serait coincée. Quand on lui demande si elle voit bien, elle affirme toutefois que sa vue est excellente.

Elle a cessé de conduire sa voiture. Cessé de dire quoi que ce soit quand Roy va dans les bois.

«Elle en sortira peut-être d'un seul coup», dit Diane. (Diane est presque la dernière personne à venir encore chez eux.) Et peut-être pas.

C'est à peu près ce qu'a dit le médecin, en choisissant ses mots avec beaucoup plus de soin. Il dit que les comprimés qu'il lui a prescrits l'empêcheront de tomber trop bas. Quelle différence y a-t-il entre bas et trop bas, se demande Roy, et à quoi le voit-on?

De temps à autre, il trouve un bois que les gens de la scierie ont bûcheronné, abandonnant les sommités sur le sol. Et parfois il en trouve un où les responsables des eaux et forêts ont marqué les arbres qu'ils estiment devoir être abattus parce qu'ils sont malades, difformes ou impropres à faire du bois de charpente. L'ostryer de Virginie, par exemple, ne vaut rien comme bois de charpente, de même que l'aubépine ou le charme. Quand il repère ce genre de parcelle, il se met en rapport avec l'agriculteur ou le propriétaire quel qu'il soit, ils négocient, et s'ils tombent d'accord sur un paiement, il va couper le bois. Le gros de cette activité a lieu vers la fin de l'automne – en ce moment même, en novembre, ou début décembre – parce que c'est la bonne saison pour vendre du bois de chauffage et aussi la meilleure pour aller dans les bois avec son pick-up. Les paysans d'aujourd'hui n'ont pas toujours de chemin bien entretenu par de nombreux passages pour gagner leur parcelle boisée, contrairement à l'époque où ils coupaient et transportaient le bois eux-mêmes. Il faut souvent y accéder à travers champs, ce qui n'est possible qu'à deux moments de l'année – avant les labours et après la récolte.

C'est ce deuxième moment qui est le meilleur, quand le gel a durci le sol. Or cet automne la demande de bois est plus forte que jamais et Roy a fait deux ou trois expéditions par semaine.

Bien des gens reconnaissent les arbres à leur feuillage, ou à leur taille et leur forme générale, mais en parcourant le cœur des bois après la chute des feuilles, Roy les reconnaît quant à lui à leur écorce. Le tronc trapu de l'ostryer, qui fournit un bois de chauffage dense et fiable, est couvert d'une écorce brune et hirsute alors que ses branches ont des extrémités lisses et distinctement rougeâtres. Le cerisier est l'arbre le plus noir du bois et son écorce est couverte d'écailles pittoresques. La plupart des gens seraient surpris des hauteurs qu'atteignent ici les cerisiers – ils ne ressemblent en rien à ceux du verger. Les pommiers ressemblent plus à leurs cousins domestiques – pas très grands, l'écorce moins écailleuse et moins sombre que celle des cerisiers. Le frêne est un arbre aux allures martiales et au tronc strié comme un velours côtelé. L'écorce grise de l'érable a une surface irrégulière, les ombres y créent des traînées noires qui se croisent parfois pour former des rectangles grossiers, mais pas toujours. Il y a dans cette écorce comme une insouciance réconfortante qui convient à l'érable, avec sa silhouette familière, bien de chez nous, celle qu'évoquent la plupart des gens quand ils pensent à un arbre.

Les hêtres et les chênes, c'est une autre paire de manches – ils ont quelque chose de remarquable et de spectaculaire bien que ni les uns ni les autres n'aient une silhouette aussi séduisante que les grands ormes qui ont presque tous disparu à présent. Le hêtre possède une écorce lisse et grise, une peau d'éléphant, celle qu'on choisit le plus souvent pour y graver des initiales. Ces gravures s'élargissent avec les années et les lustres, de la mince rainure du canif jusqu'aux macules qui finissent par rendre les lettres illisibles, plus larges que longues.

Le hêtre atteint une hauteur de trente mètres dans le bois. Mais solitaire, quand il a les coudées franches, il s'étale et devient aussi large que haut, tandis que dans les bois il s'élance vers le ciel, les branches de sa cime se divisent hardiment jusqu'à ressembler parfois à des andouillers. Sous cette allure arrogante, l'arbre peut cacher une faiblesse, une torsion de la fibre, que des sillons dans l'écorce permettent de détecter. C'est un signe que l'arbre risque de se briser, ou d'être abattu par une forte rafale de vent. De même que les érables ont toujours l'air familier et banal de l'arbre du jardin derrière la maison, de même les chênes semblent toujours sortir d'un livre de contes, à croire que dans tous les récits qui commencent par « Il était une fois dans les bois », les bois en question étaient peuplés de chênes. Leurs feuilles vert foncé, luisantes, avec leur découpure compliquée, contribuent à cet aspect, mais ils semblent tout aussi légendaires quand leurs feuilles sont tombées et qu'on voit si bien leur écorce épaisse à l'aspect de liège avec sa couleur gris-noir et sa surface enchevêtrée, ainsi que ses branches aux courbes et torsades démoniaques.

Roy estime qu'il y a très peu de danger à aller seul abattre des arbres si on sait ce qu'on fait. Quand on s'apprête à abattre un arbre, la première chose à faire est de situer son centre de gravité, puis de l'entailler en biseau à soixante-dix degrés, de façon à ce que le centre de gravité soit juste au-dessus. La position de cette entaille détermine évidemment la direction dans laquelle l'arbre va tomber. On scie ensuite du côté opposé sans rejoindre l'entaille en biseau mais à la hauteur de son extrémité la plus élevée. Il s'agit de scier l'arbre de part en part en ne laissant subsister qu'un pivot de bois au centre du poids de l'arbre, à partir duquel il faudra qu'il s'abatte. L'idéal est de l'abattre dans une direction entièrement dégagée d'autres branches mais c'est parfois impossible. Si un arbre s'appuie contre les branches d'autres arbres et qu'il n'y a pas moyen de positionner le pick-up de manière à le tirer avec une chaîne, on découpe le tronc en sections par en dessous jusqu'à ce que l'extrémité supérieure se libère et tombe. Quand l'arbre qu'on a abattu repose sur ses propres branches, on amène le tronc au sol en coupant les branches jusqu'à atteindre celles sur lesquelles il repose. Celles-ci sont sous pression – parfois courbées et tendues comme un arc – et l'astuce consiste à tailler de façon à ce que l'arbre roule en s'écartant de vous sans que les branches viennent vous frapper. Une fois au sol, on peut en toute sûreté tailler des tronçons de la longueur adaptée au poêle qu'on fend ensuite à la hache.

On a parfois des surprises. On tombe sur des blocs atypiques qu'on ne peut fendre à la hache ; il faut les coucher pour les débiter à la tronçonneuse ; quand on scie de cette manière, dans le sens de la fibre, la sciure se transforme en lambeaux allongés. Il y a aussi des hêtres et des érables qu'il faut fendre par le côté, en détachant de grands tronçons arrondis le long des cernes de croissance jusqu'à ce que, devenus presque cubiques, on puisse les attaquer plus facilement. On tombe parfois sur du bois pourri, quand un champignon a poussé entre les cernes. Mais en général la dureté des blocs est conforme à ce qu'on attendait – plus grande dans le tronc que dans les branches. Et plus grande dans les gros troncs qui se sont développés en terrain découvert que dans ceux, plus minces et élancés, qui ont poussé en plein milieu des bois.

Des surprises. Mais auxquelles on peut se préparer. Et si l'on est préparé il n'y a pas de danger. Il a longtemps songé à expliquer tout cela à sa femme. Les différentes manières de procéder, les surprises, l'identification, mais il n'a jamais trouvé la façon de s'y prendre de manière à l'intéresser. Il lui arrive de regretter de n'avoir pas eu le temps de transmettre son savoir à Diane quand elle était plus jeune. C'est elle à présent qui n'aurait plus le temps de l'écouter.

Et en un sens, ce qu'il pense du bois est trop personnel – plein de convoitise et presque obsessionnel. Il ne s'est jamais montré cupide en aucun autre domaine. Mais il peut passer des nuits entières à penser à un hêtre somptueux sur lequel il veut mettre la main, se demandant s'il se révélera aussi satisfaisant qu'il en a l'air ou s'il lui réserve un tour de sa façon. Il pense à toutes les parcelles boisées du comté qu'il n'a jamais vues parce qu'elles occupent le fin fond d'exploitations agricoles derrière des champs privés. Quand il roule sur une route qui traverse un bois, il ne cesse de tourner la tête d'un côté à l'autre, craignant de rater quelque chose. Même ce qui est sans valeur pour lui l'intéresse. Un bouquet de charmes, par exemple, trop délicat, trop mince pour valoir la peine qu'on le coupe. Il voit les sombres sillons verticaux au long des troncs plus pâles – il n'oubliera pas où ils sont. Il aimerait pouvoir dresser dans son esprit la carte de chacun des bois qu'il rencontre, et certes il pourrait le justifier par des considérations pratiques, mais ce ne serait pas l'entière vérité.

Un jour ou deux après la première neige, le voilà dans un bois, considérant quelques arbres marqués. Il a le droit d'être là – il a déjà parlé avec le paysan, un nommé Suter. À l'orée de ce bois, il y a une décharge sauvage. Les gens sont venus se débarrasser de leurs ordures dans ce lieu masqué à la vue plutôt que de les emporter jusqu'à la décharge municipale dont les heures d'ouverture ne leur convenaient peut-être pas. Ou dont l'emplacement n'était pas commode pour eux. Roy aperçoit quelque chose bouger dans cette direction. Un chien ?

Mais quand la silhouette se redresse, il voit que c'est un homme qui porte un pardessus crasseux. Il s'avère que c'est Percy Marshall, qui sonde le tas de rebuts pour voir s'il peut y récupérer quelque chose. Autrefois, dans ce genre d'endroits, il arrivait qu'on trouve de vieux pots de faïence d'une certaine valeur ou des bouteilles, voire un corps de chauffe en cuivre. Mais c'est de moins en moins vrai. Et de toute façon, Percy n'est pas un chiffonnier très expérimenté. Il cherche seulement tout ce qui pourrait lui servir – bien qu'on ait du mal à imaginer ce que ça pourrait être dans ce tas de récipients en plastique, de grillages troués et de matelas éventrés sur leur rembourrage.

Percy vit seul dans une pièce à l'arrière d'une maison abandonnée aux ouvertures barrées de planches qui se dresse à un carrefour à quelques kilomètres de là. On le rencontre marchant au long des routes, au bord des rivières et à travers la ville, parlant tout seul, tantôt jouant le rôle d'un vagabond à demi débile et tantôt se présentant comme un indigène matois. Il a choisi de propos délibéré cette existence d'inconfort, de crasse et de malnutrition. Il a tâté de l'asile du comté mais n'a pas supporté le quotidien routinier et la compagnie de tant d'autres personnes âgées. Voilà bien longtemps, il avait fait ses débuts à la tête d'une exploitation agricole fort convenable mais l'existence d'agriculteur était trop monotone – il a donc entamé son déclin, passant par la production d'alcool clandestin, puis des cambriolages maladroits, quelques séjours en prison, et au cours des dix dernières années il a commencé à remonter la pente, avec l'aide de sa pension de retraite, jusqu'à un certain statut d'assisté. Il a même eu sa photo et un article dans le journal local.

> *Dernier représentant d'une race en voie d'extinction.*
> *Cet esprit libre est un trésor d'anecdotes et de sagesse.*

Il remonte laborieusement le talus de la décharge, comme s'il se sentait obligé d'engager un brin de conversation.

«Tu comptes donc abattre ces arbres-là?»

Roy dit: «Ça se pourrait.» Il songe que Percy espère peut-être qu'il lui fera cadeau de bois pour le feu.

«Alors, t'as intérêt à faire vite, dit Percy.

– Pourquoi ça?

– Tout ce qu'y a ici va être bûcheronné sous contrat.»

Roy ne peut s'empêcher de lui faire le plaisir de demander de quel contrat il s'agit. Percy adore les commérages mais ce n'est pas un menteur. Du moins pas à propos de ce qui l'intéresse vraiment, c'est-à-dire les marchés, les héritages, les assurances, les cambriolages et les questions d'argent de toute sorte. On aurait tort de croire que les gens qui n'ont jamais réussi à mettre la main sur de l'argent ne consacrent pas beaucoup de temps à y penser. Ils en seraient surpris, ceux qui voient en lui un vagabond philosophe tout absorbé dans les souvenirs de l'ancien temps. Encore qu'il puisse jouer ce rôle-là aussi quand le besoin s'en fait sentir.

« On m'a parlé de ce bonhomme, dit Percy, faisant durer le plaisir. Quand j'étais au bourg. Je sais pas. On dirait que ce bonhomme a une scierie et qu'il a un contrat avec la River Inn pour leur fournir tout le bois qu'ils auront besoin c't hiver. Une corde par jour. V'là c'qu'ils brûlent. »

Roy dit : « Où t'as entendu dire ça ?

— Au bar. Ben quoi, j'y vais de temps en temps. Je prends jamais plus qu'une pinte. Et y avait ces bonhommes je sais pas qui c'était mais y z'étaient pas soûls non plus. Y parlaient d'où qu'était ce bois et c'était bien çui-ci. Le bois de Suter. »

Roy a parlé avec le paysan la semaine dernière. Et il était sûr que le marché était plus ou moins conclu, qu'il allait pratiquer les coupes habituelles.

« Ça fait un joli tas de bois, dit-il d'un air détaché.

— C'est sûr.

— S'ils veulent vraiment tout prendre, il leur faudra une licence.

— Et comment. À moins qu'y ait une combine, dit Percy avec une intense jubilation.

— C'est pas mes oignons. J'ai plus de travail qu'il ne m'en faut.

— Tu m'étonnes. Plus qu'y ne t'en faut. »

Pendant tout le chemin du retour, Roy ne peut s'empêcher de penser à cette histoire. Il lui est arrivé de vendre de temps à autre un peu de bois à la River Inn. Mais la direction a dû prendre la décision de s'adresser à un unique fournisseur, et ce ne sera pas lui.

Il pense aux difficultés de couper une telle quantité de bois maintenant que la neige est déjà là. La seule solution serait de tracter les grumes à découvert dans le champ avant que l'hiver proprement dit s'installe. Il faudrait les sortir le plus vite possible, en faire un gros tas, les scier et les fendre plus tard. Et pour les sortir, il faudrait disposer d'un bulldozer ou à tout le moins d'un gros tracteur. Il faudrait ouvrir une route jusque dans le bois et les tracter avec des chaînes. Il faudrait réunir une équipe – la tâche ne serait pas possible pour un ou deux hommes seulement. Ce serait une opération à grande échelle.

Il ne pouvait donc s'agir d'une entreprise à temps partiel, du genre de celle qu'il menait lui-même. C'était peut-être une grosse boîte, des gens entièrement étrangers au comté.

Eliot Suter n'avait rien laissé transparaître de cette offre, quand Roy avait parlé avec lui. Mais il est tout à fait possible qu'on l'ait contacté par la suite et qu'il ait décidé de laisser tomber l'accord informel qu'il avait envisagé avec Roy. Décidé d'accepter la venue du bulldozer.

Pendant la soirée, Roy songe à téléphoner pour demander ce qu'il en est. Mais il se ravise en songeant que si le paysan a bel et bien changé d'avis, il n'y a plus rien à faire. Un accord verbal n'est pas un engagement suffisant. Le bonhomme risque de l'éconduire vertement.

Le mieux à faire pour Roy est peut-être d'agir comme s'il ignorait tout de l'histoire de Percy, n'avait jamais entendu parler d'un concurrent – d'aller couper tous les arbres qu'il pourra aussi vite qu'il pourra avant l'arrivée du bulldozer.

D'ailleurs il ne peut exclure la possibilité que Percy se soit totalement trompé. Il n'est pas du genre à avoir tout inventé simplement pour ennuyer Roy mais il peut avoir mal compris.

Mais plus Roy y réfléchit, plus il écarte cette possibilité. Il ne cesse d'imaginer le bulldozer et les grumes enchaînées, leur grand entassement dans le champ, les hommes armés de tronçonneuses. C'est ainsi qu'on fait les choses de nos jours. En gros.

La raison pour laquelle cette histoire le frappe si profondément tient en partie à l'antipathie que lui inspire la River Inn, hôtel pour touristes des berges de la Peregrine. L'établissement est bâti sur les restes d'un vieux moulin non loin du carrefour où vit Percy Marshall. En fait, l'auberge est propriétaire du terrain sur lequel est bâtie la maison que Percy habite. On avait projeté d'abattre cette maison mais il s'est avéré que les clients de l'auberge, n'ayant pas grand-chose à faire, aiment aller se promener là-bas, pour prendre des photos du bâtiment délabré, de la vieille herse, du chariot renversé qui est à côté, de la pompe hors d'usage, et de Percy lui-même quand il consent à se laisser photographier. Il y en a qui font des croquis. Ils viennent d'aussi loin qu'Ottawa et Montréal et sont indiscutablement convaincus de se trouver au fin fond de l'arrière-pays.

Les gens du lieu vont déjeuner ou dîner à l'auberge dans les grandes occasions. Lea y est allée une fois, avec le dentiste, son épouse, l'assistante dentaire et son mari. Roy avait refusé d'y aller. Il avait dit qu'il ne voulait pas d'un repas qui coûtait les yeux de la tête, même si c'était un autre qui payait. Mais en réalité, il ne pourrait pas dire au juste ce qu'il a contre l'auberge. Il n'est pas à proprement parler adversaire de l'idée qu'on dépense de l'argent dans l'espoir de s'amuser. Ou que d'autres gagnent l'argent de ceux qui sont prêts à le dépenser. Il est vrai que le mobilier ancien de l'auberge a été restauré et retapissé par d'autres artisans que lui – des étrangers au comté – mais si on l'avait sollicité, il aurait probablement refusé la commande, en disant qu'il avait déjà trop de travail. Quand Lea lui a demandé ce qu'il avait contre l'auberge, la seule chose qu'il a trouvé à répondre était que Diane y avait postulé pour un emploi de serveuse et qu'on l'avait éconduite sous prétexte qu'elle était trop grosse.

« Mais elle l'était, a dit Lea. Elle l'est. Elle le dit elle-même. »

C'est vrai. Sauf que Roy pense tout de même que ces gens-là sont des snobs. Âpres au gain et snobs. Ils sont en train de faire construire de nouveaux bâtiments censés ressembler à un ancien magasin général et un opéra d'autrefois, rien que pour la frime. Ils brûlent du bois pour la frime. Une corde par jour. Du coup, un entrepreneur va raser le bois comme un vulgaire champ de maïs. C'est exactement le genre d'abus de pouvoir auquel on peut s'attendre, le pillage dont on devrait savoir que ces gens-là sont capables.

Il raconte à Lea ce qu'il a appris. Il lui raconte encore des choses – c'est une habitude – mais il s'attend tellement, désormais, à être écouté d'une oreille distraite, qu'il remarque à peine si elle répond ou pas. Cette fois elle fait écho à ce qu'il a dit lui-même.

«Tu t'en fiches. Tu as déjà assez de travail comme ça.»

Exactement ce qu'il avait prévu, qu'elle soit en bonne santé ou pas. À côté de la plaque. Mais n'est-ce pas ce qui arrive avec les épouses – comme avec les époux, probablement – une fois sur deux environ?

Le lendemain matin, il travaille d'abord sur une table à abattants. Il compte passer la journée dans l'appentis afin de terminer une ou deux commandes en retard. Vers midi, il entend le pot d'échappement bruyant de la voiture de Diane et regarde par la fenêtre. Elle vient sans doute chercher Lea pour l'emmener chez la réflexologue – elle pense que ça lui fait du bien et Lea n'y voit pas d'inconvénient.

Mais elle se dirige vers l'appentis, pas vers la maison.

«Bonjour, dit-elle.

– Bonjour.

– Ça travaille dur?

– Plus que jamais, répond Roy. Tu cherches un emploi?»

C'est un petit rituel entre eux.

«J'en ai déjà un. Écoute, ce qui m'amène, c'est que j'ai un service à te demander. J'aimerais t'emprunter le pick-up. Demain, pour emmener Tiger chez le véto. Je n'y arrive plus avec la voiture. Il est devenu trop grand. Ça m'embête de devoir te demander ça.»

Roy dit qu'il n'y a pas de souci.

Tiger chez le véto, songe-t-il, ça va leur coûter cher.

«Tu ne comptais pas te servir du pick-up? demande-t-elle. Je veux dire, la voiture te suffit?»

Il comptait évidemment aller dans le bois demain, à condition d'avoir terminé ses commandes aujourd'hui. Il va falloir, décide-t-il aussitôt, qu'il y aille cet après-midi.

«Je te ferai le plein», dit Diane.

Encore une chose à ne pas oublier, faire le plein lui-même, pour l'en empêcher, elle. Il est sur le point de dire : « La raison pour laquelle je dois y aller, figure-toi, c'est qu'il est arrivé quelque chose à quoi je n'arrête pas de penser… » mais elle a déjà repassé la porte pour aller chercher Lea.

Sitôt qu'elles sont hors de vue et qu'il a mis un peu d'ordre, il monte dans le pick-up et retourne là où il était la veille. Il songe à s'arrêter au passage pour poser quelques questions de plus à Percy mais se dit que ça ne servira à rien. S'il lui manifeste son intérêt, Percy risque de se mettre à inventer des choses. Il envisage de nouveau de parler avec le paysan mais décide de n'en rien faire pour les mêmes raisons que la veille.

Il range le pick-up au bord du sentier qui conduit jusqu'au bois. C'est un sentier qui se perd vite dans la végétation mais Roy s'en écarte avant. Il se promène parmi les arbres qui ne semblent pas avoir changé depuis hier et dont rien n'indique qu'ils trempent dans une combine hostile. Il a pris sa tronçonneuse et sa hache et a le sentiment de devoir se dépêcher. Si quelqu'un se montre, si on s'avise de lui demander ce qu'il fait là, il dira qu'il a le feu vert du paysan et n'a jamais entendu parler d'un autre accord. Il ajoutera qu'il a d'ailleurs l'intention de continuer de couper à moins que le fermier ne vienne en personne lui dire de s'en aller. Si cela se produit réellement, il faudra bien sûr qu'il parte. Mais il n'y a pas grand risque parce que Suter est un homme corpulent avec une hanche en mauvais état, de sorte qu'il n'est guère porté à arpenter sa propriété.

« … et à quel titre… ? dit Roy qui s'est mis à parler tout seul comme Percy Marshall. Je veux voir ça par écrit. »

Il s'adresse à cet inconnu qu'il n'a jamais vu.

Le sol des bois est d'ordinaire plus accidenté que la surface des terrains environnants. Roy a toujours pensé que c'est à cause des arbres déracinés, qui s'abattent en entraînant une grosse motte de terre avant de pourrir sur place. C'est là où ils ont pourri que subsisterait un bourrelet – là où leurs racines ont été arrachées, un creux. Mais il a lu quelque part – assez récemment, et il aimerait bien se rappeler où – que la cause était beaucoup plus ancienne, remontant à la fin de l'ère glaciaire, quand de la glace s'était formée entre les couches de terre, qu'elle avait soulevées en bosses, çà et là, ainsi qu'elle le fait encore aujourd'hui dans les régions arctiques. Là où la terre n'a pas été défrichée pour être travaillée, les bosses subsistent.

Ce qui arrive alors à Roy est des plus ordinaire et pourtant tout à fait incroyable. C'est ce qui risque d'arriver au premier idiot venu qui rêvasse en se baladant dans le bois. À un quelconque vacancier bayant aux corneilles dans la nature, à une personne qui prendrait le bois pour une espèce de parc conçu pour la promenade. Une personne qui, portant des chaussures légères et pas des brodequins, ne se donnerait pas la peine de regarder par terre. Ce n'est jamais arrivé à Roy les centaines de fois où il a parcouru les bois. Cela n'a même jamais failli lui arriver.

Une neige fine tombe depuis quelque temps qui rend glissants le sol et les feuilles mortes. Un de ses pieds dérape et se tord, et l'autre s'enfonce à travers la broussaille enneigée jusqu'au sol, qui est plus loin qu'il ne s'y attendait. C'est-à-dire qu'il marche par mégarde – tombe presque – sur le genre d'endroit où il faut toujours tâter le sol avec précaution, voire éviter de marcher si l'on repère tout près un point plus sûr où poser le pied. Cela étant, que lui arrive-t-il ? Il ne tombe pas violemment, ce n'est pas comme s'il avait trébuché dans le trou d'un animal. Il perd l'équilibre mais titube en se crispant, incrédule, puis tombe avec le pied qui a glissé, coincé sans qu'il sache comment sous l'autre jambe. Dans sa chute il écarte de lui la tronçonneuse et jette la hache. Mais pas assez loin – le manche cogne très fort le genou de sa jambe tordue. Le poids de la tronçonneuse l'a entraîné dans sa direction mais il n'est pas tombé dessus, c'est déjà ça.

Il s'est senti tomber presque au ralenti, pensivement, inéluctablement. Il aurait pu se casser une côte, mais non. Et le manche de la hache aurait pu se redresser et le frapper au visage, mais non. Il aurait pu s'ouvrir la jambe. Il pense à toutes ces possibilités sans éprouver de soulagement immédiat mais au contraire comme s'il ne pouvait être sûr qu'elles ne se sont pas produites. Parce que la façon dont cela a commencé – dont il a glissé, marché sur la broussaille et est tombé – était si bête, si maladroite, si difficile à croire, que n'importe quelle absurdité aurait pu en résulter.

Il entreprend de se redresser. Les deux genoux lui font mal – l'un d'avoir été cogné par le manche, et l'autre d'avoir heurté violemment le sol. Il s'accroche au tronc d'un jeune cerisier – contre lequel il aurait pu donner de la tête – et se redresse par degrés. Il tente prudemment de peser sur un pied en effleurant le sol de l'autre – celui qui a glissé et s'est tordu sous lui. Il se donne une minute pour l'éprouver. Il se penche pour ramasser la tronçonneuse et manque tomber de nouveau. Une douleur fulgurante part du sol et ne s'arrête qu'en atteignant le sommet de son crâne. Il oublie la tronçonneuse, se redresse, sans trop savoir où la douleur a commencé. Ce pied – a-t-il pesé dessus en se penchant? La douleur s'est retirée jusque dans cette cheville-là. Il étire la jambe autant qu'il peut, la considère, puis très précautionneusement pose le pied sur le sol, tente de peser dessus. À peine croyable, la douleur qu'il ressent. Comme il est à peine croyable qu'elle ne s'arrête pas, qu'elle puisse continuer de le vaincre. Il a dû faire plus que la tordre – c'est une entorse. Une fracture? Dans son brodequin, rien ne la différencie de l'autre cheville, sur laquelle il peut s'appuyer.

Il sait qu'il va devoir le supporter. Qu'il va devoir s'y habituer pour se sortir de là. Et il ne cesse d'essayer mais sans arriver à rien. Il lui est impossible de peser dessus. Elle doit être cassée. Une fracture de la cheville, en mettant les choses au pire – ça n'est tout de même pas bien grave, le genre d'accident qui arrive aux vieilles dames quand elles glissent sur une plaque de glace. Il a eu de la chance. Une fracture de la cheville, petit malheur. N'empêche, impossible de faire un pas. Impossible de marcher.

Ce qu'il finit par comprendre, c'est que pour regagner le pick-up, il va devoir abandonner sa hache et sa tronçonneuse et marcher à quatre pattes. Il prend la position aussi doucement qu'il le peut et pivote sur lui-même afin de suivre la piste des empreintes laissées par ses brodequins que la neige commence à présent à combler. Il pense à vérifier que la fermeture à glissière de la poche où il a mis ses clés est bien fermée. Il secoue la tête pour se débarrasser de sa casquette et l'abandonne sur place – la visière lui bloquait la vue. La neige s'abat maintenant sur sa tête nue. Mais elle n'est pas si froide que ça. Une fois décidé à avancer à

quatre pattes il trouve que ce n'est pas une mauvaise méthode de loco-
motion – c'est-à-dire que ce n'est pas impossible, encore que dur pour
ses mains et son genou valide. Il est assez précautionneux désormais,
rampant par-dessus les broussailles et à travers les buissons, franchissant
les petites levées. Même lorsqu'il se présente un espace en pente il ne s'y
laisse pas rouler, il n'ose pas – il faut qu'il protège sa mauvaise jambe.
Il est content de n'avoir pas traversé de plaques marécageuses à l'aller
et content de n'avoir pas attendu plus longtemps pour se remettre en
route ; la neige commence à tomber plus dru et ses traces sont presque
effacées. Sans cette piste pour se guider, il serait difficile de savoir, au
ras du sol, s'il va dans la bonne direction.

La situation, qui lui semblait d'abord tellement irréelle, devient un
peu plus naturelle. Tandis qu'il progresse sur les mains, les coudes et
un seul genou, tout près du sol, tâtant une bûche pour s'assurer qu'elle
n'est pas pourrie, avant de la franchir à plat ventre, les mains pleines de
feuilles pourries, de terre et de neige – il ne peut pas garder ses gants,
s'il veut avoir une prise convenable sur le terrain, tâter le sol du bois, il
faut que ce soit de ses mains nues, glacées et écorchées –, il cesse d'être
surpris de ce qu'il a fait. Il ne pense plus à sa hache et sa tronçonneuse
abandonnées là-bas, alors qu'au début c'était tout juste s'il avait réussi
à s'en arracher. C'est à peine si ses pensées remontent jusqu'à l'accident
lui-même dans le passé. C'est arrivé, qu'importe le comment. L'ensemble
a cessé de lui sembler le moins du monde incroyable ou contre nature.

Il y a un talus assez abrupt à gravir et quand il l'atteint, il souffle
un moment, soulagé d'être arrivé jusque-là. Il se réchauffe les mains à
l'intérieur de son blouson, l'une après l'autre. Sans savoir pourquoi, il
songe à Diane affublée de ce blouson de ski rouge qui lui va mal. Et il
décide qu'elle a sa vie, que ça la regarde, et que ça ne sert pas à grand-
chose de se faire du souci pour elle. Et il songe à sa femme, quand elle
fait semblant de rire devant la télévision. À ses silences. Bah, au moins
elle est nourrie, chauffée, pas comme une réfugiée jetée au hasard sur
les routes. Il y a pire, songe-t-il. Il y a pire.

Il commence à gravir le talus, enfonçant ses coudes et son genou
douloureux mais valide là où il peut. Il ne s'arrête pas ; il grince des

dents comme si cela pouvait l'empêcher de glisser en arrière, il s'agrippe à chaque racine dénudée, chaque tige un peu robuste qu'il aperçoit. De temps à autre, il glisse, lâche prise, mais il parvient à s'arrêter et remonte centimètre par centimètre. Il ne lève pas une fois la tête pour voir le chemin qu'il lui reste à parcourir. S'il se dit que la montée ne s'arrête jamais, ce sera comme une bénédiction supplémentaire, une surprise, d'arriver au sommet.

Cela dure longtemps. Mais il se hisse enfin en terrain plat et devant lui, à travers les arbres et la neige qui tombe, il aperçoit le pick-up. Le pick-up, le vieux Mazda rouge, le vieil ami fidèle, qui l'attend miraculeusement. D'être en terrain plat augmente ce qu'il croit pouvoir exiger de lui-même et il se met à genoux en ménageant, doucement, tout doucement, la mauvaise jambe. Il se lève en vacillant sur la jambe valide, traînant l'autre derrière soi, titubant comme un ivrogne. Il tente une espèce de cloche-pied. Impossible – il perdrait l'équilibre. Il tente de peser sur la mauvaise jambe, à peine, et se rend compte que la douleur risque de le faire tourner de l'œil. Il reprend la posture précédente et avance à quatre pattes. Mais au lieu de progresser à travers les arbres vers le pick-up, il vire à quatre-vingt-dix degrés et se dirige vers l'endroit où il sait que passe le sentier. Arrivé là, il est en mesure d'accélérer, à quatre pattes sur les ornières durcies, dont la boue qui a dégelé pendant la journée recommence à durcir à présent. C'est cruel pour son genou et ses paumes mais tellement plus facile que l'itinéraire qu'il a suivi jusque-là que la satisfaction lui monte presque à la tête comme une ivresse. Il voit le pick-up devant lui. Le pick-up qui le regarde, qui l'attend.

Il sera capable de conduire. Une chance que ce soit la jambe gauche qui a morflé. Maintenant que le pire est derrière lui, un tas de questions sans réponse lui viennent en même temps que le soulagement. Qui va aller récupérer la tronçonneuse et la hache pour lui, comment pourra-t-il expliquer à qui que ce soit où les retrouver ? Dans combien de temps la neige les aura-t-elle entièrement recouvertes ? Quand pourra-t-il marcher de nouveau ?

Ça ne sert à rien. Il repousse tout ça, lève la tête afin de s'encourager encore à la vue du pick-up. Il s'interrompt de nouveau pour se reposer et se réchauffer les mains. Il pourrait remettre ses gants à présent, mais à quoi bon les esquinter ?

Un gros oiseau prend son envol et sort du bois sur sa gauche et il dresse la tête pour voir ce que c'est. Il pense à un faucon mais ce pourrait être un busard. Si c'en est un, va-t-il le surveiller, s'estimant bienheureux en constatant qu'il est blessé ?

Il attend de le voir virer sur l'aile pour revenir, ce qui lui permettra de l'identifier à son vol et à ses ailes.

Ce faisant, pendant qu'il attend, puis qu'il reconnaît les ailes de l'oiseau – c'est un busard –, il parvient aussi à une idée radicalement nouvelle de l'histoire qui n'a cessé de le préoccuper depuis vingt-quatre heures.

Le pick-up se déplace. Depuis quand ? Quand il regardait l'oiseau ? Rien qu'un vague mouvement au début, un tressautement sur les ornières – ce pourrait presque être une hallucination mais il entend le moteur. Il tourne. Quelqu'un a-t-il profité de sa distraction pour monter à bord ? Ou l'y attendait-il déjà depuis le début ? Il est certain de l'avoir fermé à clé, et il a les clés sur lui. Il tâte encore une fois la fermeture à glissière de sa poche. On est en train de voler le pick-up sous ses yeux et sans les clés. Il pousse des cris et agite les bras, sans se relever – comme si cela pouvait servir à quelque chose. Mais le pick-up n'est pas en train de reculer pour faire demi-tour ; il vient droit sur lui en cahotant dans le sentier, et voilà que la personne au volant se met à donner des coups d'avertisseur, mais en manière de salutation, tout en ralentissant.

Il voit qui c'est.

La seule personne qui a l'autre trousseau de clés. La seule personne que ça pouvait être. Lea.

Il s'efforce de faire porter tout son poids sur la jambe valide. Elle saute à bas du pick-up, court jusqu'à lui et le soutient.

« Je suis tombé, lui dit-il en haletant. La plus belle connerie de ma vie. » Puis il s'avise de lui demander comment elle est arrivée là.

« Pas à la nage, figure-toi », dit-elle.

Elle est venue en voiture, dit-elle – elle parle comme si elle n'avait jamais renoncé à conduire –, en voiture, mais elle l'a laissée au bord de la route.

« Elle est bien trop légère pour ce sentier, dit-elle. J'ai eu peur d'y rester coincée. Mais j'ai eu tort, la boue est gelée, maintenant.

« Je voyais le pick-up, poursuit-elle. Alors j'ai marché jusqu'ici et en arrivant je l'ai ouvert et je m'y suis installée. Je me suis dit que tu tarderais pas à revenir, vu qu'il neige, mais je m'attendais pas à ce que tu arrives à quatre pattes. »

La marche, ou le froid peut-être, lui ont donné des couleurs et timbré sa voix. Elle se baisse pour examiner sa cheville, dit qu'elle a l'impression qu'elle est enflée.

« Ça aurait pu être pire », dit-il.

Elle dit que c'est la seule fois où elle ne s'était pas inquiétée. La seule fois où elle ne s'était pas inquiétée alors qu'elle aurait dû. (Il ne prend pas la peine de lui répondre qu'elle ne s'est apparemment inquiétée de rien depuis plusieurs mois.) Elle n'a pas eu la moindre prémonition.

« Je suis simplement venue à ta rencontre pour te dire, oui, parce que j'étais impatiente de te dire l'idée qui m'est venue pendant que cette femme me soignait. Et puis je t'ai vu à quatre pattes. Et j'ai pensé : Oh non, mon Dieu.

– Quelle idée ?

– Ah, oui, fait-elle. Bah, tu sais, je ne suis pas sûre de ce que tu vas en penser. Je pourrais te le dire plus tard. Occupons-nous de faire soigner ta cheville. »

Quelle idée ?

L'idée que la compagnie dont Percy a entendu parler n'existe pas. Percy a bien entendu quelque chose mais pas au sujet d'étrangers qui auraient obtenu une licence pour venir bûcheronner le bois. Ce qu'il a entendu concernait Roy lui-même tout simplement.

« Parce que le père Suter, c'est une grande gueule. Je connais la famille, sa femme c'était la sœur d'Annie Poole. Alors il s'est baladé en racontant partout qu'il a passé un marché qu'il embellissait chaque fois et ça a fini par donner quoi ? La River Inn pour faire bonne mesure, et cent cordes par jour. Un buveur de bière qui laisse traîner l'oreille et surprend la conversation d'un autre buveur de bière et le tour est joué. D'ailleurs, tu as une espèce de contrat – enfin, un marché…

– C'est peut-être idiot, d'accord… dit Roy.

– Je savais que tu dirais ça mais réfléchis…

– C'est peut-être idiot mais c'est exactement l'idée que j'ai eue moi-même y a pas cinq minutes. »

Et c'est un fait. C'est ce qui lui est venu à l'esprit pendant qu'il regardait le busard.

« Et le tour est joué, répète Lea avec un rire satisfait. Tout ce qui a le moindre rapport, même lointain, avec l'auberge, prend tout de suite des proportions. Devient une histoire de gros sous. »

C'était bien ça, songe-t-il. C'est de lui-même qu'il entendait parler. Tout ce tintouin se ramène à lui.

Il n'y aura pas de bulldozer, pas d'invasion d'une troupe armée de tronçonneuses. Le frêne, l'érable, le hêtre, l'ostryer, le cerisier ne lui échapperont pas, il peut être tranquille. Pour le moment, il peut être tranquille.

Hors d'haleine à cause de l'effort qu'elle fait pour le soutenir, Lea n'en est pas moins capable de dire : « Les grands esprits se rencontrent. »

Ce n'est pas le moment de faire allusion au changement qui s'est opéré en elle. Pas plus qu'on n'élèverait la voix pour congratuler une personne juchée sur une échelle.

Il s'est cogné le pied en se hissant – et en étant en partie hissé – jusqu'au siège passager dans le pick-up. Il pousse un grognement et c'est un grognement différent de celui qui lui aurait échappé s'il était seul. Non qu'il ait l'intention d'exagérer sa douleur mais parce qu'il choisit ce moyen pour la décrire à sa femme.

Voire pour la lui offrir. Parce qu'il sait que son sentiment n'est pas à la hauteur de ce qu'il aurait cru en constatant que la vitalité de sa femme lui est revenue. Et que le bruit qu'il fait pourrait masquer ce manque, ou l'excuser. Certes, il est tout naturel qu'il soit plutôt prudent, ne sachant pas si c'est pour de bon ou un simple feu de paille.

Et puis, même si c'est pour de bon, même si c'est tout bon, il y a un peu plus. Une certaine perte qui embrume ce gain. Une certaine perte qu'il aurait honte de reconnaître, s'il en avait l'énergie.

L'obscurité et la neige sont trop épaisses pour lui permettre de voir au-delà des premiers arbres. Il s'est déjà trouvé dans ce bois à pareille heure, quand l'obscurité se referme au début de l'hiver. Mais à présent son attention est aiguisée, il remarque quelque chose qui lui avait, croit-il, échappé les fois précédentes. À quel point le bois est enche-vêtré, replié sur lui-même, dense et secret. Il ne s'agit pas de chaque arbre, l'un après l'autre, ce sont tous les arbres ensemble, qui s'aident mutuellement et sont complices les uns des autres, tissant un organisme unique. Une transformation qui se fait derrière votre dos.

Il existe un autre mot pour les bois, un mot qui lui tourne dans la tête, passant et repassant à sa portée. Il pourrait presque le saisir mais pas tout à fait. C'est un grand mot qui a quelque chose de menaçant mais d'indifférent à la fois.

« J'ai laissé la hache, fait-il, machinalement. Et la tronçonneuse.

— Et après ? On trouvera quelqu'un pour aller les chercher.

— Et puis il y a la voiture. Tu comptes la reprendre et me laisser conduire le pick-up ?

— T'es devenu fou ? »

Elle a répondu distraitement, parce qu'elle s'est mise en marche arrière pour rejoindre l'endroit où le sentier s'élargit afin de permettre les demi-tours. Lentement, mais pas trop, cahotant dans les ornières mais restant sur le sentier. Il n'a pas l'habitude des rétroviseurs sous cet angle, il baisse donc la vitre et se démanche le cou pour regarder en arrière et la neige le frappe en plein visage. Ce n'est pas seulement histoire de voir comment elle s'en tire mais pour dissiper dans une certaine mesure la tiédeur cotonneuse qui l'envahit.

« Doucement, dit-il. C'est ça. Doucement. Comme ça, oui. C'est bon. C'est bon. »

Pendant qu'il prononce ces paroles, elle-même dit quelque chose à propos de l'hôpital.

« … qu'on t'examine un peu. Ça passe avant le reste. »

À sa connaissance, elle n'a encore jamais conduit le pick-up. Elle se débrouille d'une façon remarquable.

Forêt. Le voilà, le mot. Pas du tout un mot bizarre mais qu'il pourrait bien n'avoir jamais utilisé. Il a quelque chose de formel qui l'aurait fait reculer d'ordinaire.

«La Forêt Déserte», dit-il, comme si cela refermait un chapitre.

Trop de bonheur

Bien des gens qui n'ont pas étudié les mathématiques les
confondent avec l'arithmétique et les considèrent
comme une science austère et aride. Alors qu'en fait, c'est
une science qui requiert beaucoup d'imagination.

Sofia Kovalevskaïa

I

Le 1ᵉʳ janvier de l'année 1891, un petit bout de femme et un homme
imposant se promènent dans le Vieux Cimetière de Gênes. Ils ont tous
deux une quarantaine d'années. La femme a une grosse tête enfantine,
une masse de boucles brunes et son expression est passionnée, vaguement
implorante. L'œuvre du temps commence à se lire sur son visage.
L'homme est immense. Il pèse cent trente kilos, répartis sur sa grande
carcasse et, comme il est russe, on parle souvent de lui comme d'un
ours, et aussi comme d'un Cosaque. Pour l'heure, accroupi devant des
pierres tombales, il écrit dans son carnet, recueillant des inscriptions,
rendu perplexe par des abréviations qui ne lui sont pas immédiatement
compréhensibles, alors qu'il parle russe, français, anglais, italien, et comprend le latin, tant classique que médiéval. Ses connaissances sont aussi
vastes que son physique et ce spécialiste du droit public est capable
d'exposer le développement des institutions politiques contemporaines
en Amérique ou les particularités sociales de la Russie et de l'Occident,
avec la même facilité que les lois et les pratiques des empires de l'An-
tiquité. Mais il n'est pas pédant. Il est spirituel et jouit d'une grande

popularité, à son aise dans les milieux les plus divers, alors que ses propriétés au voisinage de Kharkov lui assurent une existence tout à fait confortable. Il s'est toutefois vu interdire l'accès à une chaire universitaire en Russie parce que c'est un libéral.

Son nom lui va comme un gant. Maxim. Maxim Maximovitch Kovalevski.

La femme qui l'accompagne se nomme elle-même Kovalevskaïa. Elle a été mariée à un lointain cousin de Maxim, mais elle est veuve aujourd'hui.

Elle le taquine.

«Tu sais que l'un de nous deux va mourir, dit-elle. L'un de nous deux mourra cette année.»

Il ne l'écoute qu'à moitié et lui demande: «Pourquoi?»

«Parce que nous nous promenons dans un cimetière le jour de l'an.

– Voyez-vous ça.

– Il existe encore deux ou trois choses que tu ne sais pas, dit-elle de cet air mutin mais inquiet qui est le sien. Je le savais déjà avant d'avoir huit ans.

– Les filles passent plus de temps à la cuisine avec les bonnes, et les garçons dans les écuries – j'imagine que ceci explique cela.

– Dans les écuries les garçons n'entendent pas parler de la mort?

– Pas tant. Ils se concentrent sur d'autres choses.»

Il y a de la neige ce jour-là, mais elle est molle. Elle fond sous leurs pas et ils laissent derrière eux des empreintes noires.

Elle a fait sa connaissance en 1888. Il était venu à Stockholm afin d'éclairer de ses conseils la fondation d'une école de sciences sociales. Partager la même nationalité, et jusqu'à leur nom de famille, les aurait de toute manière rapprochés en l'absence d'une quelconque attirance particulière. Il lui incombait de s'occuper de ce compatriote, libéral comme elle, et de veiller à ce que son séjour soit agréable et se passe le mieux possible à tout point de vue, alors même qu'il était indésirable en Russie.

Mais cela se révéla tout autre chose qu'une obligation. Un élan les porta l'un vers l'autre comme s'ils étaient réellement parents et se retrouvaient après une longue séparation. Il s'ensuivit un torrent de plaisanteries et de questions, une compréhension immédiate, d'interminables causeries, dans toute la richesse de la langue russe, comme si les langues d'Europe occidentale n'avaient été que des cages fragiles dans le formalisme desquelles ils étaient restés confinés trop longtemps, voire de piètres ersatz de la véritable conversation humaine. Leur conduite ne tarda pas à passer les bornes de ce qui était considéré comme la bienséance à Stockholm. Il s'attardait le soir chez elle. Elle allait seule déjeuner avec lui à son hôtel. Après une chute sur la glace qui le laissa avec une entorse, elle l'aidait à prendre son bain et à s'habiller et, pire encore, n'hésitait pas à le raconter aux gens. Tant elle était sûre d'elle-même à l'époque, et tout particulièrement sûre de lui. Elle en brossa pour une amie un portrait qu'elle emprunta à Musset.

> *Il [est] très joyeux, et pourtant très maussade.*
> *Détestable voisin, – excellent camarade,*
> *Extrêmement futile, – et pourtant très posé,*
> *Indignement naïf, – et pourtant très blasé,*
> *Horriblement sincère, – et pourtant très rusé.*

Et elle concluait : « Ce qui ne l'empêche pas d'être un vrai Russe, par-dessus le marché. »

Le gros Maxim, comme elle l'appelait alors.

« Je n'ai jamais été aussi tentée d'écrire des chansons d'amour qu'en compagnie du gros Maxim. »

Et aussi : « Il occupe trop de place, sur le divan et dans mon esprit. Il m'est tout simplement impossible, en sa présence, de penser à autre chose qu'à lui. »

Cela au moment même où elle aurait dû travailler jour et nuit à la préparation de ce qu'elle allait soumettre au jury du prix Bordin. « Je ne néglige pas seulement mes fonctions, mais encore mes intégrales elliptiques et mon corps rigide », confia-t-elle plaisamment à son collègue mathématicien, Mittag-Leffler, lequel convainquit Maxim que le moment était venu pour lui d'aller prononcer des conférences à Uppsala pendant quelque temps. S'interdisant de penser à lui, elle s'arracha à ses rêveries pour revenir au mouvement des corps solides et à la solution du problème de la sirène mathématique au moyen des fonctions thêta de deux variables indépendantes. Malgré le rythme désespéré de son travail, elle était heureuse parce que Maxim occupait toujours un coin de sa pensée. Quand il revint, elle était épuisée mais triomphante. Double triomphe – sa communication était prête pour un ultime polissage avant sa soumission anonyme au jury, et son amant grognon mais joyeux, revenu plein de désir de son exil, semblait décidément, comme elle l'avait cru, avoir l'intention de faire d'elle la femme de sa vie.

Ce fut le prix Bordin qui gâcha les choses entre eux. Voilà ce que croyait Sofia. Elle-même en fut d'abord grisée, éblouie par tous ces lustres et tant de champagne. Les compliments étourdissants, les expressions émerveillées et les baisemains recouvrant certains faits dérangeants mais immuables. Le fait qu'on ne lui accorderait jamais un emploi digne de ses dons, qu'elle aurait déjà de la chance de se retrouver enseignante dans un quelconque lycée de filles en province. Pendant qu'elle s'abandonnait encore au plaisir de la situation, Maxim avait décampé. Sans un mot sur la vraie raison, bien sûr – seulement les articles qu'il avait à écrire, son désir de retrouver la paix et la tranquillité de Beaulieu.

Il avait eu le sentiment d'être ignoré. Lui qui n'était pas habitué à être ignoré, qui ne s'était probablement jamais trouvé dans un salon, ou une réception, depuis qu'il était devenu adulte, où ç'avait été le cas. Tel n'avait pas non plus été le cas à Paris, d'ailleurs. S'il n'était pas passé inaperçu pendant que Sofia était sous les feux de la rampe, on ne lui avait rien trouvé d'exceptionnel. Homme d'une valeur indiscutable, précédé d'une bonne réputation, d'une certaine carrure physique et intellectuelle, associée à beaucoup d'esprit et à une masculinité pleine de charme et de ressources. Tandis qu'elle constituait une totale nouveauté, un phénomène délicieux, une femme associant le don des mathématiques à sa timidité féminine, tout à fait charmante, mais dotée contre toute attente d'une tête bien pleine, sous ses boucles.

Il lui écrivit de Beaulieu une lettre d'excuses froide et renfrognée, refusant son offre d'aller le voir quand elle serait sortie du tourbillon. Une dame séjournait chez lui, écrivit-il, qu'il ne pouvait absolument pas lui présenter. Cette dame était malheureuse et avait besoin de toute son attention pour le moment. Sofia, quant à elle, devrait, conseillait-il, regagner la Suède où elle serait heureuse au milieu de ses amis qui l'y attendaient. Ses étudiants avaient besoin d'elle comme aussi sa petite fille. (Était-ce un coup de poignard, la suggestion devenue récurrente, qu'elle était une mauvaise mère ?)

Et à la fin de la lettre une phrase terrible.

« Si je t'aimais j'aurais écrit différemment. »

La fin de tout. De retour de Paris avec son prix et sa gloire clinquante de phénomène, retrouvant ses amis qui d'un seul coup n'avaient plus la moindre importance pour elle. Retrouvant ses étudiants qui en avaient un peu plus, mais seulement quand elle était devant eux. Redevenue la mathématicienne dont l'être lui était bizarrement encore accessible. Et retrouvant sa petite Fufa, qui était censée se sentir négligée et manifestait au contraire une joie dévastatrice.

Tout à Stockholm ravivait ses souvenirs.

Elle prenait place dans la même pièce, dont le mobilier était venu à grands frais de l'autre côté de la Baltique. Devant elle, ce même divan qui avait récemment supporté avec vaillance le poids de Maxim. Et le sien, qui s'y ajoutait quand il l'attirait prestement dans ses bras. Malgré son gabarit, il n'était jamais gauche dans les gestes de l'amour.

Ce même damas rouge, sur lequel des hôtes distingués ou pas s'étaient assis, en Russie, dans le foyer familial depuis longtemps perdu. Dostoïevski s'y était peut-être assis, ce pauvre Fiodor Mikhaïlovitch dans son lamentable état nerveux, ébloui par Anna, la sœur de Sofia. Et cette dernière elle-même, sans le moindre doute, lorsqu'elle était enfant et faisait le désespoir de sa mère.

Le même antique secrétaire apporté lui aussi de la maison familiale de Palibino, avec le portrait de ses grands-parents peints sur un panneau de porcelaine.

Les grands-parents Schubert. Pas de réconfort à attendre de ce côté-là. Lui en uniforme, elle en robe de bal, faisant étalage d'une autosatisfaction absurde. Ils avaient obtenu ce qu'ils voulaient, se disait Sofia, et n'éprouvaient que mépris pour ceux qui avaient eu moins d'habileté ou de chance.

«Savais-tu que j'ai du sang allemand? avait-elle demandé à Maxim.

– Évidemment. Dans le cas contraire, comment pourrais-tu être un tel prodige d'industrie? Et avoir la tête pleine de chiffres mythiques?»

Si je t'aimais.

Fufa lui apporta de la confiture sur une assiette, lui demanda de jouer aux cartes avec elle.

«Laisse-moi tranquille. Tu ne peux pas me laisser tranquille?»

Par la suite, essuyant ses larmes, elle demanderait pardon à l'enfant.

Mais Sofia n'était pas, au fond, du genre à se morfondre sans fin. Ravalant sa fierté et rassemblant ses ressources, elle écrivit des lettres enjouées qui, mentionnant sans façon des plaisirs frivoles – elle patinait, montait à cheval – et s'intéressant à la politique de la France et de la Russie, suffiraient peut-être à le détendre. Et peut-être même à le convaincre que sa mise en garde avait été brutale et inutile. Elle se débrouilla pour lui soutirer une nouvelle invitation et partit pour Beaulieu dès la fin de ses cours, en été.

Moments agréables. Mais aussi malentendus, comme elle les appelait. (Elle finit par remplacer ce mot par celui de «conversations».) Brusques refroidissements, ruptures, quasi-ruptures, soudaine entente et bonne humeur. Un voyage chaotique autour de l'Europe au cours duquel ils se présentèrent ouvertement – et scandaleusement – comme amants.

Elle se demandait parfois s'il avait d'autres femmes. Elle-même joua avec l'idée d'épouser un Allemand qui lui faisait la cour. Mais il était bien trop maniaque, et elle le soupçonna de rechercher une *Hausfrau*. Et puis elle n'était pas amoureuse de lui. Son sang se glaçait de plus en plus en l'écoutant parler d'amour avec le vocabulaire scrupuleux de la langue allemande.

Quand il eut appris qu'elle était courtisée en tout bien tout honneur, Maxim dit qu'elle ferait mieux de l'épouser, lui. Pourvu, ajouta-t-il, qu'elle puisse se satisfaire de ce qu'il avait à offrir. Il fit semblant de parler d'argent en disant cela. Pouvoir se satisfaire de sa grande richesse n'était à l'évidence qu'une plaisanterie. Mais pouvoir se satisfaire de la tiédeur des sentiments qu'il lui offrait courtoisement, tout en proscrivant les déceptions et les scènes dont elle avait été pour la plus grande partie l'instigatrice – c'était une autre paire de manches.

Elle se réfugia dans la coquetterie, lui donnant à penser qu'elle ne croyait pas qu'il parlait sérieusement et rien de plus ne fut décidé. Mais de retour à Stockholm, elle estima qu'elle avait été idiote. Aussi avait-elle écrit à Julia, avant de partir pour le Sud, à Noël, qu'elle ne savait pas si elle était en route pour le bonheur ou pour le chagrin. Elle entendait par là qu'elle allait se déclarer pour de bon et découvrir si c'était ce que lui-même avait fait. Elle s'était préparée à la plus humiliante des déceptions.

Elle lui fut épargnée. Maxim était un homme d'honneur en définitive, et il tint parole. Ils se marieraient au printemps. Cela décidé, ils se sentirent plus à l'aise l'un avec l'autre qu'ils ne l'avaient été depuis le début. Sofia se tenait bien, ni bouderies, ni colères. Il était demandeur d'un certain décorum. Mais pas du décorum de la *Hausfrau*. Il n'élèverait jamais d'objection, ce qu'un mari suédois aurait risqué de faire, contre ses cigarettes, les innombrables tasses de thé qu'elle buvait ou ses emportements politiques. Et elle ne fut pas mécontente de constater que, tourmenté par un accès de goutte, il pouvait se montrer aussi déraisonnable, aussi agaçant et aussi apitoyé sur son propre sort qu'elle-même. N'étaient-ils pas compatriotes ? Et non sans en éprouver une certaine culpabilité, elle s'ennuyait ferme avec ces Suédois raisonnables qui avaient été le seul peuple d'Europe disposé à confier à une femme la chaire de mathématiques dans leur nouvelle université. Leur ville était trop propre et bien tenue, leurs habitudes trop régulières, leurs réceptions trop polies. Une fois qu'ils avaient décidé ce qu'il était convenable de faire, ils s'en tenaient là, sans discontinuer, ne connaissant aucune de ces enthousiasmantes et probablement dangereuses soirées de discussions qui se seraient poursuivies à l'infini à Saint-Pétersbourg ou à Paris.

Maxim ne ferait pas obstacle à son vrai travail, qui était la recherche, pas l'enseignement. Il serait content qu'elle ait quelque chose dans quoi s'absorber, bien qu'elle le soupçonnât de juger les mathématiques sinon négligeables, du moins vaguement décalées. Comment un professeur de droit et de sociologie aurait-il pu penser différemment?

Il fait plus chaud à Nice quelques jours plus tard, quand il l'accompagne au train.

« Comment puis-je partir? Laisser derrière moi cet air si doux?

– Bah, ton bureau, tes équations et leurs dérivées t'attendent. Au printemps, tu n'arriveras plus à t'en arracher.

– C'est ce que tu crois? »

Il ne faut pas qu'elle pense – elle ne doit pas penser que c'est une façon détournée de dire qu'il aimerait mieux ne pas se marier au printemps.

Elle a déjà écrit à Julia pour lui dire que ce sera le bonheur, en fin de compte. Le bonheur enfin. Le bonheur.

Sur le quai de la gare, un chat noir croise obliquement leur chemin. Elle déteste les chats. Plus encore les chats noirs. Mais elle ne dit rien et réprime un frisson. Comme pour récompenser cette retenue, il annonce qu'il fera le voyage avec elle jusqu'à Cannes, si elle le veut bien. C'est à peine si elle peut répondre tant elle éprouve de gratitude. Et aussi, la désastreuse montée des larmes. Il juge que pleurer en public est méprisable. (Il ne croit pas devoir s'en accommoder non plus en privé.)

Elle parvient à ravaler ses larmes et cela lui vaut, dirait-on, une nouvelle récompense quand ils arrivent à Cannes, il l'enveloppe dans ses vastes vêtements bien coupés, au parfum viril – senteurs mêlées d'animaux à fourrure et de tabac de luxe. Il l'embrasse avec circonspection mais avec aussi un petit coup de langue le long de ses lèvres à elle, rappel d'appétits plus intimes.

De son côté elle s'est gardée bien sûr de lui rappeler que ses travaux portaient sur la théorie des équations aux dérivées partielles et qu'elle y a mis la dernière main voilà déjà quelque temps. Comme cela lui arrive d'ordinaire quand elle le quitte, elle passe la première heure de son voyage solitaire à comparer les manifestations d'affection de Maxim à ses mouvements d'impatience, son indifférence à une certaine passion assez mitigée.

«Rappelle-toi toujours qu'en sortant de la pièce, un homme y abandonne tout ce qui s'y trouve, lui a dit son amie Marie Mendelson. Quand une femme en sort, elle emporte avec elle tout ce qui s'est passé dans cette pièce.»

Au moins a-t-elle à présent le temps de se découvrir un mal de gorge. S'il l'a attrapé, elle espère qu'il ne l'en soupçonnera pas. Célibataire de santé robuste, il considère la moindre contagion comme une insulte, une mauvaise ventilation ou une haleine chargée comme des attaques personnelles. Par certains côtés, c'est vraiment un enfant gâté.

Gâté et envieux, à vrai dire. Voilà quelque temps, il lui a écrit qu'on a commencé à lui attribuer à elle certains de ses écrits à lui, à cause de leur homonymie accidentelle. Il a reçu une lettre d'un agent littéraire parisien débutant par Chère Madame.

Il avait hélas! oublié, écrivait-il, qu'elle était aussi romancière, et pas uniquement mathématicienne. Quelle déception pour le Parisien qu'il ne fût ni l'un ni l'autre. Mais seulement un universitaire, et un homme.

Vrai, quelle bonne blague.

II

Elle s'endort avant qu'on allume les lampes dans le train. Ses dernières pensées éveillées – des pensées désagréables – sont pour Victor Jaclard, que sa sœur en mourant a laissé veuf, et qu'elle compte aller voir à Paris. En réalité, c'est son jeune neveu, Iouri, le fils de sa sœur, qu'elle est impatiente de voir, mais il vit avec son père. Elle se le représente toujours tel qu'il était à cinq ou six ans, blond comme un ange, confiant et gentil, et non pas avec le mauvais caractère si semblable à celui de sa mère, Anna.

Elle se met à rêver d'Anna, un rêve confus, Aniouta longtemps avant Iouri et Jaclard. Aniouta pas encore mariée, ses cheveux d'or, sa beauté et son fichu caractère, dans le domaine familial de Palibino, où elle est en train de décorer sa chambre, dans la tour, d'icônes orthodoxes, tout en se plaignant que ce ne soient pas des objets religieux adéquats pour l'Europe médiévale. Elle vient de lire un roman de Bulwer-Lytton et s'est drapée de voiles afin de mieux imiter Edith au cou de cygne, maîtresse de Harold de Hastings. Elle compte écrire elle-même un roman sur Edith, et en a déjà rédigé quelques pages, description de la scène où l'héroïne doit reconnaître le corps massacré et défiguré de son amant à certaines marques connues d'elle seule.

Voilà que maintenant Aniouta est dans le train elle aussi, et lit ces pages à Sofia qui n'a pas la force de lui expliquer que les choses ont bien changé ni quelle tournure ont pris les événements depuis l'époque de sa chambre dans la tour.

Quand elle se réveille, elle constate que tout cela était vrai – l'obsession d'Aniouta pour l'histoire médiévale et en particulier celle de l'Angleterre – et aussi qu'un jour, tout a disparu, les voiles et le reste, comme s'ils n'avaient jamais existé, et qu'Aniouta devenue sérieuse et bien contemporaine rédigeait l'histoire d'une jeune fille qui, cédant à la pression de ses parents et par souci des convenances, éconduisait un jeune universitaire qui en mourait. Après quoi, elle se rendait compte qu'elle l'aimait et n'avait d'autre choix que de le suivre dans la mort.

Elle avait en secret envoyé ce récit à une revue dirigée par Dostoïevski qui l'avait publié.

Son père en fut scandalisé.

«Aujourd'hui tu vends tes écrits, combien de temps te faudra-t-il pour que tu te vendes toi-même?»

Au milieu de cette tourmente, Fiodor Mikhaïlovitch se montra en personne, se conduisit fort mal au cours d'une réception, mais amadoua la mère d'Aniouta lors d'une visite privée et finit par demander sa fille en mariage. L'opposition radicale de son père à ce projet faillit persuader Aniouta d'accepter et de se faire enlever. Mais en fin de compte elle tenait trop à son propre rayonnement et, pressentant peut-être qu'il lui faudrait le sacrifier à celui de Fiodor Mikhaïlovitch, préféra l'éconduire. Il la dépeignit dans L'Idiot sous les traits d'Aglia et épousa une jeune sténographe.

Sofia s'assoupit de nouveau, glisse dans un autre rêve. Aniouta et elle sont jeunes mais moins qu'à l'époque de Palibino et sont ensemble à Paris. Jaclard, l'amant d'Aniouta – pas encore son mari –, ayant supplanté Harold de Hastings et Fiodor Mikhaïlovitch le romancier, est devenu son héros, et c'est un héros authentique, malgré ses mauvaises manières (il se fait gloire de ses origines paysannes) et son infidélité, qui se manifeste dès le début. Il se bat quelque part non loin de Paris et Aniouta craint qu'il se fasse tuer à cause de sa grande bravoure. À présent dans le rêve, Aniouta est partie le chercher, mais les rues qu'elle parcourt en pleurant et en criant son nom sont celles de Saint-Pétersbourg, pas de Paris, et Sofia est abandonnée dans un immense hôpital parisien plein de soldats morts et de civils ensanglantés, et l'un des morts est son propre mari, Vladimir. Fuyant cette hécatombe, elle se met en quête de Maxim Maximovitch qui est en sécurité à l'abri des combats à l'hôtel Splendide. Maxim la tirera de là.

Elle s'éveille. Il pleut, il fait nuit et elle n'est plus seule dans le compartiment. Une jeune femme à l'allure négligée est assise près de la porte, elle tient un carton à dessin. Sofia craint d'avoir crié dans son rêve mais c'est peu probable puisque la jeune femme dort paisiblement.

Si cette voyageuse avait été éveillée, Sofia lui aurait dit : « Je vous demande pardon, je rêvais de 1871. J'étais à Paris, à l'époque, ma sœur était amoureuse d'un communard. Il fut fait prisonnier et risquait d'être fusillé ou envoyé au bagne en Nouvelle-Calédonie mais nous avons pu le faire évader. Mon mari s'en est chargé. Mon mari, Vladimir, qui n'était pas du tout communard mais souhaitait seulement aller voir les fossiles du Muséum, au Jardin des Plantes. »

La jeune femme aurait accueilli cette déclaration avec un profond ennui. Peut-être se serait-elle montrée polie mais n'en aurait pas moins laissé transparaître le sentiment qu'à ses yeux tout cela remontait à la chute d'Adam et Ève. Probablement n'était-elle même pas française.

Les Françaises qui avaient les moyens de prendre le train ne voyageaient pas seules, d'ordinaire. Américaine ?

Bizarrement, Vladimir avait bien été en mesure de passer quelques-unes de ces journées au Jardin des Plantes. Contrairement au rêve, il n'avait pas été tué. Au milieu du tourbillon des événements, il jetait les fondations de sa seule carrière véritable, celle de paléontologue. Et Anna avait bel et bien emmené Sofia dans un hôpital d'où toutes les infirmières professionnelles avaient été renvoyées. Considérées comme contre-révolutionnaires, elles devaient être remplacées par les épouses et les camarades des communards. Les femmes du peuple maudissaient ces remplaçantes parce qu'elles ne savaient même pas faire un pansement et que les blessés mouraient ; mais la plupart d'entre eux seraient morts de toute façon. Il y avait des maladies qu'il fallait traiter en même temps que les blessures du combat. Le peuple en était réduit disait-on à manger des chiens et des rats.

Jaclard et ses camarades se battirent pendant dix semaines. Après la défaite, il fut emprisonné à Versailles dans un cachot souterrain. Plusieurs hommes avaient été fusillés parce qu'on les avait pris pour lui. Du moins était-ce ce qu'on rapportait.

Le père d'Anna et de Sofia, général d'artillerie, était arrivé de Russie. Anna se retrouva à Heidelberg où elle s'effondra et dut s'aliter. Sofia regagna Berlin et ses études de mathématiques mais Vladimir resta à Paris, abandonnant ses mammifères du tertiaire pour manigancer avec le général l'évasion de Jaclard. Elle résulta d'une combinaison de corruption et d'audace. Jaclard devait être transféré sous la garde d'un unique soldat vers une prison parisienne. L'itinéraire passait par une rue où il y aurait foule à cause d'une exposition. Vladimir en profiterait pour soustraire Jaclard à son gardien, lequel avait été payé pour regarder dans une autre direction. Puis il le guiderait à travers la foule jusqu'à une chambre où des vêtements civils l'attendaient, avant de l'emmener à la gare où, muni du passeport de Vladimir, il prendrait le train pour la Suisse.

Ce qui fut fait.

Jaclard ne prit pas la peine de renvoyer le passeport avant qu'Anna l'ait rejoint et ce fut elle qui s'en chargea. L'argent ne fut jamais remboursé.

De l'hôtel où elle était descendue Sofia envoya un mot à Marie Mendelson et un autre à Henri Poincaré. La bonne de Marie répondit que sa maîtresse était en Pologne. Sofia envoya de nouveau quelques lignes pour dire qu'au printemps elle solliciterait peut-être l'aide de son amie pour «choisir le costume convenant à l'événement que le monde considère peut-être le plus important de la vie d'une femme». Entre parenthèses elle ajouta qu'elle-même et le monde de la mode n'étaient «toujours pas en termes très clairs».

Poincaré se présenta à son hôtel très tôt le matin, et entreprit aussitôt de se plaindre du comportement du mentor de Sofia, le mathématicien Weierstrass, qui avait siégé au jury du prix de mathématiques du roi de Suède qu'on venait de décerner. Le prix était en effet allé à Poincaré mais Weierstrass avait jugé bon de déclarer que la démonstration de ce dernier renfermait peut-être des erreurs qu'on ne lui avait pas laissé le temps à lui, Weierstrass, de rechercher. Il avait adressé une lettre au roi de Suède afin de lui soumettre les points litigieux annotés de sa main – comme si ce grand personnage pouvait comprendre un seul mot de ce qu'il lui exposait. Et il avait fait des déclarations selon lesquelles Poincaré serait plus réputé à l'avenir pour les aspects négatifs de ses travaux que pour les aspects positifs.

Sofia l'apaisa en lui disant qu'elle allait justement rendre visite à Weierstrass et évoquerait la question avec lui. Elle fit semblant de n'en avoir pas encore entendu parler, alors qu'elle avait en fait adressé une lettre moqueuse à son vieux maître.

«Je suis sûre que le sommeil royal a été bien perturbé depuis que Sa Majesté a reçu votre courrier. Songez combien vous avez troublé l'esprit d'un roi qui avait jusqu'ici vécu dans la bienheureuse ignorance des mathématiques. Prenez garde à ne pas lui faire regretter sa générosité...»

«Et puis au fond, dit-elle à Poincaré, au fond, vous avez le prix et vous l'aurez pour toujours.»

Il en convint, ajoutant que son propre nom resplendirait quand celui de Weierstrass serait oublié.

Tous, nous serons oubliés jusqu'au dernier, songea Sofia mais elle se garda de le dire, connaissant la grande susceptibilité des hommes – et plus encore des jeunes hommes – dans ce domaine.

Elle prit congé de lui à midi pour aller voir Jaclard et Iouri. Ils demeuraient dans un quartier pauvre de la ville. Elle dut traverser une cour où une lessive pendait sur une corde à linge – la pluie avait cessé mais la journée restait maussade – et gravir un long escalier extérieur plutôt glissant. Jaclard lui cria que la porte était ouverte, et elle entra pour le trouver assis sur une caisse, occupé à cirer une paire de grosses chaussures. Il ne se leva pas pour l'accueillir et quand elle s'apprêta à ôter son manteau lui dit: «Mieux vaut pas. On n'allume pas le poêle avant le soir.» Du geste il lui indiqua l'unique fauteuil, qui était déchiré et taché de graisse. C'était pire que dans ses prévisions. Iouri n'était pas là, il ne l'avait pas attendue. Elle se posait deux questions le concernant et elle était venue dans l'espoir d'y répondre. Sa ressemblance avec Anna et le côté russe de sa famille s'accentuait-elle? Et avait-il grandi? À quinze ans, l'année précédente à Odessa, on lui en aurait à peine donné douze.

Elle ne tarda pas à découvrir que les choses avaient pris un tel tour que ces soucis devenaient moins importants.

«Iouri? demanda-t-elle.

– Il n'est pas là.

– Il est à l'école?

– Cela se peut. Je ne sais pas grand-chose de lui. Et plus j'en apprends, plus je m'en désintéresse.»

Elle songea que mieux valait l'apaiser et reprendre le sujet plus tard. Elle s'enquit de sa santé à lui, Jaclard, et il dit que ses poumons étaient en mauvais état. Il dit qu'il ne s'était jamais remis de l'hiver 1871, des privations et des nuits en plein air. Sofia ne se souvenait pas que les combattants aient été affamés – il était de leur devoir de se nourrir afin d'être capables de se battre – mais elle se contenta de répondre sans le contredire qu'elle avait justement pensé à cette époque dans le train. Pensé, dit-elle, à Vladimir et à cette évasion qui semblait sortie tout droit d'un opéra comique.

Ce n'était pas une comédie, dit-il, ni un opéra. Mais il s'anima à mesure qu'il en parlait. Il évoqua ceux qu'on avait fusillés parce qu'on les prenait pour lui et les combats désespérés de la Semaine sanglante. Quand il avait finalement été fait prisonnier, la période des exécutions sommaires était terminée mais il s'attendait encore à mourir après cette parodie de procès. Comment avait-il réussi à s'évader, Dieu seul le savait. Non qu'il crût en Dieu, ajouta-t-il, comme il l'ajoutait chaque fois.

Chaque fois. Et chaque fois qu'il faisait ce récit, le rôle de Vladimir – et celui de l'argent du général – ne cessait de rapetisser. Pas un mot du passeport. Seules comptaient la bravoure de Jaclard et son agilité. Mais il semblait de mieux en mieux disposé à l'égard de son auditoire à mesure qu'il parlait.

Son nom était encore dans les mémoires. On racontait encore son histoire.

Et d'autres récits suivirent, qui lui étaient familiers eux aussi. Il se leva pour aller chercher un petit coffre-fort sous le lit. Il y serrait un document précieux, l'ordre pour lui de quitter la Russie, quand il se trouvait à Saint-Pétersbourg avec Anna quelque temps après la Commune. Il fallait qu'il lui en donne lecture.

« Très respecté Constantin Petrovitch, je m'empresse de porter à votre attention le fait que le Français Jaclard, membre de la Commune, du temps où il vivait à Paris, était en contact constant avec le représentant du Parti du prolétariat révolutionnaire de Pologne, le juif Karl Mendelson, et, grâce aux liens qu'entretenait son épouse avec la Russie, se chargeait de transmettre les lettres de Mendelson à Varsovie. Il est l'ami de nombreux radicaux français de premier plan. Depuis Saint-Pétersbourg, Jaclard envoyait à Paris les nouvelles les plus fausses et les plus dommageables concernant les affaires politiques russes et, à partir du 1er mars et de l'attentat contre le tsar, ces informations ont excédé toutes les limites de la patience. C'est pourquoi sur mon instance, le ministre a décidé de l'expulser hors des frontières de notre empire. »

Toute sa délectation lui était revenue à mesure qu'il lisait et Sofia se rappela l'habitude qui était la sienne autrefois de les taquiner et de se donner en spectacle, et combien elle et Vladimir lui-même s'estimaient en quelque sorte honorés qu'il les jugeât dignes de son attention, ne fût-ce que comme auditoire.

« Ah, c'est dommage, dit-il. Dommage que l'information ne soit pas complète. Il ne parle jamais du fait que les marxistes de l'Internationale, à Lyon, m'avaient choisi pour être leur représentant à Paris. »

À cet instant, Iouri entra. Son père continua de parler.

« C'était secret, bien sûr. Officiellement, ils m'avaient nommé au Comité de salut public de Lyon. » Il allait et venait dans la pièce, à présent, emporté pour de bon par un enthousiasme joyeux. « C'est à Lyon que nous avions appris que Napoléon le Neveu avait été fait prisonnier, maquillé comme une putain. »

Iouri salua sa tante de la tête, ôta sa veste – à l'évidence il n'était pas sensible au froid – et s'assit sur la caisse pour prendre le relais de son père et cirer les souliers à son tour.

Oui. Il ressemblait à Anna. Mais c'était à l'Aniouta des derniers temps qu'il ressemblait. Les paupières tombantes lui faisaient une expression fatiguée et morose, le rictus sceptique – et chez lui méprisant – des lèvres charnues. Pas trace de la fille aux cheveux d'or, de sa soif du danger, d'une gloire acquise au service du bien, de ses brusques emportements. De cette créature, Iouri n'avait aucun souvenir, gardant seulement celui d'une femme malade, informe, asthmatique, cancéreuse, déclarant qu'elle attendait la mort avec impatience.

Jaclard l'avait aimée au début, peut-être, autant qu'il était capable d'aimer qui que ce soit. Il avait souligné l'amour qu'elle avait pour lui. Dans la lettre naïve ou peut-être simplement vantarde qu'il avait adressée à leur père, expliquant sa décision de l'épouser, il avait écrit qu'il eût semblé injuste d'abandonner une femme qui lui était tellement attachée. Il n'avait jamais renoncé aux autres femmes, pas même au début de leur liaison quand Aniouta s'émerveillait de le découvrir. Et certainement pas tout au long de leur vie commune. Sofia se dit qu'il était peut-être encore séduisant malgré sa barbe grise et peu soignée et la façon qu'il avait de bafouiller quand il s'emportait. Héros épuisé par ses combats, ayant fait le sacrifice de sa jeunesse – c'était peut-être ainsi qu'il se présentait, non sans effet. Et ce n'était pas entièrement faux, d'ailleurs. Il possédait une réelle bravoure physique et un idéal, et, né paysan, il savait ce que c'était qu'être méprisé.

Elle-même ne venait-elle pas de le mépriser ?

La pièce était miteuse mais en la regardant de près on constatait qu'on y avait fait le ménage du mieux possible. Quelques casseroles étaient accrochées à des clous, au mur. On avait frotté le poêle froid et le fond de ces casseroles pour les faire reluire. Elle s'avisa de ce qu'une femme partageait encore sa vie.

Il était en train de parler de Clemenceau, disant qu'ils étaient en bons termes. Voilà qu'il était prêt à se vanter d'une amitié avec un homme qu'elle se serait attendue à l'entendre accuser d'être payé par le Foreign Office (bien qu'elle-même fût convaincue que c'était faux).

Pour infléchir le tour de la conversation, elle lui fit un compliment sur la bonne tenue de son appartement.

Il regarda autour de lui, surpris du changement de sujet, puis sourit lentement, et avec une véhémence renouvelée.

« Il y a une personne avec laquelle je suis marié, qui prend soin de mon bien-être. Une Française, j'en suis heureux, pas aussi bavarde et paresseuse que les Russes. Elle a de l'éducation, elle était gouvernante mais a été renvoyée à cause de ses sympathies politiques. J'ai bien peur de ne pas pouvoir te la présenter. Elle est pauvre mais digne et tient encore à sa réputation.

– Tiens, dit Sofia en se levant, je comptais t'annoncer que je vais me remarier, moi aussi. Avec un Russe.

– J'ai entendu dire que tu t'affichais avec ce Kovalevski. Mais on ne m'a pas parlé de mariage. »

Sofia tremblait d'être restée assise si longtemps dans le froid. Elle s'adressa à Iouri avec autant d'enjouement qu'elle put.

« Tu veux bien accompagner ta vieille tante jusqu'à la gare ? Je n'ai pas pu te dire un mot.

– J'espère que je ne t'ai pas offensée, dit Jaclard fielleusement. J'ai toujours été partisan de dire la vérité.

– Pas du tout. »

Iouri remit sa veste, dont elle vit alors qu'elle était trop grande pour lui. Sans doute achetée chez un fripier. Il avait grandi mais n'était pas plus grand que Sofia elle-même. Peut-être avait-il manqué d'une alimentation appropriée à un moment important de sa vie. Sa mère était grande, et Jaclard aussi.

Alors qu'il n'avait pas semblé tenir à l'accompagner, Iouri se mit à parler avant même d'avoir atteint le bas de l'escalier. Et il avait saisi le bagage de sa tante immédiatement, sans qu'elle ait besoin de le demander.

« Il est trop pingre pour faire du feu pour vous. Il y a du bois dans le coffre. Elle en a monté ce matin. Elle est laide comme un rat d'égout, c'est pour ça qu'il n'a pas voulu vous la présenter.

« Tu ne devrais pas parler des dames de cette façon.

– Pourquoi pas, puisqu'elles veulent être nos égales ?

– Alors je devrais dire "des gens". Mais je ne veux parler ni d'elle ni de ton père. Je veux parler de toi. Où en es-tu de tes études ?

– Je les déteste.

– Tu ne peux pas détester toutes les matières ?

– Pourquoi ? Ça n'est vraiment pas difficile de les détester toutes.

– Pourrais-tu parler russe avec moi ?

– C'est une langue barbare. Vous ne pourriez pas apprendre à mieux parler français ? Il dit que vous avez un accent barbare. Il dit que ma mère aussi. Les Russes sont des barbares.

– C'est lui qui dit ça encore ?

– Je me fais ma propre opinion. »

Ils marchèrent un moment en silence.

« Paris est un peu sinistre à cette époque de l'année, dit Sofia. Te rappelles-tu comme on s'était bien amusés l'été à Sèvres ? On parlait de toutes sortes de choses. Fufa se souvient de toi et parle encore de toi. Elle se rappelle que tu voulais à tout prix venir vivre avec nous.

– J'étais petit. C'était puéril, je n'étais pas réaliste, à l'époque.

– Et tu l'es devenu ? As-tu pensé à un moyen de gagner ta vie ?

– Oui. »

Percevant une satisfaction ironique dans sa voix, elle se garda de lui demander de quoi il s'agissait. Il s'empressa de le lui dire quand même.

« Je vais être garçon d'omnibus et j'annoncerai les stations. Je m'étais fait embaucher quand j'ai fugué à Noël mais il est revenu me chercher. Encore un an et il n'aura plus le droit.

– Tu ne te satisferas peut-être pas toujours d'annoncer les stations.

– Pourquoi? C'est très utile. On ne peut pas s'en passer. Alors qu'on peut se passer de mathématiciens, d'après moi. »

Elle garda le silence.

« Je ne pourrais pas me respecter, reprit-il, si j'étais professeur de mathématiques. »

Ils étaient en train de gravir les marches accédant au quai.

« À recevoir des prix et plein d'argent pour des choses auxquelles on ne comprend rien, dont tout le monde se fiche et qui ne servent à personne.

– Merci d'avoir porté mon sac. »

Elle lui tendit de l'argent, pas autant qu'elle en avait eu l'intention. Il s'en saisit avec un sourire déplaisant, comme pour dire : « Tu croyais que je serais trop fier, hein ? » Puis il la remercia, très vite, comme s'il n'avait accepté qu'à contrecœur.

Elle le regarda s'éloigner en songeant que c'était très vraisemblablement la dernière fois qu'elle le voyait. Le fils d'Aniouta. Et qui lui ressemblait tant, en définitive. Aniouta qui troublait presque tous les repas de famille à Palibino de ses tirades hautaines. Aniouta qui parcourait les allées du jardin, débordant de mépris pour sa vie du moment et de foi dans la destinée qui l'emmènerait vers un monde entièrement nouveau et juste et impitoyable.

Iouri pouvait encore changer, rien ne permettait de le dire. Il en viendrait même peut-être à éprouver un peu d'affection pour sa tante Sofia, mais probablement pas avant d'avoir atteint l'âge qu'elle avait à présent, quand elle-même serait morte.

III

Sofia avait une demi-heure d'avance pour son train. Elle avait besoin d'une tasse de thé et de pastilles pour la gorge mais ne se sentit pas le courage de faire la queue ni de parler français. Aussi bien que l'on sache se débrouiller quand on est en bonne santé, le moindre abattement ou le pressentiment d'une maladie suffisent à ce qu'on se réfugie dans sa langue maternelle. Elle s'assit sur un banc et laissa tomber sa tête. Elle pouvait dormir quelques instants.

Ce fut plus long. Quinze minutes s'étaient écoulées à l'horloge de la gare. Il y avait foule à présent, une grande agitation autour d'elle, des chariots de bagages passaient.

Elle se hâtait vers son train quand elle vit un homme coiffé d'une toque de fourrure comme celle de Maxim. Un homme imposant, vêtu d'un pardessus sombre. Elle ne voyait pas son visage. Il s'éloignait d'elle. Mais ses larges épaules, la façon courtoise mais décidée dont il s'ouvrait un passage parmi la foule, lui rappelèrent nettement Maxim.

Un chariot transportant une haute pile de bagages passa entre eux et l'homme disparut.

Ça ne pouvait bien sûr pas être Maxim. Qu'eût-il fait à Paris? Vers quel train, quel rendez-vous, eût-il pu se hâter ainsi? Son cœur s'était mis à battre désagréablement quand elle monta dans le train et prit son siège près d'une fenêtre. On pouvait raisonnablement penser qu'il devait y avoir d'autres femmes dans la vie de Maxim. Il y avait eu, par exemple, celle qu'il n'avait pu présenter à Sofia quand il avait refusé de l'inviter à Beaulieu. Mais elle ne le croyait pas homme à s'accommoder de complications vulgaires. Moins encore des accès de jalousie, des larmes et des reproches d'une femme. Il avait signifié, lors de cet incident, qu'elle n'avait aucun droit sur lui, qu'il ne lui devait rien.

Cela signifiait certainement qu'il estimait à présent lui devoir quelque chose, et aurait jugé indigne de lui de la tromper.

D'ailleurs elle avait cru le voir alors qu'elle venait de s'éveiller d'un sommeil anormal, malsain. Elle avait eu une hallucination.

Le train s'ébranla avec les grincements et le fracas habituels et sortit lentement de la verrière de la gare.

Comme elle avait aimé Paris. Pas le Paris de la Commune, où elle avait été soumise aux ordres surexcités et parfois incompréhensibles d'Anna, mais le Paris qu'elle avait visité par la suite, dans la plénitude de sa vie d'adulte, où on l'avait présentée à des mathématiciens et à des penseurs politiques. À Paris, avait-elle proclamé alors, l'ennui, le snobisme et la tromperie n'existent pas.

Puis on lui avait remis le prix Bordin, on lui avait baisé la main et offert des allocutions et des bouquets dans des salons d'une élégance somptueuse, brillamment illuminés. Mais on lui avait fermé la porte au nez quand il s'était agi de lui donner un emploi. On n'y songeait pas plus qu'à engager un chimpanzé savant. Les épouses de ces grands chercheurs n'avaient pas voulu la rencontrer, ni l'inviter chez elles.

Des épouses qui montaient la garde au créneau, armée invisible et implacable. Les maris accueillaient d'un triste haussement d'épaules leurs interdits mais leur donnaient leur dû. Ces hommes dont le cerveau faisait voler en éclats les vieilles idées restaient prisonniers de femmes dont la tête n'était pleine que de la nécessité d'un corset bien ajusté, des cartes de visite et de conversations qui vous emplissaient la gorge d'une espèce de brume parfumée.

Il fallait qu'elle mette un terme à cette litanie de ressentiment. À Stockholm, les épouses l'invitaient chez elles, aux soirées les plus importantes comme aux dîners intimes. Elles chantaient ses louanges et s'enorgueillissaient de sa présence. Elles recevaient volontiers sa petite fille. On la considérait peut-être comme un phénomène mais c'était un phénomène qu'on approuvait. Un peu comme un perroquet parlant plusieurs langues ou l'un de ces prodiges capables de vous dire sans hésiter ni réfléchir que telle date du XIVe siècle tombait un mardi.

Non, elle était injuste. Elles avaient du respect pour ce qu'elle faisait et nombre d'entre elles étaient convaincues que des femmes de plus en plus nombreuses auraient dû accéder à ce genre d'activité et y accéderaient un jour. Pourquoi donc s'ennuyait-elle un peu en leur compagnie, regrettant les longues soirées et les conversations extravagantes ? Que lui importait qu'elles soient vêtues comme des femmes de pasteurs ou comme des bohémiennes ?

Elle était d'une humeur massacrante, et cela à cause de Jaclard et de Iouri et de la femme respectable à laquelle on ne pouvait la présenter.

Et il y avait ce mal de gorge et ces légers frissons annonçant certainement un gros rhume.

De toute manière, elle serait bientôt une épouse elle-même et l'épouse d'un homme accompli, riche et intelligent par-dessus le marché.

Le chariot de la vente ambulante est passé. Un thé lui fera du bien à la gorge, encore qu'elle regrette que ce ne soit pas du thé russe. Il s'est mis à pleuvoir peu après que le train a quitté Paris, et à présent la pluie est devenue de la neige. Elle préfère la neige à la pluie, les étendues blanches à la terre noire et détrempée, comme tous les Russes. Et dans les pays où il neige, la plupart des gens savent ce qu'est l'hiver et prennent plus que des demi-mesures pour chauffer leur foyer. Elle pense à la maison des Weierstrass où elle dormira cette nuit. Pour le professeur et ses sœurs, il n'était pas question de la laisser coucher à l'hôtel.

Leur maison est confortable, avec ses tapis sombres, ses lourds rideaux à franges et ses fauteuils profonds. La vie s'y déroule selon un rituel immuable – elle est vouée à l'étude, en particulier à celle des mathématiques. Timides, et d'ordinaire mal vêtus, des étudiants traversent le salon pour gagner le bureau l'un après l'autre. Les deux sœurs célibataires du professeur les saluent gentiment à leur passage, ne s'attendant guère à une réponse. Elles font du tricot, du raccommodage ou du crochet. Elles savent que leur frère est un cerveau admirable, que c'est un grand homme, mais elles savent aussi qu'il lui faut une ration de pruneaux tous les jours à cause de son activité sédentaire, qu'il ne supporte pas le contact de la laine, aussi fine soit-elle, à même sa peau, car cela lui donne de l'urticaire. Qu'il se blesse quand un collègue néglige de le remercier nommément s'il s'est servi de ses travaux dans un article publié (bien qu'il affecte de ne pas le remarquer, tant dans sa conversation que dans ses écrits, ne manquant jamais de louer méticuleusement la personne qui lui a ainsi manqué de respect).

Les sœurs – Clara et Élise – avaient sursauté la première fois que Sofia était entrée dans leur salon et l'avait traversé pour aller au bureau. La domestique qui lui avait ouvert n'avait pas appris à filtrer les visites parce que les habitants de la maison menaient une existence très retirée et que, souvent, les étudiants qui se présentaient étaient pauvrement vêtus et assez mal élevés, de sorte que les critères des demeures les plus respectables ne s'appliquaient pas. N'empêche qu'il y avait eu un peu d'hésitation dans la voix de la bonne avant qu'elle fasse entrer cette petite femme dont le visage disparaissait presque sous un bonnet noir et qui s'avançait craintivement comme une mendiante timide. Les sœurs n'avaient pu se faire la moindre idée de son âge mais avaient conclu – une fois qu'elle était passée dans le bureau – qu'elle était peut-être la mère d'un étudiant venue marchander les honoraires du professeur ou implorer une ristourne.

« Oh mon Dieu, dit Clara dont l'imagination était plus haute en couleur, nous avions pensé, mon Dieu mon Dieu qu'est-ce que c'est que cette personne, une espèce de Charlotte Corday ? »

C'était ce que Clara avait raconté à Sofia par la suite, quand celle-ci était devenue leur amie. Et Élise d'ajouter sans sourciller : « Heureusement, notre frère n'était pas dans sa baignoire. Et nous ne pouvions nous lever pour lui porter secours parce que nous étions tout entortillées dans ces écharpes interminables. »

Elles tricotaient en effet des écharpes pour les soldats au front. C'était en 1870, avant que Sofia et Vladimir partent pour Paris dans l'idée que ce serait un voyage d'études. Ils étaient si profondément plongés dans d'autres dimensions, dans un passé multiséculaire, et accordaient si peu d'attention au monde dans lequel ils vivaient, qu'ils avaient à peine entendu parler de la guerre qui se déroulait au même moment.

Weierstrass n'avait pas plus que ses sœurs la moindre idée de l'âge de Sofia ni du but de sa visite. Il lui confia par la suite l'avoir prise pour quelque gouvernante mal avisée désireuse de se réclamer de ses leçons et de son nom pour inclure les mathématiques dans ses références. Il lui faudrait gronder la bonne, et ses sœurs, d'avoir autorisé cette intrusion chez lui. Mais c'était un homme courtois et plein de bonté, de sorte qu'au lieu de la congédier aussitôt, il lui avait expliqué qu'il ne prenait que des étudiants très avancés, déjà diplômés, et qu'il en avait pour l'heure autant qu'il en pouvait accepter. Puis, comme elle restait là – toute tremblante – devant lui, coiffée de ce ridicule couvre-chef qui lui mangeait le visage, les mains crispées sur son châle, il se souvint de la méthode, ou du stratagème, dont il avait déjà fait usage une ou deux fois, afin de décourager un étudiant indésirable.

« Ce que je puis faire dans votre cas, dit-il, c'est vous proposer une série de problèmes que je vous demanderais de résoudre et de me rapporter dans une semaine. Si je juge leur résolution satisfaisante, nous nous reparlerons. »

Une semaine plus tard, il avait oublié jusqu'à son existence. Il s'était évidemment attendu à ne jamais la revoir. Quand elle entra dans son bureau, il ne la reconnut pas. Peut-être parce qu'elle s'était débarrassée du lourd manteau qui dissimulait sa mince silhouette. Peut-être s'était-elle enhardie, ou bien le temps avait changé. Il ne se rappelait plus le bonnet – contrairement à ses sœurs – mais il ne s'intéressait guère aux accessoires féminins. Mais quand elle eut tiré les devoirs de son sac et les eut étalés devant lui sur le bureau, il se rappela, poussa un soupir et chaussa ses lunettes.

Quelle ne fut pas sa surprise – il le lui confia aussi par la suite – de constater que chacun des problèmes avait été résolu, et parfois d'une façon tout à fait originale. Cependant ses soupçons avaient persisté, il croyait à présent qu'il s'agissait sans doute du travail d'un autre, un frère peut-être, ou un amant qui se cachait pour des raisons politiques.

« Asseyez-vous, dit-il. Et maintenant, expliquez-moi chacune de ces solutions, étape par étape. »

Elle se mit à parler, penchée en avant, et le bonnet lui retomba sur les yeux, elle l'arracha pour le poser par terre. Ses boucles parurent, ses yeux brillants, sa jeunesse, et l'enthousiasme dont elle frissonnait.

« Oui, disait-il. Oui. Oui. Oui. » Sa voix était empreinte de considération, il cachait de son mieux son étonnement, surtout devant celles des solutions dont la méthode pleine de brio différait de la sienne.

Il était frappé et déconcerté par bien des choses, chez elle. Elle était si frêle, si jeune, si enthousiaste. Il avait le sentiment de devoir l'apaiser, l'encadrer avec soin, lui permettre d'apprendre à gérer les feux d'artifice de son esprit.

Toute sa vie – une expression qui ne lui était pas d'un usage facile, il dut l'avouer, s'étant toujours méfié des excès d'enthousiasme – toute sa vie il avait attendu de voir entrer un tel étudiant dans son bureau. Un étudiant qui le remettrait complètement en question, qui ne serait pas seulement capable de suivre les efforts de son esprit à lui, Weierstrass, mais peut-être de les dépasser. Il convenait de faire très attention avant de dire ce qu'il croyait réellement – qu'il devait entrer quelque chose comme de l'intuition dans l'esprit d'un mathématicien de premier plan, une espèce d'éclair qui illuminerait ce qui s'y trouvait de tout temps. Rigoureux, méticuleux, certes il fallait l'être, mais cela était vrai aussi de tout grand poète.

Quand il finit par trouver la force de dire tout cela à Sofia, il ajouta que certains se rebifferaient à la seule mention du mot « poète » à propos de la science mathématique. Et d'autres, poursuivit-il, qui ne demanderaient qu'à bondir sur cette idée, afin de défendre la confusion et le relâchement de leur pensée.

Comme elle s'y était attendue, elle voyait par les fenêtres du wagon la neige s'épaissir à mesure que le train s'enfonçait vers l'est. Le confort de la deuxième classe y était plus sommaire que dans celui qui l'avait ramenée de Cannes. Pas de wagon-restaurant, mais des petits pains et des sandwichs étaient proposés par la vente ambulante. Elle acheta un sandwich au fromage de la taille du bras, songeant qu'elle ne pourrait jamais le finir, ce qu'elle fit pourtant, peu à peu. Puis elle prit son petit volume de Heine qui l'aiderait à ramener la langue allemande à la surface de son esprit.

Chaque fois qu'elle levait les yeux sur la fenêtre, la chute de neige semblait s'épaissir encore, et par moments le train ralentissait, s'arrêtait presque. À ce rythme, ce serait une chance d'arriver à Berlin aux alentours de minuit. Elle regrettait de s'être laissé convaincre d'aller à la maison de la Potsdamer Strasse plutôt qu'à l'hôtel.

« Cela fera tant de bien à ce pauvre Karl de vous avoir ne serait-ce qu'une nuit sous son toit. Il pense encore à vous comme à la petite fille qui frappa un jour à notre porte, alors même qu'il accorde le plus grand crédit à ce que vous avez accompli et qu'il est fier de votre réussite. »

Il était en fait minuit passé quand elle sonna à la porte. Clara vint ouvrir, en robe de chambre, ayant envoyé la domestique se coucher. Son frère – quand elle dit cela elle chuchotait presque – avait été réveillé par le bruit du fiacre et Élise était allée le réinstaller dans son lit et lui assurer qu'il verrait Sofia le lendemain matin.

Sofia discerna comme une menace dans le mot « réinstaller ». Dans leurs lettres, les sœurs n'avaient parlé de rien sinon d'une certaine fatigue. Quant aux lettres de Weierstrass lui-même, elles ne donnaient aucune nouvelle personnelle, consacrées tout entières au devoir de Poincaré et de lui-même envers les mathématiques qui leur commandait de faire comprendre les choses au roi de Suède.

En entendant d'abord la voix de la vieille dame – piété fraternelle ou inquiétude – baisser d'un ton pour parler de son frère, en sentant les odeurs naguère familières et rassurantes, mais ce soir-là vaguement viciées et croupies, de la maison, Sofia eut le sentiment que mieux valait peut-être s'abstenir des taquineries qui étaient de règle autrefois et qu'elle-même, avec l'air frais, n'avait fait qu'apporter un petit frémissement de réussite, une certaine énergie dont elle n'avait pas eu du tout conscience et qui risquaient d'être un peu décourageants et perturbants. Elle qu'on accueillait d'ordinaire avec des embrassades et un robuste plaisir (une des surprises que réservaient les deux sœurs, c'était le joyeux entrain qu'elles pouvaient manifester malgré leur attachement aux convenances) eut bien droit à une étreinte, mais elle vit des larmes brouiller un regard terni et sentit trembler les vieux bras qui l'enserraient.

Il y avait cependant de l'eau chaude dans le broc de sa chambre, du pain et du beurre sur la table de nuit.

En se déshabillant, elle entendit des chuchotements inquiets au salon. Ils concernaient peut-être l'état de leur frère ou elle-même ou l'absence de couvercle sur le pain et le beurre, que Clara pouvait n'avoir remarquée qu'en la conduisant dans sa chambre.

Quand elle travaillait avec Weierstrass, Sofia demeurait dans un petit appartement sombre, qu'elle partageait la plupart du temps avec son amie Julia, laquelle étudiait la chimie. Elles n'allaient ni au concert ni au théâtre – elles n'étaient pas riches et s'absorbaient dans leur travail. Julia, elle, sortait pour se rendre dans un laboratoire privé où elle avait obtenu des facilités rarement accordées à une femme. Sofia passait des jours et des jours à sa table de travail, ne se levant parfois de son siège qu'au moment d'allumer la lampe. Après quoi, elle s'étirait et commençait à marcher, vite, vite, d'un bout de l'appartement à l'autre – la distance n'était pas grande –, se mettant parfois à courir et à parler toute seule, disant n'importe quoi, de telle sorte que quiconque ne la connaissant pas aussi bien que Julia se serait demandé si elle avait toute sa tête.

Les réflexions de Weierstrass, et désormais les siennes, portaient sur les fonctions elliptiques et abéliennes et sur la théorie des fonctions analytiques fondée sur leur représentation comme série infinie. Le théorème auquel il laissa son nom concernait les fonctions abéliennes convergentes. En ce domaine elle le suivit, puis le remit en question et même le dépassa pendant un certain temps, de sorte que leurs relations progressèrent de celles de maître à élève à celle de collègues mathématiciens, où elle joua souvent le rôle de catalyseur de ses recherches à lui. Mais cette relation n'évolua que lentement et lors des dîners dominicaux – auxquels on l'invitait d'autant plus volontiers qu'il lui consacrait l'après-midi du dimanche – elle était traitée comme une jeune parente, une protégée attentive.

Quand Julia venait elle était invitée aussi et l'on servait aux deux jeunes filles du rôti et de la purée ainsi que de délectables desserts légers qui bouleversaient toutes leurs idées préconçues au sujet de la cuisine allemande. Après le repas, on s'asseyait près de l'âtre pour écouter Élise faire la lecture. Elle lisait avec beaucoup d'allant et d'expressivité des extraits des récits d'un écrivain suisse, Conrad Ferdinand Meyer. La lecture était le petit plaisir hebdomadaire après tant d'heures de tricot et de raccommodage.

À Noël, il y avait un arbre pour Sofia et Julia, alors que les Weierstrass eux-mêmes y avaient renoncé depuis des années. Il y avait des bonbons en papillotes multicolores, des gâteaux et des pommes au four. Pour les petites, comme ils disaient.

Mais une surprise troublante n'allait pas tarder à intervenir.

Cette surprise fut que Sofia, qui semblait l'image même de la jeune fille timide et inexpérimentée, avait un époux. Pendant les premières semaines de ses cours, avant l'arrivée de Julia, un jeune homme qu'on ne présenta pas aux Weierstrass, qui le prirent pour un domestique, venait la chercher à leur porte tous les dimanches soir. Il était grand et peu séduisant, avec un mince collier de barbe rousse, un grand nez et une mise négligée. À vrai dire, si les Weierstrass avaient été plus au fait des usages du monde, ils se seraient rendu compte qu'aucune famille de la noblesse – à laquelle ils savaient que Sofia appartenait – n'aurait pu tolérer d'avoir un domestique aussi mal fagoté, et qu'il devait par conséquent s'agir d'un ami.

Puis Julia arriva et le jeune homme disparut.

Ce ne fut qu'un peu plus tard que Sofia annonça qu'il se nommait Vladimir Kovalevski et que c'était son mari. Il poursuivait des études à Vienne et à Paris, bien qu'il fût déjà diplômé en droit et eût tenté de faire carrière en Russie dans l'édition de manuels scolaires. Il avait quelques années de plus que Sofia.

Presque aussi surprenant que la nouvelle elle-même, il y eut le fait que Sofia la confia à Weierstrass et pas à ses sœurs. Dans la maisonnée, c'étaient elles qui avaient plus ou moins de contacts avec la vie – ne fût-ce qu'avec celle de leur domestique et aussi parce qu'elles lisaient des romans pas trop anciens. Mais Sofia n'avait pas été la favorite de sa mère ou de sa gouvernante. Ses négociations avec le général n'avaient pas toujours été couronnées de succès mais elle le respectait et pensait qu'il la respectait peut-être en retour. Ce fut donc à l'homme de la maison qu'elle jugea bon de faire cette importante confidence.

Elle se rendit compte qu'elle avait dû mettre Weierstrass dans l'embarras – sinon pendant qu'elle lui parlait, du moins quand il dut lui-même en parler à ses sœurs. Car ce n'était pas simplement le fait que Sofia était mariée. Elle l'était effectivement devant la loi, mais c'était un mariage blanc – ce dont il n'avait jamais entendu parler, pas plus que ses sœurs. Les conjoints ne vivaient pas sous le même toit et même ne vivaient pas ensemble du tout. Ils ne s'étaient pas mariés pour les raisons universellement acceptées mais étaient liés par le vœu secret de ne jamais vivre ainsi, de ne jamais…

« Consommer ? » Ce devait être Clara qui avait prononcé le mot. Prestement. Et même impatiemment, pour en finir avec cet épisode.

Oui. Car les jeunes gens – les jeunes femmes – qui souhaitaient faire des études à l'étranger devaient recourir à cette tromperie parce qu'aucune célibataire russe ne pouvait quitter le pays sans le consentement de ses parents. Les parents de Julia étaient assez éclairés pour la laisser partir, mais pas ceux de Sofia.

Quelle loi barbare.

Oui. Russe. Mais quelques jeunes femmes parvenaient à la contourner avec l'aide de jeunes hommes très idéalistes qui comprenaient leur désir. Peut-être étaient-ils même anarchistes. Qui sait ?

C'était la sœur aînée de Sofia qui avait trouvé un de ces jeunes gens et avait organisé un rendez-vous auquel elle se rendit avec une amie. Leurs raisons étaient peut-être plus politiques qu'intellectuelles. Dieu sait pourquoi elles avaient emmené Sofia – qui n'avait pas de passion politique et ne se jugeait pas prête pour ce genre d'aventure. Mais le jeune homme examina les deux aînées – Aniouta, quel que fût son désir de s'en tenir à une transaction sérieuse, ne pouvait déguiser sa beauté – avant de dire non. Non, je ne souhaite pas m'engager par contrat avec l'une de vous deux, estimables demoiselles, mais je serais d'accord pour traiter avec votre cadette.

« Il se dit peut-être que les aînées ne seraient pas faciles à vivre » – sans doute une intervention d'Élise, grande lectrice de romans qu'elle était –, « surtout la plus belle. Il est tombé amoureux de notre petite Sofia. »

L'amour n'est pas censé entrer en ligne de compte, dut lui rappeler Clara.

Sofia accepte la proposition. Vladimir rend visite au général pour lui demander la main de sa cadette. Le général se montre poli, sachant qu'il a affaire à un jeune homme de bonne famille qui n'a pas eu jusque-là l'occasion de se bâtir une situation. Mais il dit que Sofia est trop jeune. Est-elle seulement au courant de ses intentions ?

Oui, dit Sofia, ajoutant qu'elle l'aime.

Le général déclara qu'ils ne pouvaient pas agir dans l'immédiateté de leur sentiment, mais devaient passer un certain temps, et même un temps certain, à faire plus ample connaissance à Palibino. (Cela se passait à Saint-Pétersbourg.)

La situation s'éternisa. Jamais Vladimir ne ferait bonne impression. Il ne s'efforçait guère de maquiller ses opinions radicales et il s'habillait mal, à croire qu'il le faisait exprès. Le général était convaincu que plus Sofia verrait ce prétendant, moins elle aurait envie de l'épouser.

Mais elle avait ses propres projets.

Un jour arriva où ses parents donnèrent un grand dîner. Ils avaient invité un diplomate, des professeurs, des camarades du général du temps de l'école d'artillerie. Profitant de l'effervescence, Sofia s'éclipsa.

Elle sortit seule dans les rues de Saint-Pétersbourg où elle ne s'était encore jamais promenée sans être chaperonnée par un domestique ou par sa sœur. Elle se rendit au logement de Vladimir dans un quartier de la ville où vivaient des étudiants pauvres. On lui ouvrit aussitôt, et dès qu'elle fut entrée, elle s'assit pour écrire une lettre à son père.

« Mon cher père, je suis allée rejoindre Vladimir chez lui et j'y resterai. Je vous supplie de cesser de vous opposer à notre union. »

Ce ne fut qu'après être passé à table qu'on remarqua l'absence de Sofia. Un domestique trouva sa chambre vide. Questionnée sur sa sœur, Aniouta rougit et répondit qu'elle ne savait rien. Pour cacher son visage, elle laissa tomber sa serviette.

On vint remettre un billet au général. Il s'excusa et quitta la pièce. Sofia et Vladimir ne tardèrent pas à entendre ses pas furibonds dans l'escalier. Il enjoignit à sa fille qui s'était ainsi compromise, et à l'homme pour lequel elle était prête à renoncer à sa bonne réputation, de le suivre aussitôt. Pas un mot ne fut prononcé pendant le trajet jusque chez le général qui prit la parole devant la table du dîner, disant : « Permettez-moi de vous présenter mon futur gendre, Vladimir Kovalevski. »

L'affaire était réglée. Sofia exultait, non, bien sûr, d'être mariée à Vladimir, mais de faire plaisir à Aniouta en frappant un grand coup pour l'émancipation des femmes russes. Après une noce classique et somptueuse à Palibino, les jeunes mariés allèrent vivre sous le même toit à Saint-Pétersbourg.

Et dès que ce fut possible, ils partirent pour l'étranger et cessèrent de cohabiter. Heidelberg puis Berlin pour Sofia, Munich pour Vladimir. Il venait en visite à Heidelberg quand il le pouvait, mais après l'arrivée d'Aniouta et de son amie Zanna, puis celle de Julia – les quatre femmes étant théoriquement sous sa protection – il n'y eut plus assez de place pour lui.

Weierstrass ne révéla pas à ses sœurs la correspondance qu'il avait entretenue avec l'épouse du général. Il lui avait écrit quand Sofia était revenue de Suisse (en fait, de Paris) et lui avait paru si frêle et épuisée qu'il s'était inquiété pour sa santé. La mère avait répondu, l'informant que c'était Paris, en ces temps d'extrême danger, qui était responsable de l'état de sa fille. Mais elle semblait moins troublée par les graves événements politiques que ses filles avaient traversés que par la révélation du fait qu'une d'elles vivait ouvertement avec un homme sans être mariée tandis que l'autre, bien que mariée, ne vivait pas réellement avec son mari. Ainsi était-il devenu, plutôt contre son gré, le confident de la mère avant d'être celui de la fille. Il n'en dit d'ailleurs rien à Sofia avant qu'elle ait perdu sa mère.

Quand il le lui révéla enfin, il ajouta que Clara et Élise avaient aussitôt demandé ce qu'il fallait faire.

Il était apparemment dans la nature féminine, avait-il remarqué, de supposer toujours qu'il y a quelque chose à faire.

Mais il avait répondu avec la plus grande sévérité: «Rien.»

Le lendemain matin, Sofia prit dans son sac une robe propre mais froissée – elle n'avait jamais appris à faire ses bagages –, arrangea de son mieux sa chevelure bouclée afin de cacher quelques petites mèches grises, et descendit au son d'une maisonnée qui s'activait déjà. Son couvert était le dernier encore en place à la salle à manger. Élise apporta le café et le premier petit déjeuner allemand que Sofia eût jamais pris dans cette maison – tranches de viande froide, fromage et pain généreusement beurré. Elle dit que Clara était à l'étage, occupée à préparer leur frère pour sa rencontre avec Sofia.

«Au début nous faisions venir le barbier, expliqua-t-elle. Mais ensuite Clara a appris à le faire tout à fait bien. C'est elle qui s'est découvert des talents d'infirmière, une chance que l'une de nous deux les possède.»

Avant même cette remarque, Sofia avait senti que l'argent devait manquer. Le damas et les rideaux au crochet semblaient défraîchis, les couverts d'argent dont elle se servait étaient ternes. Par la porte ouverte du salon, on voyait la nouvelle domestique, jeune paysanne robuste, occupée à vider les cendres du poêle en soulevant un nuage de poussière. Élise regarda dans sa direction comme pour lui demander de fermer la porte, avant de se lever pour s'en charger elle-même. Elle revint à la table le sang aux joues et l'air abattu et Sofia s'empressa de lui demander, au risque de paraître indiscrète, quelle était la maladie de Herr Weierstrass.

«C'est une faiblesse de son cœur, d'une part, et la pneumonie qu'il a eue cet automne, dont il n'a pas l'air de se remettre. Et aussi une grosseur qu'il a dans les organes de la génération», répondit Élise, baissant la voix mais s'exprimant avec la franchise caractéristique des Allemandes.

Clara parut sur le seuil.

«Il vous attend.»

Sofia monta l'escalier, ne pensant pas au professeur mais plutôt à ces deux femmes qui avaient fait de lui le centre de leur existence. Sans cesse à tricoter des gants, à raccommoder le linge, à confectionner des desserts et des confitures, tâches qu'il était hors de question de confier à une domestique. En accomplissant fidèlement, à l'exemple de leur frère, leur devoir à l'égard de l'Église catholique romaine – une religion froide et austère aux yeux de Sofia – le tout sans un instant de rébellion, sans trahir le plus infime tressaillement d'insatisfaction.

Cela me rendrait folle, songea-t-elle.

Et même à la place du professeur, songea-t-elle encore, je deviendrais folle. Ses élèves sont en général des esprits médiocres. On ne peut leur communiquer que les schémas les plus évidents, les plus ordinaires.

Elle n'aurait jamais osé se l'avouer avant d'avoir Maxim.

Elle entra dans la chambre en souriant de sa chance, de la liberté qui s'annonçait pour elle, de son mariage tout proche.

« Ah, vous voilà enfin, dit Weierstrass d'une voix faible et laborieuse. Vilaine, nous croyions que vous nous aviez oubliés. Êtes-vous en route pour Paris encore une fois, pour aller vous amuser ?

– Je reviens de Paris, dit Sofia. Je suis en route pour Stockholm. Paris n'était pas amusant du tout, c'était lugubre au possible. » Elle lui donna ses mains à embrasser, l'une après l'autre.

« Est-ce donc qu'Aniouta est malade ?

– Elle est morte, *mein lieber* professeur.

– Elle est morte en prison ?

– Non, non. Elle n'était plus en prison depuis longtemps. C'était son mari qui y était. Elle est morte d'une pneumonie, mais elle avait déjà souffert de beaucoup d'autres choses.

– Ah, la pneumonie, j'en ai eu une aussi. N'empêche, c'est triste pour vous.

– Mon cœur ne guérira jamais. Mais j'ai une bonne nouvelle à vous apprendre, quelque chose d'heureux. Je vais me marier au printemps.

– Vous allez divorcer de votre géologue ? Ça ne m'étonne pas, vous auriez dû le faire depuis longtemps. Cependant, un divorce, c'est toujours désagréable.

– Il est mort, lui aussi. Et il était plutôt paléontologue. Cette science nouvelle, très intéressante, l'étude des fossiles.

– Oui, je me rappelle maintenant. La paléontologie ne m'est pas inconnue. Il est mort jeune, donc. Je ne voulais pas qu'il soit un obstacle sur votre route mais je n'ai jamais souhaité sa mort, sincèrement. A-t-il été malade longtemps ?

– On peut le dire. Vous vous rappelez certainement que je l'ai quitté, quand vous m'avez recommandée à Mittag-Leffler ?

– Oui, à Stockholm. Vous l'avez quitté. Très bien. Il le fallait.

– Oui. Mais tout cela est loin, déjà. Et je vais me marier avec quelqu'un qui porte le même nom que moi mais n'est qu'un parent éloigné et, vraiment, un tout autre homme.

– Un Russe, donc ? Il étudie les fossiles, lui aussi ?

– Pas du tout. Il est professeur de droit. Il est très énergique. Et très enjoué, sauf quand il est sinistre. Je vous le présenterai, vous verrez.

– Nous serons heureux de le recevoir, dit tristement Weierstrass. C'est la fin de vos travaux.

– Mais non, pas du tout. Ce n'est pas ce qu'il souhaite. Mais je renoncerai au professorat, je serai libre. Et je vivrai dans le délicieux climat du sud de la France, qui sera excellent pour ma santé et je travaillerai d'autant plus.

– Nous verrons.

– *Mein lieber*, dit-elle. J'exige, vous m'entendez, c'est un ordre, que vous soyez heureux pour moi.

– Je dois vous sembler bien vieux, dit-il. Et j'ai mené une existence bien calme. Ma nature n'a pas de multiples facettes comme la vôtre. Quelle surprise cela ne fut pas pour moi que vous écriviez des romans.

– Cette idée vous a déplu.

– Vous vous trompez. Vos souvenirs m'ont bien plu. Très agréables à lire.

– Ce n'était pas vraiment un roman. Vous n'aimeriez pas celui que je viens de terminer. Parfois, je ne l'aime pas moi-même. C'est l'histoire d'une fille qui s'intéresse plus à la politique qu'à l'amour. Aucune importance, vous n'aurez pas à le lire. La censure russe m'interdira de le publier et le reste du monde n'en voudra pas parce qu'il est trop russe.

– En règle générale, je n'apprécie guère les romans.

– Ils sont faits pour les femmes ?

– En vérité il m'arrive d'oublier que vous êtes une femme. Je vois en vous une… un…

– Quoi ?

– Comme un cadeau pour moi et pour moi seul. »

Sofia se pencha pour embrasser son front blanc. Elle retint ses larmes jusqu'au moment où ayant pris congé des deux sœurs elle quitta la maison.

Je ne le reverrai pas, songea-t-elle.

Elle se rappela ce visage aussi blanc que les oreillers amidonnés de frais que Clara devait lui avoir disposés derrière la tête le matin même.

Peut-être les avait-elle déjà emportés, lui permettant de s'enfoncer plus profondément dans ceux du dessous, d'une blancheur moins éclatante mais plus doux. Peut-être s'était-il endormi aussitôt, fatigué par leur conversation. Il devait avoir pensé qu'ils se voyaient pour la dernière fois et su qu'elle y avait pensé aussi, mais il ignorait – et elle en avait honte, c'était son secret – à quel point elle se sentait plus légère et libre à présent, malgré ses larmes. Plus libre à chacun des pas qui l'éloignaient de cette maison.

Elle se demanda si la vie de Weierstrass était tellement plus satisfaisante que celle de ses sœurs.

Son nom survivrait quelque temps, dans les manuels. Et parmi les mathématiciens. Moins longtemps que s'il avait apporté plus de zèle à établir sa réputation, sachant se mettre en valeur dans son cercle de collègues triés sur le volet. Il s'intéressait plus à son œuvre qu'à son nom, quand tant d'entre eux prenaient également soin des deux.

Elle n'aurait pas dû parler de ses écrits. Pure frivolité à ses yeux à lui. Elle avait rédigé les souvenirs de sa vie à Palibino éclairés de l'amour pour tout ce qu'elle avait perdu, les choses qui avaient jadis fait son désespoir aussi bien que celles qu'elle avait chéries comme autant de trésors. Elle les avait rédigés loin d'un foyer qui, comme sa sœur, avait disparu. Puis *La Nihiliste* lui était venue du chagrin qu'elle éprouvait pour son pays, d'une bouffée de patriotisme et, peut-être, du sentiment de s'en être laissé distraire par les mathématiques et les tumultes de sa vie.

Chagrin pour son pays, certes. Mais dans une certaine mesure, elle avait écrit ce récit comme un tribut à Aniouta. C'était l'histoire d'une jeune femme qui renonce à la perspective d'une vie normale afin d'épouser un prisonnier politique exilé en Sibérie. De cette manière, elle lui assurait une existence et un châtiment un peu allégés – au sud plutôt qu'au nord de la Sibérie – comme il était de règle pour les hommes qu'accompagnait leur épouse. Le roman aurait droit aux louanges des Russes bannis qui s'arrangeraient pour le lire en manuscrit. Il suffisait qu'un livre soit interdit de publication en Russie pour susciter de telles louanges parmi les exilés politiques ainsi que Sofia le savait bien.

Les Sœurs Raevski – ses souvenirs – lui plaisaient davantage, quoique la censure l'eût laissé passer et que la critique s'en fût désintéressée en arguant que c'était pure nostalgie.

IV

Elle avait déjà fait une infidélité à Weierstrass. Elle lui avait tourné le dos après ses premiers succès. C'était vrai, bien qu'il n'y fît jamais allusion. Elle s'était désintéressée de lui et des mathématiques; elle ne répondait même plus à ses lettres. Elle était rentrée chez elle à Palibino pendant l'été 1874, son diplôme en poche, dans un étui de velours, avant de le ranger dans une malle où elle l'oublierait des mois – des années – durant. L'odeur des pinèdes et des foins dans les prés, les chaudes journées dorées de l'été et les longs soirs lumineux de la Russie septentrionale l'enivraient. On faisait des pique-niques, du théâtre amateur, on organisait des bals, des anniversaires. On retrouvait de vieux amis, et la présence d'Aniouta, heureuse maman d'un fils de douze mois. Vladimir était là aussi, et dans l'atmosphère détendue de l'été, dans la chaleur des longs soupers joyeux arrosés de vin, avec ces danses et ces chansons, il était devenu naturel de lui céder, de faire de lui, après tout ce temps, plus seulement un époux mais un amant.

Ce ne fut pas parce qu'elle était tombée amoureuse. C'était par gratitude, et parce qu'elle s'était convaincue que l'amour n'était pas un sentiment de la vie réelle. Cela les rendrait tous deux plus heureux, avait-elle songé, d'accepter ce qu'il voulait lui, et pendant un certain temps ce fut ce qui se produisit.

À l'automne, ils allèrent à Pétersbourg, et leur existence pleine de distractions s'y poursuivit. Dîners, théâtre, réceptions, et tous les journaux, tous les périodiques à lire, tant frivoles que sérieux. Dans ses lettres, Weierstrass suppliait Sofia de ne pas déserter le monde des mathématiques. Il veilla à ce que son mémoire fût publié dans le *Journal* de Crelle. Elle y jeta à peine un coup d'œil. Il lui demanda de consacrer une semaine – rien qu'une semaine – à peaufiner son mémoire sur les anneaux de Saturne, afin qu'il puisse aussi être publié. Elle ne voulut pas se donner cette peine. Elle était trop occupée, entraînée dans une fête plus ou moins perpétuelle. Saints patrons, réceptions à la Cour, opéras et ballets nouveaux, suites de célébrations qui semblaient être en réalité une célébration de la vie elle-même.

Elle était en train d'apprendre, bien tard, ce que tant de gens autour d'elle savaient apparemment depuis l'enfance – que la vie peut être parfaitement satisfaisante sans grands accomplissements. Qu'elle peut déborder d'activités qui ne vous épuisent pas jusqu'aux moelles. Acquérir le nécessaire pour une existence confortablement nantie puis entreprendre une vie mondaine et publique pleine de distractions vous évitait totalement l'ennui et l'inaction, tout en vous donnant le sentiment d'avoir en définitive fait plaisir à tout le monde. Toute souffrance était inutile.

Excepté dans un domaine : comment se procurer de l'argent.

Vladimir relança sa maison d'édition. Ils empruntèrent où ils purent. Les parents de Sofia moururent peu après et son héritage fut investi dans des bains publics comportant aussi une serre, un fournil et une blanchisserie. Ils avaient des projets grandioses. Mais le hasard voulut que le froid à Saint-Pétersbourg fût plus vif que d'ordinaire et le public ne se laissa pas tenter même par les bains de vapeur. Les entrepreneurs et d'autres gens encore les escroquèrent, le marché devint instable, et au lieu de se débrouiller pour jeter les fondations durables de leur existence, ils s'enfoncèrent toujours plus dans les dettes.

Et d'avoir adopté le comportement de la plupart des couples mariés ne manqua pas de produire le résultat habituel, source de nouvelles dépenses. Sofia accoucha d'une petite fille. Le bébé reçut le prénom de sa mère mais on l'appelait Fufa. Fufa avait une nurse et une nourrice et ses appartements particuliers. Le ménage employait aussi une cuisinière et une bonne. Vladimir achetait des vêtements à la mode pour Sofia et de merveilleux cadeaux pour sa fille. Il était diplômé d'Iena et avait réussi à devenir maître-assistant à Pétersbourg mais ce n'était pas suffisant. La maison d'édition était plus ou moins ruinée.

Puis le tsar fut assassiné et le climat politique devint perturbant tandis que Vladimir sombrait dans un épisode de mélancolie si profonde qu'il était incapable de travailler ou de réfléchir.

Weierstrass ayant appris la mort des parents de Sofia lui adressa, pour soulager un peu son chagrin, comme il disait, des informations sur son nouveau et excellent système d'intégrales. Mais au lieu d'être tentée de revenir aux mathématiques, elle se mit à écrire des critiques théâtrales et des articles de vulgarisation scientifique pour les journaux. C'était là se servir d'un talent plus monnayable, moins troublant pour autrui, et moins épuisant pour elle-même, que les mathématiques.

La famille Kovalevski déménagea à Moscou dans l'espoir que la chance y tournerait.

Vladimir se remit mais ne se sentit pas capable de reprendre l'enseignement. Il trouva une nouvelle occasion de spéculer en se voyant offrir un emploi dans une compagnie produisant du naphte provenant d'un puits de pétrole. La compagnie appartenait aux frères Ragozine qui possédaient une raffinerie et un château moderne sur la Volga. Pour obtenir l'emploi, Vladimir devait investir une somme d'argent qu'il parvint à emprunter.

Mais cette fois Sofia pressentit les ennuis. Les Ragozine ne l'aimaient pas et elle ne les aimait pas. Vladimir était de plus en plus en leur pouvoir. Ce sont les hommes nouveaux, disait-il, ils vont droit au but. Il devint hautain, prenait des airs rogues et supérieurs. Cite-moi une seule femme vraiment importante, disait-il. Une qui ait fait tant soit peu changer le monde autrement que par la séduction ou le meurtre des hommes. Elles sont congénitalement arriérées et égocentriques, et pour peu qu'elles s'emparent d'une idée, une quelconque idée convenable à laquelle se consacrer, elles deviennent hystériques et fichent tout en l'air tant elles sont présomptueuses.

On croirait entendre les Ragozine, disait Sofia.

Elle reprit alors sa correspondance avec Weierstrass. Confiant Fufa à sa vieille amie Julia, elle partit pour l'Allemagne. Elle écrivit au frère de Vladimir, Alexandre, que son frère avait mordu à l'hameçon des Ragozine avec une telle facilité qu'on aurait cru qu'il défiait le sort de lui assener un nouveau coup. Elle n'en écrivit pas moins à son mari pour lui proposer de le rejoindre. Il ne répondit pas favorablement.

Ils se retrouvèrent encore une fois à Paris. Elle y vivait chichement pendant que Weierstrass cherchait à lui obtenir un emploi. Elle était de nouveau immergée dans les problèmes mathématiques de même que les gens qu'elle connaissait. Vladimir commençait à se méfier des Ragozine mais s'était impliqué au point de ne plus pouvoir se dégager. Il parlait pourtant de partir aux États-Unis. Et il le fit, mais revint.

À l'automne 1882, il écrivit à son frère qu'il se rendait compte à présent de n'être qu'un pauvre type. En novembre, il raconta que les Ragozine avaient fait faillite. Il craignait qu'ils tentent de le mouiller dans diverses manœuvres criminelles. À Noël, il vit Fufa qui était désormais à Odessa dans la famille d'Alexandre. Il fut heureux de constater qu'elle ne l'avait pas oublié, qu'elle était en bonne santé et intelligente. Après quoi, il prépara des lettres d'adieu pour Julia, son frère, quelques autres amis mais pas pour Sofia. Et aussi une lettre pour la justice expliquant certains de ses actes dans l'affaire Ragozine.

Il temporisa encore un peu. Ce ne fut qu'en avril que, s'étant enfermé la tête dans un sac, il inhala du chloroforme.

À Paris, Sofia refusa de s'alimenter et de sortir de sa chambre. Elle concentrait toute sa pensée sur le refus de s'alimenter de manière à ne pas éprouver ce qu'elle éprouvait.

On finit par la nourrir de force et elle s'endormit. Quand elle s'éveilla, elle était terriblement honteuse de tout cet épisode. Elle demanda du papier et un crayon afin de se remettre au travail sur un problème.

Il ne restait plus d'argent. Weierstrass lui écrivit pour lui demander de venir vivre chez lui comme une troisième sœur. Mais il continua de faire jouer ses relations chaque fois qu'il le pouvait et finit par réussir avec un ancien élève devenu son ami, Mittag-Leffler, en Suède. La nouvelle université de Stockholm accepta d'être la première en Europe à engager une femme pour enseigner les mathématiques.

Sofia alla chercher sa fille à Odessa et l'emmena vivre provisoirement chez Julia. Elle était pleine de fureur contre les Ragozine. Dans une lettre à son beau-frère, elle les traitait de « bandits subtils et venimeux ». Elle convainquit le magistrat qui instruisait l'affaire de conclure que toutes les preuves établissaient la naïveté de Vladimir et non sa malhonnêteté.

Puis elle prit le train une fois de plus *via* Moscou jusqu'à Pétersbourg afin de gagner son nouvel emploi en Suède, dont on avait beaucoup parlé – et souvent pour le déplorer. Elle fit le voyage depuis Pétersbourg par la mer. Le bateau largua les amarres par un somptueux coucher de soleil. Fini les folies, songeait-elle. Je mènerai désormais une existence convenable.

Elle n'avait pas encore fait la connaissance de Maxim. Ni remporté le prix Bordin.

V

Elle quitta Berlin en début d'après-midi, peu après avoir fait, tristement mais non sans soulagement, ses adieux à Weierstrass. Le train était vieux et lent, mais propre et bien chauffé, comme on pouvait s'y attendre en Allemagne.

À mi-parcours à peu près, l'homme assis en face d'elle ouvrit son journal, offrant de lui en prêter les feuilles qu'elle aurait envie de lire.

Elle le remercia et refusa.

Indiquant de la tête la fenêtre derrière laquelle tombait une fine neige, il dit :

« Bah, à quoi peut-on s'attendre ?

– C'est bien vrai, dit Sofia.

– Vous allez plus loin que Rostock ? »

Avait-il remarqué un accent qui n'était pas allemand ? Elle ne voyait pas d'inconvénient à ce qu'il lui parle ni à ce qu'il aboutisse à cette conclusion. Il était nettement plus jeune qu'elle, correctement vêtu, vaguement déférent. Elle avait l'impression de l'avoir déjà rencontré ou vu auparavant. Mais ce sont des choses qui se produisent quand on voyage.

«Jusqu'à Copenhague, répondit-elle. Et puis jusqu'à Stockholm. Pour moi, la neige ne fera que s'épaissir.

– Je vous quitterai à Rostock, dit-il, peut-être pour la rassurer en lui faisant savoir qu'elle ne se lançait pas dans une trop longue conversation. Vous vous plaisez à Stockholm?

– Je déteste Stockholm à cette période de l'année. Je hais Stockholm.»

Elle se surprit elle-même. Mais il sourit avec délectation et se mit à parler russe.

«Pardonnez-moi, dit-il. J'avais vu juste. C'est moi maintenant qui vous parle avec un accent étranger. Mais j'ai fait des études en Russie autrefois. À Pétersbourg.

– Vous avez reconnu que je suis russe à mon accent?

– Je n'en étais pas sûr. Jusqu'à ce que vous avez dit de Stockholm.

– Tous les Russes haïssent donc Stockholm?

– Non. Non. Mais ils disent qu'ils haïssent. Ils haïssent. Ils adorent.

– Je n'aurais pas dû le dire. Les Suédois ont été très bons pour moi. Ils vous enseignent des choses…»

Il secoua la tête et se mit à rire.

«Vraiment, insista-t-elle. Ils m'ont appris à patiner…

– Je n'en doute pas. Vous n'aviez pas appris à patiner en Russie?

– Les Russes ne… ne mettent pas autant d'opiniâtreté que les Suédois à vous enseigner des choses.

– Les habitants de Bornholm non plus, dit-il. Je vis à Bornholm, à présent. Les Danois ne sont pas si… opiniâtres, c'est le mot. Mais il faut dire qu'à Bornholm nous ne sommes même pas danois. C'est ce que nous disons.»

Il était médecin, sur l'île de Bornholm. Elle se demanda s'il serait déplacé de le prier de jeter un coup d'œil à sa gorge qui lui faisait vraiment mal à présent. Oui, se dit-elle, ce serait déplacé.

Il dit qu'une longue traversée probablement agitée l'attendait une fois franchie la frontière danoise.

Les habitants de Bornholm ne se considéraient pas comme danois, dit-il, parce qu'ils se voyaient comme des Vikings tombés sous la coupe de la ligue Hanséatique au XVIᵉ siècle. Leur histoire était pleine de férocité, ils faisaient des prisonniers. Avait-elle entendu parler du méchant comte de Bothwell? Certains disaient qu'il était mort à Bornholm mais les habitants de Zélande prétendaient que c'était chez eux qu'il était mort.

«Il assassina l'époux de la reine d'Écosse pour l'épouser lui-même. Mais il mourut dans les chaînes. Et fou.

– Marie, reine d'Écosse, dit-elle. J'ai entendu leur histoire. » Et c'était vrai car la reine d'Écosse avait été une des premières héroïnes d'Aniouta.

«Oh, pardonnez-moi. Je suis bavard.

– Vous pardonner? Qu'ai-je donc à vous pardonner?»

Il rougit et dit: «Je sais qui vous êtes.»

Il ne l'avait pas reconnue d'emblée, poursuivit-il. Mais quand elle s'était mise à parler russe, il n'avait plus douté.

«Vous êtes cette femme professeur. J'ai lu un article sur vous dans le journal. Il était illustré d'une photographie. Mais vous sembliez beaucoup plus âgée que vous ne l'êtes en réalité. Je vous demande pardon de mon indiscrétion mais je n'ai pas pu m'en empêcher.

– J'ai pris une expression sévère pour la photo parce que j'ai peur que les gens ne me prennent pas au sérieux si je souris, dit Sofia. N'est-ce pas un peu la même chose pour les médecins?

– C'est possible. Je n'ai pas l'habitude d'être photographié.»

Une petite gêne s'était installée entre eux, il lui appartenait à elle de le mettre à l'aise. Cela se passait mieux avant qu'il le lui eût dit. Elle en revint au sujet de Bornholm. L'île était découpée et escarpée, dit-il, pas doucement vallonnée comme le Danemark. On y venait pour le paysage et l'air pur. Si jamais elle souhaitait s'y rendre, il serait honoré d'être son guide.

«On y trouve une roche bleue extrêmement rare, poursuivit-il. On l'appelle marbre bleu. On la découpe et on la polit afin d'en faire des pendentifs pour les dames. Si elle avait envie d'en avoir un…»

Il parlait de tout et de rien parce qu'il y avait quelque chose qu'il voulait dire mais n'y parvenait pas. Elle le sentait bien.

On approchait de Rostock. Il devenait de plus en plus agité. Elle avait peur qu'il lui demande de signer son nom sur un bout de papier ou un livre qu'il avait avec lui. Cela ne lui arrivait que très rarement mais la rendait toujours triste ; elle n'aurait su dire pourquoi.

« Écoutez-moi, s'il vous plaît, dit-il. Il y a quelque chose qu'il faut que je vous dise. On n'est pas censé en parler. Je vous en prie. Pour aller en Suède, s'il vous plaît ne passez pas par Copenhague. N'ayez pas l'air effrayé, je suis parfaitement sain d'esprit.

– Je ne suis pas effrayée », dit-elle. Elle l'était pourtant, un peu.

« Il faut que vous preniez l'autre itinéraire. Par les îles danoises. Faites modifier votre billet à la gare.

– Puis-je vous demander pourquoi ? A-t-on jeté un sort à Copenhague ? »

Elle fut soudain convaincue qu'il allait lui parler d'un complot, d'une bombe.

Il était donc anarchiste ?

« Il y a une épidémie à Copenhague. La variole. Beaucoup de gens ont quitté la ville mais les autorités essaient de garder la chose sous le boisseau. Elles craignent de déclencher une panique ou que certains se mettent à incendier les bâtiments officiels. Le problème, c'est les Finlandais. On dit que ce sont les Finlandais qui ont apporté la maladie. Les autorités veulent éviter que la population s'en prenne aux réfugiés de Finlande. Voire au gouvernement qui les a laissés entrer. »

Le train s'arrêta et Sofia se leva pour s'occuper de ses bagages.

« Promettez-moi. Ne me laissez pas ici sans me l'avoir promis.

– Très bien, dit Sofia. Je vous le promets.

– Vous prendrez le ferry jusqu'à Gedser. Je vous accompagnerais bien pour faire modifier le billet mais je dois poursuivre sur Rügen.

– C'est promis. »

Était-ce Vladimir qu'il lui rappelait ? Le Vladimir des premiers temps. Pas ses traits, mais les soins implorants dont il l'entourait, cette façon humble, têtue et implorante qu'il avait de prendre soin d'elle.

Il tendit la main et elle lui tendit la sienne, mais la serrer n'était pas son unique intention. Il lui déposa dans la paume un petit comprimé en disant : « Voilà qui vous donnera un peu de repos, si vous trouvez le voyage trop pénible. »

Il va falloir que je parle de cette épidémie de variole à une personne responsable, décida-t-elle.

Mais elle n'en fit rien. Le bonhomme qui modifia son billet rechignait d'avoir à faire une chose aussi compliquée et se serait mis encore plus en colère si elle changeait de nouveau d'avis. Elle crut au début qu'il ne comprenait que le danois que parlaient ses compagnons de voyage, mais quand il eut terminé la transaction avec elle il dit en allemand que le voyage serait nettement plus long, s'en rendait-elle compte ? Ce dont elle se rendit compte, c'est qu'on était encore en Allemagne et qu'il ignorait peut-être tout de Copenhague – à quoi donc pensait-elle ?

Il ajouta d'un ton lugubre qu'il neigeait sur les îles. Le petit ferry allemand pour Gedser était bien chauffé mais on devait s'y asseoir sur des banquettes en lattes de bois. Elle fut sur le point d'avaler le comprimé, dans l'idée que les sièges étaient probablement ce à quoi le médecin avait pensé en parlant d'un voyage pénible. Puis elle décida de le conserver en cas de mal de mer.

Le train de desserte locale dans lequel elle monta était équipé de sièges de deuxième classe normaux bien qu'usés jusqu'à la corde. Mais il y faisait frisquet malgré le poêle presque inutile qui fumait à une extrémité du wagon.

Le contrôleur était plus amical que le vendeur du billet et moins pressé. Comprenant que cette fois on était bien en territoire danois, elle lui demanda en suédois – qu'elle croyait sans doute plus proche du danois que l'allemand – s'il était exact qu'il y avait une maladie à Copenhague. Il répondit que non, le train à bord duquel elle se trouvait n'allait pas à Copenhague.

Les mots « train » et « Copenhague » semblaient être tout ce qu'il savait de suédois.

C'était évidemment un train sans compartiments, composé de deux wagons à banquettes de bois. Quelques voyageurs avaient apporté des coussins et des couvertures ou des capes pour s'emmitoufler. Ils ne regardaient pas Sofia et tentaient encore moins de lui parler. À quoi bon ? Elle ne pouvait ni comprendre ni répondre.

Pas de vente ambulante non plus. On sortait des sandwichs de leur emballage de papier sulfurisé. D'épaisses tartines, du fromage odoriférant, des tranches de lard froid, parfois un hareng. Tirant une fourchette d'une poche enfouie dans les replis de ses vêtements, une femme s'en servit pour manger du chou aigre dans un bocal. Cela rappela à Sofia son foyer, la Russie.

Or ce ne sont pas des paysans russes. Aucun n'est ivre, bavard, ou hilare. Ils sont raides comme des passe-lacets. Jusqu'à la graisse dont les os de certains d'entre eux sont enveloppés est une graisse raide, digne, une graisse luthérienne. Elle ne sait rien d'eux.

Mais que sait-elle vraiment des paysans russes, des paysans de Palibino, quand on y pense? Ils étaient toujours en représentation, devant leurs supérieurs.

À l'exception peut-être d'une seule fois, ce dimanche où tous les serfs et leurs maîtres avaient dû aller à l'église entendre lire la Proclamation. Après quoi la mère de Sofia, effondrée, avait gémi et pleuré: «Qu'allons-nous devenir à présent? Que deviendront mes pauvres enfants?» Le général l'avait emmenée dans son bureau pour la réconforter. Aniouta s'était assise pour lire un de ses livres, et leur petit frère, Fédia, jouait avec ses cubes. Sofia errait à travers la maison et alla jusqu'à la cuisine où les serfs de la demeure et même de nombreux serfs des champs mangeaient des crêpes et célébraient l'événement – mais non sans dignité, comme la fête de quelque saint patron. Un vieillard dont la seule tâche était de balayer la cour se mit à rire et l'appela «Petite Maîtresse». «Voilà la Petite Maîtresse qui vient nous présenter ses vœux.» Certains l'avaient alors acclamée. Comme ils sont gentils, avait-elle pensé, tout en comprenant que l'ovation était une espèce de plaisanterie.

La gouvernante n'avait pas tardé à surgir, le visage comme un nuage noir, et elle l'avait emmenée.

Après quoi les choses avaient repris un cours à peu près normal.

Jaclard avait dit à Aniouta qu'elle ne pourrait jamais être une vraie révolutionnaire, qu'elle était seulement bonne à soutirer de l'argent à ses criminels de parents. Quant à Sofia et Vladimir (Vladimir qui l'avait arraché aux griffes de la police), ce n'étaient que des parasites prétentieux absorbés par leurs études inutiles.

L'odeur du chou et du hareng lui donne une vague nausée.

Plus loin, le train s'arrête et tout le monde doit descendre. Du moins est-ce ce qu'elle déduit des aboiements du contrôleur et du remue-ménage qui soulève ces corps rechignants mais dociles. Ils se retrouvent jusqu'aux genoux dans la neige, ni ville ni quai en vue, rien qu'un mou-tonnement de collines blanches dont la silhouette transparaît à travers une légère chute de neige. En avant du train, des hommes dégagent à la pelle une congère qui s'est formée dans un aiguillage. Sofia fait les cent pas afin que ses pieds ne gèlent pas dans leurs bottes légères, suffisantes pour les rues d'une ville mais pas ici. Les autres passagers demeurent immobiles et ne font aucun commentaire sur la situation.

Au bout d'une demi-heure, ou peut-être un quart d'heure à peine, la voie est libre et les passagers remontent lourdement dans le train. Pourquoi les en a-t-on fait descendre au lieu d'attendre sur leur siège, ce doit être un mystère pour eux tous, comme pour Sofia, mais bien sûr personne ne se plaint. Le voyage reprend, interminable, à travers l'obscurité, et ce n'est plus de la neige qui tombe contre les fenêtres. C'est un crissement malveillant. De la neige fondue et gelée.

Puis les pâles lumières d'un village et quelques voyageurs se lèvent, s'emmitouflent méthodiquement, rassemblent leurs sacs et leurs paquets pour descendre lourdement du train et disparaître. Le voyage reprend mais au bout d'un temps assez bref tout le monde reçoit l'ordre de descendre de nouveau. Pas à cause des congères cette fois mais pour être rassemblé comme un troupeau sur un bateau, un nouveau petit ferry, qui emporte ses passagers sur l'eau noire. La gorge de Sofia la fait tant souffrir à présent qu'elle est certaine de ne pouvoir parler s'il le fallait.

Elle n'a pas idée du temps que dure cette traversée. Quand ils accostent, les passagers doivent se regrouper dans un abri à trois côtés qui ne protège guère et où il n'y a pas de bancs. Un train arrive après une attente qu'elle est incapable de mesurer. Et Sofia accueille son arrivée avec une profonde gratitude, alors même que celui-ci n'est pas mieux chauffé et a les mêmes banquettes de bois que le précédent. On apprécie le plus infime confort, semble-t-il, en fonction de ce que l'on a dû supporter auparavant. N'est-ce pas là un constat bien lugubre ? voudrait-elle pouvoir dire à quelqu'un.

Au bout d'un moment, nouvel arrêt dans une ville plus importante où la gare possède un buffet. Elle est trop fatiguée, cependant, pour descendre et marcher jusque là avec les quelques voyageurs qui le font et en reviennent portant des tasses de café fumant. Mais la femme qui avait mangé du chou revient avec deux tasses, dont l'une est pour Sofia. Cette dernière sourit et s'efforce au mieux d'exprimer sa gratitude. La femme hoche du chef comme si tous ces chichis étaient inutiles et même déplacés. Mais elle demeure plantée là jusqu'à ce que Sofia prenne la monnaie danoise qu'on lui a rendue quand elle a fait changer son billet. Dans un grognement la femme prend alors deux pièces avec ses doigts gantés, trempés de neige fondue. Le prix du café, très probablement. L'attention et le transport sont gratuits. C'est comme ça. Sans un mot la femme regagne son siège.

De nouveaux voyageurs sont montés à bord. Une femme avec un enfant de quatre ans environ, la moitié du visage entourée d'un bandage et un bras en écharpe. Un accident, une visite dans un quelconque hôpital rural. Par un trou du pansement, on voit un œil noir et triste. L'enfant pose sa joue indemne dans le giron de sa mère qui étend sur lui un pan de son châle. Elle le fait sans tendresse ni inquiétude particulières, c'est un geste machinal. Un malheur est arrivé, cela lui fait un souci de plus, voilà tout. Avec les enfants qui attendent à la maison, et un autre peut-être dans son ventre.

C'est terrible, pense Sofia. Le sort des femmes est terrible. Et que dirait cette femme si Sofia lui parlait des nouvelles luttes, du combat des femmes pour le droit de vote et l'accès aux universités ? Elle risquerait de répondre que telle n'est pas la volonté de Dieu. Et si Sofia la pressait de se débarrasser de ce Dieu pour aiguiser son esprit, ne la regarderait-elle pas avec une certaine pitié obstinée, mêlée d'épuisement, en disant : « Mais alors, sans Dieu, comment pourrons-nous mener cette existence ? »

On traverse de nouveau l'eau noire, sur un long viaduc cette fois, pour s'arrêter dans un autre village où la femme et l'enfant descendent. Sofia a cessé de s'y intéresser, ne cherche pas à voir si quelqu'un est venu les attendre, elle tente d'apercevoir l'horloge de la gare, éclairée par le train. Elle s'attend à ce qu'il soit près de minuit. Mais il est à peine dix heures passées.

Elle songe à Maxim. Maxim aurait-il jamais dans sa vie à monter dans un train semblable à celui-ci ? Elle s'imagine poser confortablement la tête contre sa large épaule – alors qu'en vérité il jugerait cela un peu déplacé, en public. Son manteau d'une riche et coûteuse étoffe, sentant l'argent et le confort. Ces bonnes choses auxquelles il croit avoir droit, en même temps que le devoir de les conserver, alors même qu'étant un libéral il ne peut vivre dans son propre pays. Cette assurance merveilleuse qu'il a, que le père de Sofia avait, lui aussi, qu'on peut éprouver quand, petite fille, on se niche dans leurs bras, et qu'on voudrait garder toute sa vie. Plus délectable encore, bien sûr, s'ils vous aiment, mais réconfortante même si ce n'est qu'une espèce d'antique et noble pacte qu'ils ont conclu, une obligation qui a été signée par nécessité sinon par enthousiasme, d'avoir à vous protéger.

Ils seraient mécontents que quiconque les dise dociles, pourtant ils le sont par un certain côté. Ils se soumettent aux règles du comportement viril. Ils s'y soumettent avec tout ce qu'il induit de risques et de cruautés, de fardeaux compliqués et de tromperies délibérées. Des règles dont on bénéficie parfois, en tant que femme, et parfois tout au contraire.

Une autre image de lui se présente à son esprit – Maxim qui, loin de la protéger, traverse à grands pas une gare parisienne comme il convient à un homme qui a une vie privée.

Son couvre-chef altier, son assurance courtoise.

Cela ne s'était pas produit. Ce n'était pas Maxim. Assurément pas.

Vladimir n'avait pas été un lâche – il avait volé au secours de Jaclard – mais il ne possédait pas de certitudes viriles. C'était pourquoi il avait pu lui accorder une certaine égalité, ce dont les deux autres étaient incapables, mais aurait lui-même été incapable de l'envelopper dans cette chaleur et cette sécurité. Puis vers la fin, quand, tombé sous l'influence des Ragozine, il avait changé de tonalité – dans sa rage désespérée, songeant qu'il se sauverait peut-être en singeant les autres –, il s'était mis à la traiter avec un style de seigneur et maître peu convaincant voire ridicule. Il lui avait ainsi fourni un prétexte pour le mépriser mais peut-être l'avait-elle méprisé depuis le début. Qu'il la révère ou l'insulte, elle n'avait pas pu l'aimer, ce lui était impossible.

Comme Aniouta aimait Jaclard. Il était égoïste et cruel et infidèle, et tout en le haïssant, elle était amoureuse de lui.

Quelles pensées laides et fatigantes risquaient de venir à la surface quand on ne les gardait pas sous un couvercle.

Fermant les yeux, elle crut le voir – Vladimir – assis sur la banquette en face d'elle, mais ce n'est pas Vladimir, c'est le médecin de Bornholm, c'est seulement son souvenir du médecin de Bornholm, obstiné et inquiet, s'introduisant de force dans sa vie avec une espèce d'humilité bizarre.

Le moment vint – ce devait être aux environs de minuit – où il fallut descendre de ce train pour de bon. On était arrivés à la frontière du Danemark. Helsingør. La frontière terrestre, du moins – la frontière proprement dite, supposait-elle, devait se situer quelque part dans le Cattégat.

Et là le dernier ferry les attendait, grand et beau bateau, brillamment illuminé. Voilà qu'un porteur vint prendre ses bagages pour les emporter à bord avant de la remercier de ses pièces danoises et de s'éclipser. Elle montra ensuite son billet à l'officier de bord qui lui parla en suédois. Il lui assura qu'il y aurait une correspondance avec le train de Stockholm sur l'autre rive. Elle n'aurait pas à passer le reste de la nuit dans une salle d'attente.

«J'ai l'impression d'être de retour dans la civilisation», lui dit-elle. Il lui lança un regard vaguement suspicieux. Sa voix était une espèce de coassement, malgré le bien que le café lui avait fait à la gorge. C'est simplement qu'il est suédois, songea-t-elle. Ni le sourire ni les remarques anodines ne sont requis entre Suédois. La civilité n'en a pas besoin.

La traversée fut assez agitée mais elle n'eut pas le mal de mer. Elle se rappela le comprimé mais n'en eut pas besoin. Et le bateau devait être chauffé puisque plusieurs personnes avaient ôté la couche supérieure de leurs vêtements d'hiver. Mais elle continua de frissonner. Peut-être fallait-il qu'elle frissonne tant elle avait amassé de froid dans son corps pendant le voyage à travers le Danemark. Il s'était emmagasiné en elle, ce froid, et à présent elle frissonnait pour s'en débarrasser.

Le train de Stockholm attendait, comme promis, dans le port débordant d'activité de Helsingborg, tellement plus vaste et plus vivant que son cousin au nom similaire sur l'autre rive. Les Suédois n'étaient pas souriants, peut-être, mais les informations qu'ils vous donnaient étaient exactes. Un porteur tendit la main vers ses bagages et l'immobilisa tandis qu'elle fouillait dans son sac à la recherche de monnaie. Elle en sortit une poignée généreuse qu'elle lui mit dans la main dans l'idée qu'elle n'aurait plus besoin désormais d'argent danois.

C'était bien de l'argent danois. Il le lui rendit, disant en suédois : « Ça n'a pas cours.

– C'est tout ce que j'ai », cria-t-elle, prenant conscience de deux faits. Sa gorge allait mieux et elle n'avait effectivement pas d'argent suédois.

Lâchant les bagages, il s'éloigna.

De l'argent français, de l'argent allemand, de l'argent danois. Elle avait oublié l'argent suédois.

Le train crachait sa vapeur sous pression, les voyageurs montaient en voiture, tandis qu'elle restait plantée sur place, désemparée. Elle ne pouvait pas porter ses bagages. Mais alors ils resteraient là, à l'abandon.

Saisissant les diverses courroies et bretelles, elle se mit à courir ou plutôt à se traîner pantelante avec une douleur dans la poitrine et sous les bras et les sacs cognant contre ses jambes. Il y avait des marches à gravir. Si elle s'arrêtait pour reprendre haleine, elle arriverait trop tard. Elle monta les marches. Les yeux pleins de larmes d'autoapitoiement, elle implorait le train de ne pas partir.

Et elle fut exaucée. Le train ne partit pas avant que le contrôleur, penché à l'extérieur pour fermer la portière, ne lui eût saisi le bras avant de se débrouiller elle ne savait comment pour agripper ses bagages et hisser le tout à bord.

Une fois sauvée, elle se mit à tousser. Elle tentait en toussant d'expulser quelque chose de sa poitrine. D'expulser la douleur de sa poitrine. D'expulser aussi la douleur qui lui serrait la gorge. Mais elle dut suivre le contrôleur jusqu'à son compartiment et riait triomphalement entre deux quintes. Le contrôleur, ayant jeté un coup d'œil à l'intérieur d'un compartiment où il y avait déjà quelques personnes assises, la conduisit à un autre qui était vide.

«Vous avez raison… De me placer là où je ne peux pas… Où je ne gênerai pas, dit-elle radieuse. Je n'avais pas d'argent. D'argent suédois. Toutes les autres devises mais pas d'argent suédois. J'ai dû courir. J'ai cru que je n'y arriverais jamais…»

Il lui dit de s'asseoir et de ménager son souffle. Il partit et revint bientôt, portant un verre d'eau. En buvant elle songea au comprimé qu'on lui avait donné et l'avala avec la dernière gorgée. Sa toux se calmait.

«Il ne faut pas refaire ça, dit-il. Vous avez la poitrine qui se soulève. Vous haletez.»

Les Suédois ne sont pas seulement réservés et ponctuels. Ils sont aussi très francs.

«Attendez», dit-elle.

Car il y avait autre chose qu'elle devait vérifier, quasiment comme si le train ne pouvait la conduire à destination qu'à ce prix.

«Attendez un instant. Avez-vous entendu parler…? Avez-vous entendu parler d'une épidémie de variole? À Copenhague?

– Alors là, ça m'étonnerait», dit-il. Sur un petit signe de tête sévère mais courtois, il la quitta.

«Merci. Merci», lança-t-elle dans son dos.

Sofia n'a jamais été ivre de sa vie. Quand il lui est arrivé de prendre un médicament qui risquait de lui brouiller les idées, il l'a toujours fait dormir avant que ce genre de trouble ait eu le temps de se produire. Elle n'a donc aucun point de comparaison pour l'extraordinaire sensation – le changement de perception – qui déferle à présent à travers tout son être. Au début, ça n'a peut-être été qu'un soulagement, un sentiment plein de grandeur mais aussi de niaiserie d'avoir été favorisée parce qu'elle avait réussi à porter ses bagages, à monter les marches en courant et à arriver jusqu'au train. Puis d'avoir survécu à ces quintes de toux, à la contraction de son cœur et de s'être montrée capable, sans savoir comment, d'oublier sa gorge douloureuse.

Mais il y a plus, comme si son cœur pouvait poursuivre son expansion, recouvrer son état normal et continuer après cela de devenir sans cesse plus léger et plus frais, et de chasser légèrement, presque avec humour, ce qui encombrait son chemin. Même l'épidémie de Copenhague pouvait à présent se transformer en élément d'une ballade, s'intégrer à une vieille légende. Comme sa propre vie, dont les cahots et les chagrins se muaient en illusions. Les événements et les idées prenant une forme nouvelle, envisagés au travers de couches d'intelligence lucide comme un verre déformant.

Son état présent lui rappelait une expérience. C'était la première fois qu'elle était tombée sur de la trigonométrie, quand elle avait douze ans. Un voisin à Palibino, le professeur Tyrtov, avait déposé le dernier mémoire qu'il avait rédigé. Il pensait que cela pouvait intéresser le général, vu ses connaissances dans le domaine de l'artillerie. Elle l'avait trouvé dans le bureau et ouvert par hasard au chapitre consacré à l'optique. Elle se mit à le lire et à en examiner les diagrammes, convaincue qu'elle ne tarderait pas à le comprendre. Elle n'avait jamais entendu parler de sinus et de cosinus mais en substituant la corde d'un arc au sinus, sa chance voulant que pour les petits angles les deux coïncident presque, elle fut capable de déchiffrer ce langage nouveau et délectable.

Elle n'en avait pas été très surprise sur le moment, mais extrêmement heureuse.

Ce genre de découverte se reproduirait. Les mathématiques étaient un don de la nature, comme les aurores boréales. Elles n'étaient mêlées à rien d'autre en ce monde, mémoires, prix, collègues et diplômes.

Le contrôleur l'éveilla peu avant l'arrivée à Stockholm. Elle demanda : « Quel jour sommes-nous ?

– Vendredi. »

– Bien, bien, je vais pouvoir donner mon cours.
– Soignez-vous, madame. »

À deux heures elle était derrière son pupitre et fut capable de donner une leçon cohérente, sans douleur ni quinte de toux. Le délicat bourdonnement qui n'avait cessé de parcourir son corps comme sur un fil électrique n'affectait pas sa voix. Et sa gorge semblait avoir guéri d'elle-même. Quand elle eut fini elle rentra chez elle pour se changer puis prit un fiacre et se fit conduire à la réception à laquelle elle était invitée, chez les Gulden. Elle était d'excellente humeur, parla avec brio de ses impressions d'Italie et du sud de la France mais sans rien dire du voyage de retour en Suède. Puis elle quitta la pièce sans demander qu'on l'excuse et sortit de la maison. Elle était trop pleine d'idées lumineuses et exceptionnelles pour continuer de parler aux gens.

Déjà l'obscurité, la neige, pas un souffle de vent, les réverbères dans un halo, semblables à des globes de Noël. Elle chercha des yeux un fiacre mais n'en vit aucun. Un omnibus passa et elle lui fit signe. Le conducteur lui apprit que ce n'était pas un arrêt.

« Mais vous vous êtes arrêté », dit-elle avec insouciance.

Elle connaissait mal les rues de Stockholm, de sorte qu'elle mit un certain temps à se rendre compte qu'elle allait dans la mauvaise direction. Elle l'expliqua en riant au conducteur, qui la fit descendre pour rentrer à pied dans la neige, vêtue de sa robe de soirée, d'une cape légère et d'escarpins. La chaussée toute blanche était merveilleusement silencieuse. Elle dut marcher plus d'un kilomètre et demi mais fut contente de découvrir qu'en définitive elle connaissait le chemin. Malgré ses pieds trempés elle n'avait pas froid. Elle songea que c'était à cause de l'absence de vent et de l'enchantement qui régnait dans son esprit et son corps, et dont elle n'avait encore jamais pris conscience, mais sur quoi elle pourrait sans aucun doute compter désormais. Ce n'était vraiment pas une remarque originale mais la ville semblait sortie d'un conte de fées.

Le lendemain elle garda le lit et fit passer un mot à son collègue Mittag-Leffler afin de lui demander de lui envoyer son médecin, elle-même n'en ayant pas. Il l'accompagna en personne et, au cours d'une visite qui se prolongea, elle lui parla avec beaucoup d'enthousiasme d'une nouvelle œuvre mathématique qu'elle projetait. Elle serait plus ambitieuse, plus importante, plus belle, que tout ce qui lui était venu à l'esprit jusqu'alors.

Le médecin diagnostiqua une maladie des reins et lui laissa des médicaments.

« J'ai oublié de lui demander, dit Sofia quand il fut parti.

– Lui demander quoi ? s'enquit Mittag-Leffler.

– Y a-t-il une épidémie à Copenhague ?

– Vous rêvez, dit Mittag-Leffler avec douceur. Qui vous a raconté ça ?

– Un voleur », dit-elle. Puis elle se corrigea : « Non, un voyageur. Très gentil. » Elle remua les mains comme si elle tentait de dessiner une forme plus descriptive que les mots. « Mon suédois, dit-elle.

– Attendez d'aller mieux, pour parler. »

Elle sourit, puis sembla triste. Elle dit avec emphase : « Mon mari.

– Votre fiancé ? Eh, ce n'est pas encore votre mari. Je vous taquine. Voulez-vous qu'il vienne ? »

Mais elle secoua la tête. Elle dit : « Pas lui. Bothwell. »

« Non. Non. Non, dit-elle rapidement. L'autre.

– Il faut vous reposer. »

Teresa Gulden et sa fille Else étaient venues ainsi qu'Ellen Key. Elles devaient se relayer à son chevet. Après le départ de Mittag-Leffler elle dormit un peu. Quand elle s'éveilla elle se montra de nouveau bavarde mais ne fit plus d'allusion à un mari. Elle parla de son roman et du livre de souvenirs de sa jeunesse à Palibino. Elle dit qu'elle serait capable de faire beaucoup mieux désormais et entreprit de décrire son idée pour un nouveau récit. Puis elle tomba dans la confusion et se mit à rire de ne pas être capable de parler plus clairement. Il y avait un mouvement d'arrière en avant et d'avant en arrière, une pulsation dans la vie. Dans cette œuvre, elle espérait découvrir ce qui se passait. Quelque chose de souterrain. D'inventé, mais non.

Que pouvait-elle bien entendre par là ? Elle rit.

Elle débordait d'idées, dit-elle. D'une tout autre dimension et d'une importance renouvelée. Et pourtant si naturelles et si évidentes qu'elle ne pouvait s'empêcher de rire.

Le dimanche, son état empira. Elle pouvait à peine parler mais insista pour voir Fufa dans le costume qu'elle allait porter à une réception enfantine.

C'était un costume de gitane et Fufa dansa, ainsi costumée, autour du lit de sa mère.

Le lundi, Sofia demanda à Teresa Gulden de veiller sur Fufa.

Le soir elle se sentit mieux et une infirmière prit le relais pour permettre à Teresa et Ellen de se reposer.

Aux petites heures du matin, Sofia s'éveilla. On réveilla Teresa et Ellen et elles firent lever Fufa afin que l'enfant pût voir sa mère vivante une dernière fois. Sofia put seulement prononcer quelques mots.

Teresa crut l'entendre dire : « Trop de bonheur. »

Elle mourut vers quatre heures. L'autopsie montrerait que ses poumons étaient ravagés par la pneumonie et son cœur par une maladie cardiaque remontant à plusieurs années. Elle avait un gros cerveau, ainsi que chacun s'y attendait.

Le médecin de Bornholm apprit sa mort par les journaux sans surprise. Il lui arrivait d'avoir des pressentiments, troublants pour quelqu'un qui exerçait sa profession, et pas forcément fondés. Il avait pensé qu'éviter Copenhague la préserverait. Il se demanda si elle avait pris le comprimé qu'il lui avait remis et s'il lui avait apporté le réconfort comme il le faisait pour lui-même quand c'était nécessaire.

Sofia Kovalevskaïa fut enterrée dans ce qu'on appelait alors le Nouveau Cimetière, à Stockholm, à trois heures de l'après-midi d'un jour calme et froid, où l'haleine des gens qui formaient le cortège funèbre et celle des badauds créaient de petits nuages dans l'air gelé.

Weierstrass avait envoyé une couronne de laurier. Il savait qu'il ne la reverrait plus, il l'avait dit à ses sœurs.

Il vécut encore six ans.

Maxim vint de Beaulieu, prévenu par un télégramme que Mittag-Leffler lui avait adressé avant la mort de Sofia.

Il arriva à temps pour prendre la parole aux obsèques, en français, et parla de Sofia comme s'il s'agissait plutôt d'un professeur de sa connaissance, remerciant la nation suédoise au nom de la nation russe, d'avoir donné à cette femme une chance de gagner sa vie (d'utiliser ses connaissances d'une manière profitable, dit-il) comme mathématicienne.

Maxim ne se maria pas. Il fut autorisé au bout d'un certain temps à rentrer dans sa patrie donner des leçons à Pétersbourg. Il y fonda le Parti des réformes démocratiques en Russie, prenant position pour la monarchie constitutionnelle. Les tsaristes le trouvèrent trop libéral et Lénine le dénonça comme réactionnaire.

Fufa pratiqua la médecine en Union soviétique où elle mourut au milieu des années 1950. Elle n'éprouvait aucun intérêt pour les mathématiques, disait-elle.

On a donné le nom de Sofia à un cratère de la lune.

Remerciements

J'ai découvert Sofia Kovalevskaïa un jour que je cherchais autre chose dans mon *Encyclopædia Britannica*. La combinaison d'une romancière et d'une mathématicienne éveilla aussitôt mon intérêt et je me mis à lire tout ce que je pouvais trouver sur elle. Un livre me captiva plus que tous les autres et je dois donc reconnaître ma dette, mon immense gratitude envers les auteurs de *Little Sparrow : A Portrait of Sophia Kovalevsky* (Athens, Ohio, Ohio University Press, 1983), Don H. Kennedy, et son épouse, Nina, descendante de Sofia, qui m'ont fourni quantité de textes traduits du russe, parmi lesquels des passages des journaux intimes, des lettres et de nombreux autres écrits de Sofia.

J'ai limité mon récit aux journées qui ont conduit à la mort de Sofia, avec des retours en arrière sur des épisodes précédents de sa vie. Mais je conseille vivement à tous ceux qui s'intéressent à elle la lecture du livre des Kennedy, qui regorge de trésors historiques et mathématiques.

Alice Munro
Clinton, Ontario
Juin 2009

Table

Réalisation : PAO Éditions du Seuil
Achevé d'imprimer par Normandie Roto Impression s.a.s.
à Lonrai (Orne)
Dépôt légal : avril 2013. N° 729-4 (133979)
Imprimé en France